# THE HISTORY OF ENGLAND

## 英格兰史
六部曲
—Ⅴ—

# 君临天下

## 走向鼎盛的日不落帝国

[英国]
**彼得·阿克罗伊德**
—著—

**朱任东**
—译—

译林出版社

**图书在版编目（CIP）数据**

君临天下：走向鼎盛的日不落帝国 /（英）彼得 · 阿克罗伊德（Peter Ackroyd）著；朱任东译．—南京：译林出版社，2022.9（2024.12重印）
（英格兰史六部曲）
书名原文：Dominion
ISBN 978-7-5447-9168-7

Ⅰ.①君… Ⅱ.①彼… ②朱… Ⅲ.①英国－近代史－1815—1901 Ⅳ.①K561.4

中国版本图书馆 CIP 数据核字（2022）第 086849 号



著作权合同登记号　图字：10-2019-067 号

**君临天下：走向鼎盛的日不落帝国　[英国] 彼得 · 阿克罗伊德 / 著　朱任东 / 译**

责任编辑　王瑞琪
装帧设计　韦　枫
版式设计　黄　晨
校　　对　王　敏
责任印制　单　莉

原文出版　Macmillan, 2018
出版发行　译林出版社
地　　址　南京市湖南路 1 号 A 楼
邮　　箱　yilin@yilin.com
网　　址　www.yilin.com
市场热线　025-86633278
排　　版　南京展望文化发展有限公司
印　　刷　徐州绪权印刷有限公司
开　　本　718 毫米 ×1000 毫米　1/16
印　　张　21.75
插　　页　12
版　　次　2022 年 9 月第 1 版
印　　次　2024 年 12 月第 3 次印刷
书　　号　ISBN 978-7-5447-9168-7
定　　价　78.00 元

# 目　录

# 1

# 恶　灵

在《名利场》(1848) 一书的末尾，威廉·梅克皮斯·萨克雷以一段意味深长的话结束了他这部 19 世纪中叶的小说："唉，浮名浮利，一切虚空！我们这些人里，有谁真正快乐？又有谁得偿所愿？就算一时遂了心愿，过后还不成空？来吧，孩子们，关上箱子，藏起木偶，咱们的戏已经演完了。"

现在，到了打开箱子，掸去木偶上的灰尘，重新让它们站起来的时候了。不过，它们不再是小说中的角色，而是与维多利亚时代相关的一系列人物。正是它们令这个时代生气蓬勃，并赋予它特有的狡黠、贪婪和欢愉。

这套书的前一卷以普世和平与拿破仑·波拿巴下台结束，但和平带来的欢乐祥和也无比短暂。自 1793 年成立第一次反法同盟以来的 20 多个年头里，陆海两军、国内人民以及盟友国家的种种需求曾令农夫、实业家和商人奔忙于赚钱这桩正事。从谷物到棉布，从小麦到武器，这类需求似乎是无穷无尽的，但事实并非如此。1815 年的《年鉴》期刊指出，"国家荣光"的种种象征已完全被"普遍萧条"的迹象所遮蔽。 1

尽管如此，威灵顿仍然是民族英雄，英国仍然巩固了自己在世界范围内的新霸权，成为竞争的胜者。它以各种手段得到了 17 个新的殖民地，由此带来的威望和影响力可以维持至少 50 年。但当那些日渐远去的风笛手无路可走时，为他们发出的任何喝彩都毫无裨益。运气最好的老兵还可以重操旧业，等待大部分退伍军人的只有贫穷和漂泊的生活。有些人还把学来的军事技能用在卢德分子（Luddite）的游行组织上，去指挥那些被饥饿和失业迅速激怒的暴徒。

战后的萧条持续了6年，民众对经济学的神秘原理知之甚少，他们必须将这种萧条归罪于某些事物或某个人。人们都认为这是政府的过错，或是源于执政者的渎职和挥霍。有人呼吁要建立一个“廉价政府”，但没人真正明白应该怎样完成此项壮举。统治阶层所引发的恐惧和厌恶未见消弭，反而激起了进一步的暴动和对政治选举制度改革的呼吁。

还有很多人生活在过去的时代。有的绅士在就寝前要喝上两三瓶葡萄酒，尽管酗酒已经不再时髦；宫廷和上流社会仍备受尊崇，而同时商业财富和商人仍在悄然发展；伦敦郊区的富人养着成群的仆人和马车，车夫的头上戴着假发；市区的会计所和商贸企业都精致而低调，只在摇把门铃下方镶一块铜牌作为广告；附近的街道宽度刚好能让两辆运啤酒的马车擦身而过；每个男人和女人都按照阶层、财富和年龄尊卑有别。

然而，在19世纪20、30年代，人们看到了一种诚挚而富有活力的新气氛。那正是查尔斯·狄更斯小说里的人物身处的年代——他们包括马丁·翟述伟、尼古拉斯·尼克尔贝、菲利普·皮利普（昵称“皮普”），当然还有狄更斯自己；他们脚下生风，目光灼灼，一天走30英里也不在话下。那些虚构的人物以一种完全契合新时代的方式展现出了道德上的活力，
2 正如狄更斯去世次日《每日邮报》所说的那样：“后人能从他对当时生活的描绘中，比从同时代的各种记录中更清楚地了解到19世纪的时代特征。”在其他散文家和小说家那里，我们也可以清楚地看到19世纪的大致轮廓：既有沉郁的忧伤，也有放浪的幽默；既带着逝去的诗意，又散发着可怖；既有愤怒或怜悯的能力，又有讽刺和怀疑的偏好；既拥抱物质世界，也渴望灵性和超凡（至少在大量中间阶层看来是如此）。但过于靠近先辈们会令我们无法接受，那是他们的世界，不是我们的。如果一个21世纪的人发现自己身处那个年代的酒馆或旅店中，毫无疑问他会感到不适——无论是对

气味、食物、别人的呼吸，还是对四周的整体氛围。

可以用来形容这些早期年份的词是“pluck”，意为“应对所有挑战的勇气与能力”。这种特质也被称作“mettle”或“bottom”；它是为维多利亚时代的激情所做的一次深呼吸。用一位神父的话来说，他们不得不“冲过急流”。不同于前人和后人，他们对于人类的意志有着深刻的信念；不论宗教信仰如何，这种信念是他们的基本原则。他们决心竭尽全力，冲向彼岸。对独立的崇敬随之而来，并因后来塞缪尔·斯迈尔斯“自救”的呼声而不朽。独立已成为“生存斗争”的一部分；正如这个表达所示，它充满了明确的责任和勤奋。工作是所有行为准则中最重要的一条，它需要决心和精力、坚定和坚持、深思熟虑和不屈不挠，这些都是即将到来的维多利亚时代的基本美德。

这是一个出生率暴增的年轻社会：1811 年有 1200 万人口，到 1821 年增至 1400 万，到 1851 年达到 2100 万；其中大约一半人年龄在 20 岁以下，并且都生活在城市或城郊。这只能是一个国家面临巨大转变时做出的整体反应，否则这一波人口的显著增长便难以得到解释。当然，婴儿死亡率的下降也起到了一定作用。一个现代家庭一般包含 3 到 4 名成员，而在 19 世 3
纪同样的地方，一个家庭通常有 6 到 7 名成员，非常大的家庭也很常见。1851 年的宗教普查报告称，有 700 万人参加周日的礼拜，约有一半是圣公会教徒。然而，该报告也估计，有 550 万人从不去任何大小教堂。从教会的角度来看，英格兰正处在一种自然或平衡的状态，不过这种状态只会每况愈下。

年轻化也许有助于说明随处可见的欢快活泼。认真的信条延续了一百多年，并在百年后受到了奥斯卡·王尔德的嘲弄。华尔兹成为当时的新舞蹈，它是 1813 年引入英国的。起初有人认为这种舞“放荡而不雅”，因为舞伴之间贴得太近了。但飞速旋转的华尔兹最终席卷了整个英格兰的舞厅，它那种难以压抑的力量是这个时代的标志。

1815 年的胜利者们在维也纳会议上争得不可开交。此时的欧洲被四个大国把持：俄国、奥地利、普鲁士和英国——前三个是专制国家，最后一个也算不上民主；世界由少数人掌控，白厅的外交大臣卡斯尔雷勋爵便是其中之一。他一心想要维护多年以来的“势力均衡”原则。英格兰的强大力量本身是毋庸置疑的。他告诉下议院，“有一种普遍的倾向：指责我们的傲慢令人难以忍受，说我们有一股蛮不讲理的气焰，在政治事务上目中无人”；对此他也并不打算否认。还有人形容卡斯尔雷就像一只陀螺，“抽得越急，转得越快”。

利物浦勋爵曾担任过好几种内阁大臣的职务，不过直到1812年斯宾塞·珀西瓦尔遇刺后才成为首相。他是那个时期典型的托利党人：讨厌变革，只接受最温和的改良，最关心的是维持现有社会表面上的和谐。有个笑话说，如果回到创世的第一天，他会首先恳求上帝结束混乱。他也许和许多同僚一样，梦想能实现天主教的解放和自由贸易，但这些都属于留给第二天的事了。他的工作只是恰到好处地维系住自己的权势。利物浦勋爵
4 对同时代的人没有什么影响，但他似乎对此也并不在意。迪斯雷利称他是“极致的庸人”；而这可能算是他一生的最大成就。所有关于首相的老生常谈都适用于他，比如既诚实又圆滑。他长于交际、小心谨慎、老实可靠，而这些特质都令他泯然众人。他舒舒服服地坐在上议院，在那里混个贤达的名声要相对容易些。1827年，在当了十五年首相后，他因病退休，但刚一离开就被人遗忘了。

在他被陈词老调所盖棺论定之前，还是留下了点有趣的逸闻。利物浦勋爵很容易在压力之下哭泣，被所谓“软弱”压垮。人们认为他因太在意自己的得失而变得“情绪化”，用后人的话来说就是“黏糊”（wet）。他读《晨报》的时候总是会颤抖，而他的同事查尔斯·阿布斯诺特的妻子描述说，在他“故作镇静的外表下”，是“极其古怪善变的脾气”。圆滑与平静仅仅是一张面具，其背后是深深的疑惑和惊恐。在维多利亚女王的小手握紧权杖之前的19世纪最初数十年，常被呈现为充满了摄政时期特有的浮躁。而同时代的西德尼·史密斯说，那几年的特征是“那种老旧而传统的、令人心惊胆战的源自恐惧的受难”。利物浦勋爵的前任斯宾塞·珀西瓦尔遇刺身亡，民众却欢欣鼓舞。这一时期几乎没有什么事是让人安心的，到处

是骚乱的报告、阴谋与革命的谣言、饥荒和另一场欧洲战争的威胁。

利物浦勋爵是托利党，但在当时，党派的标签并没有那么鲜明。托利党和辉格党并没有什么真正的纪律，它们不过是一连串临时领袖领导下的两个不同派别而已。1828 年，克拉伦斯公爵说这些名字“代表的是一百年前的事情，放到今天已经毫无意义”。1784 年，辉格党已经失势，那时他们不再是仁慈专制的代表，而成为与国王对立的寡头派阵营。威廉·皮特领导下的托利党接过了权力，并且不打算再交回去。威廉·哈兹里特把它们比作两辆竞赛的马车，沿着同一条道路前进却互相溅满泥土。 5

托利党抱怨辉格党对国王的特权持消极态度，却热衷于推动天主教解放之类的改革；而辉格党则认为托利党对民众的要求充耳不闻，对行政权力过于放纵。除此之外，并没有其他什么东西可以区分他们。麦考莱试图夸大它们各自的地位，称它们“一方维护自由，另一方维护秩序”，这话充分证明了他在“用语言赋予世界规律性”方面是个天才。后来的辉格党首相墨尔本勋爵直言，辉格党人都是“表兄弟”，正是对家族事务的暗自操心使他们失去了立场。拜伦在长诗《唐璜》的第十一章中说：

> 人间没有什么是永恒的，
> 除了辉格党人上不了台。

政策都是在幕后悄悄制定的。内阁会议通常是在没有任何目标或议题的情况下召开的，部长们大眼瞪小眼，不知要说啥。内阁会议是不做记录的，只有首相可以做笔记，而这些笔记并不总是可靠的。如果说这时的政府不是按部门组织运转的话（毕竟当时各部门还只是负责些闲杂事务），那么它就更像是由各种私务委员会组成的。直到 19 世纪 30 年代政党才有党部。当时党派领袖极不愿意对公共政策发表意见，这可能是为了稳妥。没有经过选举改革的选民登记册同样杂乱无章，令人困惑；投票也很容易受到某位地方贵族或某个突出问题的影响。

利物浦勋爵有很多绰号，包括“老朽”（Old Mouldy）和“大雕像”

（the Grand Figitatis）。说句公道话，他也有很多事要去烦心。刚刚经历战争创伤的国家又因战后的衰落和萧条而动荡不安。国外谷物的大量涌入导致谷物价格大幅下跌，使得农场主的利益受损，和政府产生了矛盾。但如果人为地把谷物的价格提高，则可能引起民众的不安。该怎么办呢？自由贸易的发展不可避免，这让农场主们担心，却也让不少人翘首以盼。较低的价格和利润使很多人失业，并且失业人数由于退伍军人的归来而继续增长。这种事之前也发生过多次，但似乎没有人真的对此有所准备。工作岗位很
6 少，工资很低；唯一不缺的东西就是失业。暴动的威胁从未远离。

骚乱起于1815年，以北德文区最为剧烈。在随后的几个月里，暴乱充斥着这个国家。那些呼吁工业改革尤其是解放童工的人也加入了他们的队伍。当时国外有种观点认为取得实际和积极的改变至少是有可能的，于是呼吁政治改革的势头也开始显露。此外，有上百万人被吸纳为这个新建成的帝国的一部分，该如何对待他们？比如1800年，被吸纳进联合王国的那些爱尔兰人，要如何对待？一位名叫威廉·赫斯基森的部长称，各方都感到“不满和紧张”。

1815年，还没人见过火车和蒸汽船，出租马车和公共汽车直到13年后才出现在伦敦的街头。除了少数大人物，所有人去任何地方都是靠两条腿。驿马车过于昂贵，日常出行是用不起的，因此大部分群众都还在竭尽所能迈步前进。天刚拂晓，有些人困脚乏的行人，蜂拥而至进入伦敦城的办公室。文员和勤杂工，他们都是从偏僻地区来的。学徒们正在打扫他们的商店，给外面的人行道浇水；孩子和佣人已经挤满面包店。如果幸运的话，你可能还会在苏格兰场附近看到运煤工人跳舞。即便是在早晨，性仍然是穷人唯一的乐趣。小巷和灌木丛都被当成公共厕所，或其他更私密用途的场所，花上几个便士和妓女交易的情况并不少见。

一位当时的伦敦人亨利·乔利曾提到：特别是在早上，“人们不管水平如何，都在竭力表达他们对音乐的热爱。他们在街上高唱当时的歌曲，以展示自己的快乐或迷茫”。人们在街上或酒吧里用口哨吹出流行的曲调，或

者用手摇风琴来干巴巴地演奏。街边售卖的书刊一般放在撑开倒放的雨伞里，而更善于经营的书店则会不断地重新布置橱窗。卖水果的姑娘、牡蛎
商人、烤土豆师傅和板栗小贩已经在干活了。中午以前，黑人小夜曲歌手 7
和合唱者就会到来。有心的路人知道，织工住在斯皮塔菲尔兹，朗埃克有马车制造工，钟表匠在克莱肯韦尔，迷迭香小巷有旧衣服摊。斗鸡、斗狗、公开绞刑、游乐场，还有带枷示众，无一不为这里增添了刺激和游乐的整体气氛。

夜晚变得越来越明亮。伦敦以前只有油灯和蜡烛可供照明，但随后经营煤气和蒸汽的孪生机构就出现了。街道上煤气灯的光辉令之前的一切黯然失色。煽动家和老练的政治投机商始终是正确的，毕竟这是一个进步的年代，整个国家正在慢慢失去18世纪的特色。然而，穷人依旧吃不饱。小酒馆和小饭店不再是劳苦大众消费得起的地方，甚至连廉价的土豆也超出了他们的购买能力。

1815年3月，《谷物法》颁行，在国内谷物的价格达到每蒲式耳80先令之前禁止进口国外谷物；这最终导致国内谷物价格飙升。由于没有补救措施，穷人和心怀不满的人开始暴乱。国会议员抱怨说，他们就像羽毛球一样被打来打去。尽管约翰·拉斯金的父亲在1807年就曾指出，“对于所有人来说，最重要也是最伟大的一门科学……就是政治经济学”，但当时几乎没有什么人懂得经济理论。农夫们自己也可能会做点高级的计算，不过他们靠的是观察、经验、常识，还有《老摩尔年鉴》。

经济衰退的步伐还在加快。罗伯特·骚塞在《英国评论》中指出，“在一个文明而繁荣的国度中去审视极端贫困带来的影响”是令人悲哀的。虽然《谷物法》在伦敦引起的暴乱很快平息了，但卢德运动又回到了诺丁汉。从泰恩河畔的纽卡斯尔到诺福克，还有萨福克和剑桥郡都发生了骚乱。1816年，斯塔福德郡和伍斯特郡的失业人群暴增，据称有许多人“一直在
街上游行集会，喊着最危险的口号”。《利物浦水星》评论说，在这一年结 8
束时，“室有哀伤，路有饥馑，全国四分之一的人口靠施舍为生”。在这一时期，公共媒体的愤怒情绪越来越高涨，出现了《黑矮人》《科贝特政治周

刊》这样的书刊。它们得到了激进社团的支持和扩散；而这其中，没有什么传播网络比成立于伦敦并迅速向东北蔓延的汉普顿俱乐部来得更有效率了。如果要在纺纱工、织布工、匠人和劳工中传播关于国家贿赂和腐败的消息的话，每周让他们花一便士订报也算不上太贵。人们害怕的是，激进主义者说不定已经掌握了一种发动大规模群众运动的工具。正是在这一时期，“激进”（radical）一词首度被用来形容恶人团伙；按哈罗牧师的说法，这类人“摒弃《圣经》”，“蔑视你们国家的所有机构”。内政大臣则将他们称为“敌人”，而且一段时期内，任何持不同政见者或者反对派都会被扣上“激进”的帽子。

还有一个更大的困境得以确认。罗伯特·欧文在1815年的著作《论工业生产体系的影响》中指出：“制造业体系的影响已经遍及整个英帝国，对人民群众的普遍性格产生了根本性的影响。”人民已成了为雇主积累利润的专用机器。机器本身用于促进和维持分工，好让每个工人都有一个相对简单和专业化的角色。机器保证了工作和产品的一致性，并起到防止注意力分散或懒惰的作用。机器促成了合理而规范的劳动系统。这一切发生得悄无声息，几乎不留痕迹。值此时期，经济学家和一些先进的农学家渴望理解正在发生的事情，并且准备翻开这本新世界的大书。在金融新知识课堂里的第一批学生中，就有罗伯特·皮尔和乔治·坎宁这两颗冉冉升起的托利党新星。

此时的君主名义上是乔治三世，可他此时已语无伦次，失心癫狂。真正的统治者是摄政王威尔士亲王，他被威灵顿公爵形容为“一生中遇到过
9 的最坏的人，最自私、最虚伪、最邪恶、最缺乏救赎品质的人”。就是在这
10 个饥饿和骚乱的时期，摄政王开始兴建英皇阁。他终其一生都在大兴土木。

# 2

# 怪 物

虚伪是笼罩在19世纪上空的道德阴云，它是这个高尚时代的一部分。1821年，拜伦写道：“事实上，英国是盛产虚伪的大本营；虚伪的政治，虚伪的诗歌，虚伪的宗教，虚伪的道德，在生活的所有方面都充斥着虚伪。”他本想让唐璜皈依卫斯理宗，以此作为榜样，但已经有太多为了符合时宜转投上帝的新教徒和圣公会教徒了。虚伪是一面镜子，把利己伪装成利他，把贪婪伪装成虔诚，把对少数几个受益家族的考虑伪装成“国家利益”。虚伪包括那些一边作恶一边微笑的政客；虚伪就是那些关闭周日公共酒吧的道德改革家的言辞。这个国家的政治词汇，常常因其古典的文法和响亮的音节而受到称赞，但那大部分是虚伪的。历史学家经常对19世纪国会议员们的啰唆和热情感到惊讶，然而他们的话也是虚伪的。大多数人，至少是那些还有点自知之明的人，都知道自称的信念和美德是空话，不过他们还是会和别人来共同维持谎言。从未有一个时代如此执着于要给人留下正派的印象。

举个例子，1815年秋天的“四国同盟”的基础便是虚伪。在此之前，俄国、奥地利和普鲁士建立了“神圣联盟”。当国家事务被冠以神圣之名 11
时，最好要小心了。这些国家的外交政策似乎应该以爱和慈善为原则，但事实上君主们彼此猜忌，也害怕自己的人民。卡斯尔雷子爵形容这个联盟是一种“混合了崇高的神秘主义和无稽之谈的东西”，发明这种玩意的君主只能说是“脑子进了水”；然而，他却没有采取措施阻止摄政王暗中对其予以批准。四国同盟的明确目的就是要巩固君主国家间的关系，排斥波拿巴家族的政权，就此而言，爱和慈善可能还有点用。于是，这场以卡斯尔雷为首席指挥的“欧洲协调机制”在一声嘹亮的号声中开始了。

威斯敏斯特宫乃是集虚伪之大成的殿堂；议会在 1816 年初于此地召开时，其追随者麇集于上下两院。卡斯尔雷子爵控制了下议院，而利物浦勋爵则控制了上议院。为什么军队没有被全部解散？为什么摄政王在召开议会时穿的是元帅制服？皇家军事庇护所有必要存在吗？对于这个国家真正的弊病，人们什么也没说。“你们的郡有如此严重的痛苦，对此我深感关切，”内政大臣西德默斯子爵对一名议员说，“但我没有理由相信，这种大会或议会本身能缓解痛苦。”当一些剪羊毛工提出送他们去北美时，利物浦勋爵回答道：“在羊毛贸易中，机器不能停下来。”

所得税或财产税在之前被宣布为战时应急措施，一旦敌对行动停止就会废除。但在 1816 年的议会上，政府毁弃了承诺，继续征收每镑 1 先令的所得税，引起了普遍的惊恐和愤怒。和往常一样，争论非常激烈，而后政府丧失了选票。所得税最终被废除，但它就像古代的吸血鬼那样，没有死，只是睡着了。卡斯尔雷写信给他的兄弟查尔斯说：“你可以看看，你所认为
12 的强大政府，对这个国家的时代潮流的抵抗是多么微不足道。”卡斯尔雷作为下议院领袖，已经被许多人斥责为国内压迫的始作俑者之一。雪莱的诗作《无政府主义的面具》（1819）中有一段与他有关：

> 路上我遇到了“谋杀”——
> 他有一副像卡斯尔雷的面具——
> 他的样子平静而冷酷；
> 七条猎狗跟在他身后……

他并不像这里描写的那么坏，但人们很容易将品德贬低为被掩饰的邪

恶。平静可能被误认为缺少感情，而友善则可能被误认为没有原则。他的确处于焦虑和不安之中，而这种状态最终导致他用利刃自杀。在这个节骨眼上，他的政府年收入仅有900万英镑，却要面对3 000万英镑的支出。从而被迫向一系列产品征收间接税。在一幅漫画中，财政大臣尼古拉斯·范西塔特坐在浴缸里，问一个洗衣女工："你还有肥皂吗？"不过，在随后的信任投票中，托利党勉强避免了失败，因为他们的主要支持者害怕会发生更糟糕的事情。

肥皂还算不上什么大问题。所有对时局的不满，都在一大波突如其来的混乱和暴动中爆发了出来。从4月到5月底，面包价格尤其成为人们首要声讨的对象。农场主、店主、屠夫和面包师遭到袭击，他们的房舍遭到破坏。这是给新世纪的一条重要指示：古老的群众暴力之火从未被浇灭。之前那场战争差不多已经被遗忘。人们现在的口号是"不给面包就见血"。"血"是乡村绅士、贵族和垄断者的血，换句话说，是英国的血。面包的代价稳步上涨。

出于惊恐，绅士和大农场主开始群起拥护托利党。几个月前，托利党还被谴责为一个自私自利、一心要颠覆国家自由的阴谋统治集团，现在却变成了正遭受严重侵害的法律和秩序的官方面孔。辉格党曾希望能谴责他们是叛国者，而现在他们却变成了护国者。托利党人似乎总能通过大众的不满捞到好处。

威廉·科贝特，这人与其说是个辉格党或托利党，倒不如说更像个激 13
进分子；他的笔写出了大众的不满。从某种意义上说，他想回到旧时的英格兰，那时没有纸币和国债，没有股票经纪人，也没有工业城镇。他的理想是生活在一个宁静和更为体面的国家：它建立在传统的平等社会基础上，不受金钱的污染。他相信选举改革是平息动乱的关键，但对此很多人并不买账。科贝特的主要支持者是纺织工及其他手工业者，这些人的生计正在被工业化所摧毁。但他不能仅靠这些人来实现社会变革。

他说话粗鲁，行事固执，讽刺挖苦毫不留情，但他触及了问题的核心。"如果在公共事务的管理方式上有什么重大变化，谁能自欺欺人地认为，国家可以在没有严重动荡的情况下再撑上十二个月？”他担心的是“那怪物的破坏已经很严重了”。他所说的“怪物”也叫“老旧的腐败”，指的是吸走这个国家的生命之血的大量贪污受贿。他的话，或者说是观点，其影响之大远远超过了他的预想。两年前，也就是1814年，《泰晤士报》开始采用蒸汽动力印刷，一种新生事物登上了历史舞台。政府尽了最大努力限制激进报纸的发行量，但在动荡不安的时期，人们对新闻的需求是无法遏制的。在1800年到1830年之间，公共印刷品的销量翻了一番。1816年，科贝特出版了他的《政治周刊》。这本小册子在劳工阶层中广为流传，而那些骑在他们头上的人则称其为“两便士垃圾”。同年10月12日，科贝特呼吁“改革议会，使其由人民自己选举产生”。

科贝特很清楚自己面对的敌人，他对母亲说，这些人是“邪恶而又顽固的坏蛋，总是在刺激穷人走向疯狂和犯罪”。他见惯了同样的贵族家庭，同样的面孔，同样的亲戚；听惯了议会里发出同样的叫好声；他对此感到恶心。“就算在‘开明的’北方，也有人该像可怜的牲口一样卑微和绝对服从，该被迫在84华氏度的高温中一天工作十四个小时吗？有人该仅仅因为
14 从工厂的窗口向外张望而受到惩罚吗？”他见过路上彷徨的流浪汉，见过不知何去何从的无业游民，见过风雨中飘摇倾圮的农舍。他问道：“这一切的尽头是什么？”

在济贫院出现以前，教区的贫民窟是“卑劣、放荡和堕落”的渊薮，遍布着体弱多病和低能的人。在维多利亚时代早期的英格兰，对穷人境况的描述比比皆是，数不胜数。对混合隐喻很在行的科贝特写道，他们“好似鲱鱼那样单薄，几乎是拖着双脚行走，苍白得像天花板，如乞丐般鬼鬼祟祟地四下出没”。如果说整个19世纪有三分之一的人口处于贫困之中，那么只有诡辩和虚伪才会说这一时期称得上“繁荣”。然而，人们的确是这么形容它的。穷人们世世代代的生活没有什么实质的变化。1894年（此时人们已经历一个世纪的变革），一位妇女被问及是如何用每周17个先令来养活5个孩子的。她的回答是：“我恐怕回答不了几句，因为我太累了，根本无暇思考自己是怎么生活的。”有工作的穷人反过来又被闲散的冗余人口

所包围。从这些人中，我们也许可以窥见托马斯·罗伯特·马尔萨斯牧师的理论：在人口增长和生存资料的竞争中，多余的穷人是一种沉重的负担。失业和没有工作能力的人都是敌人。

如果不谈机敏和智慧，单就口才和能力而言，另一位关心公众事务的演说家亨利·亨特可以和科贝特相媲美。1816年11月中旬，他在伊斯灵顿区的斯帕菲尔兹的一个大型集会上发表演讲；有一名支持者带了一支长矛，上面挑着一顶自由帽。只需一眼就能明白：法国革命的精神已经传播到这里。两周之后，一场类似的游行制造了更大的麻烦，群众举着一条血迹斑斑的面包向伦敦城区游行。示威者被军队迅速从皇家交易所赶走，因为当局并不认为这只是一场闹剧。在十几年前的上个世纪，还很少有改革的呼声响起，而现在，街头巷尾都在谈论改革。有个核心小圈子策划着暴力革命，而大多数人则满足于参加酒馆会议，抽着烟斗，举着酒杯痛骂他们的敌人。他们对个人的行动毫无兴趣，但很高兴能混迹于群体集会中，发出些 15
不那么讨喜的声音。

作为反对党的辉格党陷入了一片混乱；他们并没有自己的一贯主张。在任何情况下，辉格党都对激进分子鼓吹的那种改革没有兴趣。在对手看来，辉格党不过是些贵族和乡绅，在当时只是那个“怪物”的低级分支而已。在任何情况下，激起义愤对各方来说都是一种好的政治策略。托利党的大臣们转而开始竭尽所能地利用密探和奸细来煽动叛国与暴乱行为。1816年底，科贝特在《政治周刊》上写道：“他们为一个阴谋而叹息。啊！他们的叹息多么沉重啊！他们在工作、劳苦、烦恼和煎熬；他们满头大汗：这绝对是在为一个阴谋而心力交瘁！”

然后又一件好事发生了。1817年1月末，摄政王在议会开幕后乘坐马车时车窗被打碎——可能是一块石头，一颗子弹，或者一块掉落的砖石所致。实际上摄政王是死是活没人在意，但每个人都习惯于相信别人在关心自己。摄政王似乎对这样的关心感到满意，并对自己在暴行前的乐观夸夸其谈，看上去他不像是一个会被暴徒吓倒的人。卡斯尔雷则带着更为严肃的神情走进下议院，给人以一种冰冷而自信的压迫感。

一系列草草成立的委员会向议会呈交证据，表明秘密社团和叛乱的民兵正打算攻占英格兰银行和伦敦塔。原有的《人身保护法》被废止，该法规定嫌犯不能在未经法庭指控的情况下被关押；这对英国的自由是一个很大的打击。议会还通过了《强制法》和《禁言法》，所有的集会都被以防范煽动为由禁止了。医学内科和外科的讲座因此被禁，而剑桥联合会遭到查封。国内的骚动掩盖了即将崩溃的可怕的经济状况。辉格党活动家乔治·蒂尔尼告诉他的同僚，内阁大臣们现在已经“无计可施”，“所有的政
16 府下级随员都陷入了绝望”。国家破产可能和爆发革命一样糟糕。

1817 年 2 月，好几起激进分子的请愿点燃了民众的怒火，国内接二连三地爆发动荡。“我们所需要的，”诺里奇联盟协会说，“是保持宪法的纯粹。人民可以一年一度被议会公正而充分地代表，下议院一众禄蠹和坐领养老金的人应当被清除出去，他们都是靠吸食那些挨饿、受压迫的民众的血肉养肥自己。”要是在打仗的时候，这就算是第一波“敢死队”了。在 1834 年议会大厦被焚毁前，里面很黑暗，采光和通风都不好。当时的人们对洗澡和洗衣服都还不太重视；议员们把腿搁在旁边长椅的椅背上，或者半躺在地上。他们来去自由、发牢骚、大笑、交流趣事、咆哮、打哈欠、东拉西扯、为了消遣而打断别人——这一切现在更加变本加厉，因为每个人都谈起了社会革命和政治革命。

汉普顿一众俱乐部曾多次向摄政王请愿，要求改善严峻的经济状况，但没有得到回应。因此，曼彻斯特的纺织工人开始了前往伦敦的盛大朝圣之旅，准备亲手向摄政王提交请愿书；他们的要求主要是普选和年度选举，对此许多地方也纷纷响应。

他们被称为“披毯人”，因为每个人身上都披着披肩或毛毯来保暖。但他们未能如愿。在到达德比郡前，他们就被迫掉头并解散了，很多人吃尽苦头，但这条路本就不通。科贝特为避免被迫害，逃往美国。这场骑兵镇压之下的惨败在曼彻斯特的阿德威克地区引发了另一个叛乱的“阴谋”。有传言说将有“一场大规模暴动”和“一场大规模起义”。辉格党和托利党将自己逼入了歇斯底里的状态。现在几乎每一个灌木丛中，每一个树篱笆后，

都能发现阴谋和叛乱，但随后的法庭听证又中途作罢，因为除了告密者的说辞以外找不到其他任何证据。暴动是有可能发生的，的确有可能，而且在别的国家确实发生了。但是，英国的穷人和大多数中间阶层显然非常安静，他们并没有起义。卡斯尔雷至少被伦敦暴动的群众认出来过一次，有 17
人看到他扑粉的假发时大叫："那个戴着假发的人是谁？"为了安全他不得不逃跑，但伦敦不是巴黎，他没有被吊死在皮卡迪利大街的灯柱上。

对激进分子的审判所引起的愤怒很快就平息了，因为陪审团显然不太可能起诉那些所谓"犯罪分子"，毕竟他们充其量也只是些对现实心怀不满的人而已。斯帕菲尔兹集会的领导人被无罪释放。激进分子给人留下的印象是：他们没有喊出正确的口号来唤起整个国家，而有些东西也因此悄无声息地溜走了。政府没有采取进一步的行动，群众对激进宣传的兴趣也逐渐减弱了。

随后几个月又发生了一些类似的未遂事件。1817 年的丰收和贸易前景好转扫去了人们心中的阴霾。埃克斯茅斯勋爵说："农场主的恐慌情绪正在消退；最重要的是，原先流行的那些文章和心怀不满的人，正从各处消失。"随着农业的改善，贸易额也增加了。人们认为，恢复《人身保护法》的时机已经成熟，对自由的侵犯也应得到改正。国家曾经动摇，但又稳定了下来。1818 年，当局拨款 100 万英镑兴建 100 座新教堂，这可以被视为一种合法的感谢方式。政权正在日益变得宗教化。

自信和专断也有助于让胡须变长。在拿破仑战争中，英国军队几乎都是短发无须，但渐渐地，他们的头发胡子又长回来了。到 1820 年，上嘴唇留的胡子已悄然流行，但随后就被络腮胡所取代；到 19 世纪 60 年代，所有的轻骑兵和义勇骑兵都是这样的相貌。所有的男人都留了很长的头发，人们经常可见一个男人在帽沿下扎着长长的发辫。蓄须的习惯延续了很久。从克里米亚战场上回来的人总是留着胡子，在此后十年里，男性公民都遵循了这一风气。

至于那 100 座教堂是否打动了上帝，人们并不清楚。1818 年夏天，在贸易情况较好的情况下，托利党决定举行大选，这是由年收入 40 先令以上

18 的自由持有农参与的活动。然而，这一资格是可以人为操纵的，并且由于没有选民登记册，选举过程总是面临被各种申诉和反诉打断的风险。这也是大选要进行两到三个星期之久的原因。这个过程包括市集、酗酒狂欢、旧怨寻仇、互殴，并且也会引发无休无止的游行示威和酒吧论战。支持这一制度的人认为，在冲突中创造和谐的求同存异，乃是英国古代宪法的成果——可实际上这一制度根本就没有存在过。托利党政治家罗伯特·英格利什爵士说，它是像一棵树那样自然生长而来的，“据我所知，没有证据表明我们的下议院是按照人口代表原则或是别的什么固定原则选出来的……它几乎就像是大自然的某个作品；是它自己适应了我们的变化”。

最终辉格党获得了33个席位，而这对1819年初召开的下议院会议那种四分五裂的状态并无实质影响。一位议员指出，政府“完全瘫痪了，什么事也不敢做”。摄政王正饱受妄想症之苦，深居简出。他那臃肿的身材，在任何情况下都难以变得优雅。辉格党自己则回避着公众的关注，以免哪一天人们会要求他们组建一个政府。乔治·艾略特的《激进分子费利克斯·霍尔特》（1866）写的是1832年的事，该书开头几页写了一个母子之间的有代表性的场景：

> “但我不会去做托利党的候选人。”
>
> 特兰索姆夫人感觉像触了电一样。
>
> “那接下来呢？”她厉声说道，“你不会说自己是辉格党人吧？”
>
> “那怎么会！我是个激进分子！”
>
> 特兰索姆夫人四肢瘫软，倒在椅子上。

在本届议会会议上，人们纷纷就国家财政状况发言，提出了削减开支甚至加税的建议。几乎所有人都清楚，经济改革不可避免。一个特别委员
19 会被指派去审议货币问题，另一个委员会则被安排处理公共财政问题。政府终于鼓起勇气开始和卡斯尔雷所说的“对税收问题的愚蠢的不耐烦”做斗争了。

政府有一项措施值得一提，虽然这只是更大改革的前兆。1819 年，《工厂法》（或者更准确地说，是《棉纺工厂法》）在经历了四年的议论纷纷后获得通过。它禁止棉纺厂雇佣 9 岁以下的儿童，并将其他童工的劳动限制到每天 12 小时。在普遍的苦难面前，这几乎就是个残酷的玩笑，而且只有过两个案子是根据这项法律做出了判罚；但在当时，该法因为将棉纺织业“特殊化”而遭到了强烈反对。由奴隶制和海外的野蛮行径所唤醒的人道主义意识，尚未影响到国内的劳动群众。然而，《工厂法》确实意味着，政府第一次对经济运行中肆无忌惮的放任自流摆出了对抗姿态。它也意味着，政府现在有了契机以及力量来对孩童父母的意愿施加影响。这项工作后来花了一个多世纪才得以完成。

有一个人也许算得上是先行一步，成了必要改革的促进者，虽然也许不是唯一的促进者。罗伯特·欧文是一个小商人的儿子，他在很年轻的时候就成了曼彻斯特一家棉纺厂的经理。当他在苏格兰的新拉纳克开办自己的工厂时，他就像关心利润那样关心员工。他秉持“环境塑造性格”的观点，并着手承担起儿童的教育和娱乐来。他开办了英格兰第一所幼儿学校，为老弱多病者设立了“援助基金”。他的影响和榜样对后来的工厂立法产生了直接影响；他也因此赢得了“第一位伟大的工业改革家”的称号。

在 1819 年春季和初夏，格拉斯哥、曼彻斯特、利兹等地出现了示威和群众集会，要求扩大普选权。由于距离威斯敏斯特十分遥远，议会选择视而不见。以前也有人呼吁过改革，但都不了了之。为什么要在这个时候发起试探呢？但是，眼下的情况已有所不同。据说，磨坊工人正在组建武装队伍。王室发表了一份公告，谴责群众中的激烈言辞。有消息称，8 月 16 日在曼彻斯特将有一场大规模集会。托利党对革命的恐惧再一次浮现。到 20
了集会的那天，被大家称为“演说家亨特”的亨利·亨特穿过人群，登上讲台。他刚开始讲话，就看见一队义勇骑兵向他奔来。在场群众纷纷发出叫声和嘘声，但这些骑兵拔出剑来，刺向了他们。在一片混乱中，正规军的轻骑兵也加入了进来；这场骚乱最后有 11 人死亡，数百名示威者受伤。这个地方名叫圣彼得广场，这一血腥事件也被称为“彼得卢屠杀”。

这是一个转折点。参与人数的规模和事件的性质，让许多本不相信“专制政权会在英国得势”的人也深感震惊。而现在“那怪物弯下腰，脱下帽子，露出了它的真容”。“演说家亨特”在抵达伦敦受审前受到大约30万人的欢迎。这个数字也许值得怀疑，毕竟所有估算的数字都是如此，但约翰·济慈留下了一些证言。他告诉兄弟乔治：“从伊斯灵顿的安吉尔到皇冠与船锚酒吧，一路上都站满了人。”皇冠与船锚酒吧离现在的尤斯顿车站很近。国内这些裂痕也产生了不是太显眼的另一个后果。1819年10月，有人指出：“当代最令人警惕的迹象就是上中层阶级与底层阶级的分裂，显然这种分裂每天都在扩大。”

对此必须采取什么措施了，即使谁也不知道该做什么。税收一直是人们不满的主要对象，正如西德尼·史密斯在1820年1月的《爱丁堡评论》中所说：“所有吃进嘴里、穿在身上、踩在脚下的东西都有税。”

立即采取的补救措施根本就算不上补救，而是《六项法案》。超过50人的公开集会被禁止，未经许可的军事训练被禁止，当局未经同意可以进入私宅。这些措施并未包括暂停《人身保护法》，但它们开启了19世纪历史上最广泛的一场针对激进主义的调查。这场调查收效甚微，而《六项
21 法案》却受到了普遍的嘲笑和谴责。科贝特宣称：“我不会服从《六项法案》。”当摄政王从考兹度假回来的时候，“一大群暴徒”挤在门前“对他发出嘘声”，他的情妇赫特福德夫人差点从椅子上掉下来，后来还是靠弓街侦缉队（Bow Street Runners）的帮助才脱离困境。

内政大臣西德默斯子爵相信阴谋已经迫在眉睫。有许多当权者担心平民的起义会危及他们的性命；1820年，他们的焦虑因一个名为“卡托街阴谋”的事件而愈发强烈。卡托街是一条在帕丁顿附近的狭窄通道。有几个阴谋家出于狂热而非善意，躲在此地一座不起眼的小阁楼上，策划着要占领伦敦并杀死尽可能多的内阁成员。西德默斯事先已经知道这起阴谋，却只是任由事态继续发展，好以此作为对其他政治冒险家的强力警告。这次事件的主谋都被绞死并枭首，这成为过去几年镇压行动的最后一幕，主要是因为没有继续镇压的必要了。这个国家在被哄骗、说服或者说买通后，

恢复了平静。

有时，政府看着就像同敌人订有密约；但这样的想法将成为一种关于阴谋的理论，其威力足以挫败拿破仑战争以来的所有阴谋。真正起作用的可能是更为普通的因素。酒精可能会在引发过度激动和不安这方面起一定作用，而那样的状态长久以来一直折磨着每个参与公共事务的人。西德默斯曾因在议会会议前的晚宴上喝下 20 杯葡萄酒而名声大噪，而这在当时并不算是酗酒。他是许多身患痛风的大臣之一；这种病在当时已有现成定义（被认为是脚部动脉炎症），但它也可能和抑郁及过量饮酒有关。冒昧猜测一下，若西德默斯的酒量代表了威斯敏斯特的平均水准的话，那么下议院会议就可能变得像酒吧里的喧哗一样。

1820 年 1 月末，摄政王登基成为乔治四世，喜剧和悲剧都变成了哑剧。
他那又疯又瞎、胡子长得像先知一样的父亲，已经陷入一种半死不活的状
态。他对死人说话，好像他们还活着；说起活人来，又仿佛他们已经死了。
他于 1820 年 1 月 29 日去世；他的死除了让儿子接替了王位以外，并没有 22
激起什么动静。在过去的一年里，这个古怪的家族增添了一名新成员，她
就是亚历山德丽娜·维多利亚（后以维多利亚之名而广为人知）。她的父亲
是乔治三世的四子爱德华亲王，母亲是萨克森-科堡-萨尔费尔德的维多利
亚公主。她母亲全家都是德国人，她为此感到自豪；她的丈夫也是德国人，
德语是温莎堡和其他宫廷的常用语言。

众所周知，乔治四世肥胖、懒惰、挥霍无度。彼得卢事件之后，他向曼彻斯特的地方官们发了一封贺信，这令民众普遍对他没有好感。有人认为他至少应该等到调查之后再这么做。不过，主演闹剧的并不是他；真正的明星是他的妻子卡罗琳王后。她在丈夫升级成为国王时，也下定决心要取得作为英国王后的所有权力。大概没有人比她更不像一个王后了；她和她的丈夫一样，肥胖而爱挥霍。她有过一大堆情人；而现在，在她的肮脏散发出的恶风中，她让她的国家启航了。

他俩在 25 年前的种种不利条件中于圣詹姆斯教堂结婚，当时乔治几乎无法站直。他的未婚妻无论是看起来，还是闻上去都令他无法接受。墨尔

本勋爵评论说："亲王就像是出于绝望在做一件事；这件事就像是麦克希斯赴刑一般；然后他把自己灌醉了。"时间并非良药。卡罗琳公主因被迫与丈夫分居而制造了许多丑闻。她把欧洲作为她的游乐场，一掷千金。她曾在中东骑着驴进入耶路撒冷。还有一次，她去参加一个舞会时，头上扣着半个南瓜。当她试图以王后身份返回英国时，新国王采取了一切手段驱逐她，其中有一场对通奸罪名的审判，引起了很多带有人身攻击性质的讥讽和评论。但是她挺了过来。亨利·布鲁厄姆一遍又一遍地盘问那些反对她的证人，听他们一遍又一遍地回答"我不记得了"（Non mi recordo）。这成了当时的流行语，听着像一首意大利歌曲里的歌词。对她不利的法案被搁置了。
23 审判成了人们唯一的话题："你听到关于王后的新消息了吗？"

她在英国民众中赢得的盛名，成了这件不光彩事情的不同寻常之处。无论她走到哪里，都会得到欢呼和鼓掌，她一度成为众人心中的女王。当局对她不公，国王也虐待她。这不也是这个国家的处境吗？不论她自己是否知道，她都成了激进分子的代表人物，象征着悲惨受虐的王国子民的所有冤屈。伦敦的妇女加入了城市激进分子的行列，为她组织了大型的会议和集会。看起来，政府有可能会因一位女士的困境而倒台。萨拉·利特尔顿是王室成员，也是一名国会议员的妻子。她写道，国王"太不受欢迎了。他的个人性格是如此令人鄙视，他所做的每件事都是如此不明智和毫无原则；要不是因为害怕引发革命的话，人们几乎都不愿意看到他摆脱困境"。

但几个星期后，所有对卡罗琳的同情都消失了，一首诗流行起来：

最仁慈的王后，我们恳求您，
离开，别再犯罪。
但如果都要做到太过困难，
那么至少请离开。

她从政府拿到了5万英镑的年金，但也失去了拥戴。1821年夏天，卡罗琳为了参加那形同陌路的丈夫的加冕典礼，出现在威斯敏斯特教堂的大门口。她敲遍了教堂门也未被允许进入，得到的只有“可耻！”“滚！”这样的骂声。她基本上算是被遗弃了，并于几周之后去世，无人哀悼。她的声名跌落在一定程度上是由于群众的反复无常和健忘；这些人急切等待着的是下一个丑闻或大新闻。更为精明的政治家则得出结论：无论是得宠还是失宠，都不会持续很长时间。

还有一些大臣们感觉到当前的气氛又有了一些变化。罗伯特·皮尔是一位前途未卜的年轻大臣，曾在 1820 年 3 月写信给一位朋友，问他“是否觉得英国的调子不像是政府发出的，而是越来越‘辉格党’了——这个词令人厌恶却意思明白”，并且还问了他政府的模式是否必须改变。他可能自 24
己也没想到预测得如此准确；不到两年，他就被推举进入了利物浦勋爵的保守党内阁，这是为了减轻人们对于《刑法》的责难。正是由于这些以及其他原因，在经历了前几年的激荡之后，19 世纪 20 年代进入了相对平静的时期，一直延续到 30 年代的议会改革。

1820 年 5 月，利物浦勋爵向伦敦的商人代表或明或暗地提出了一项颇具“辉格党”色彩的措施。自由贸易的好处正在向他招手。他知道某些人认为英国是在保护体制下繁荣昌盛的，但他确信事实并非如此。按照他那缓慢、间接和无限谨慎的行事方式，他没有自己提出任何建议。相反，他在议会成立了若干委员会，以审查因各种政策转变带来的大量复杂问题。最终，货物可以由外国船只进口到英国；任意自由港的外国货物都可以进口；300 项过时的商业航行法规被废除。《年鉴》对这些措施的形容是：“毫无疑问……这是务实的政治家第一次声称要按照政治经济学那些较为刻板的原则来行动。”这个过程就这样开始了。

1825 年，牛津大学设立了政治经济学讲席教授一职。当时的回忆录和书信都充斥着这个话题。1826 年春天，西德默斯子爵写道：“我们在晚宴、派对、教堂和剧院听到的都是政治经济学和时代的不幸，除此之外没有别的了。”很少有一门学科因关于劳动和利润、票据和黄金的热烈讨论而受到如此之多的关注。在戏剧和激进的政治之间可以发现一种有趣的联系。乔治时代戏剧的整体意趣就在于它有意地将真实与想象混合在一起，这吸引了“怀有无限梦想的梦想家”，其中包括 19 世纪那些渴望改变时代的激进分子，他们的乐观态度和对进步的信念都很直白坦率。在“低档”一点的剧里，
25 作者也强调生活的变化和无常，贫困、疾病和失业都是剧情的一部分。

海外世界一如既往地混乱。1820 年，欧洲的西班牙、葡萄牙、那不勒斯和皮德蒙爆发了四次革命。四国联盟中某些始终支持君主制的国家准备干涉，但英国外交大臣卡斯尔雷不打算这么做。他不想和此事有任何瓜葛，尤其因为“不干涉原则”在当时已经成为国家的大政方针。他曾对一位同僚说，“他对这种担忧感到厌烦；如果能够脱身，他永远不会再陷进去”。英国不会去搅和欧洲大陆的事情。这一立场可能会导致它失去世界舞台上的影响力，但不管怎样也比加入到无法预料的行动中去要好。

在写给奥地利外交大臣梅特涅亲王的一封信中，卡斯尔雷建议“他必须要和我们同甘共苦。如果大陆国家跟不上我们的节奏，那也不要指望我们会迁就他们”。他强烈反对“莽撞行事”。1820 年 5 月 5 日，一份重要的内阁文件称：“我国不能也不会根据抽象和推测的预防原则来采取行动。”次年初夏，卡斯尔雷在下议院宣布：“对于某些国家来说，把自己树立为审判其他国家内政的法庭，只是为了使自己拥有一种无视国家法律和常识原则才能行使的权力。”他身上有着英国人喜欢的那种实用主义，外交部里最不需要的就是理论家。

贸易的情况也在不断好转；在 1820 年议会召开时，国王已经感觉可以宣称：“在很多工业区，痛苦……已经大为减轻。”就连法国的临时代办也注意到“伦敦乃至整个英国的宁静”。国王可以带着轻松的心情前行，但除此之外可就没有那么轻松了。那件厚厚的豪华加冕长袍给一副已经很大的体格又增重不少；在仪式上，他几次差点晕倒，靠嗅盐才勉强支撑下去。
26 不过他表现得还算不错，虽然可能有点失礼甚至可笑，但他在游行的时候是清醒的。仪式结束后一个月，他去了爱尔兰，有人看到他“烂醉如泥”。此时正逢他的妻子因酗酒和绝望而死去。卡斯尔雷称乔治国王“非常得体地接受了他的好运”。“这一天，”他在从都柏林返程时说，“是我人生中最
27 快乐的日子之一。”

# 3

# 永恒的工作

在那个时代，没有什么不受宗教纷争的影响。宗教就是那些“可敬之人”所呼吸的空气。当时的宗教本身既不冷也不热，有些地方很热闹，有些地方冷冷清清。教会分为低教会派（福音派和清教徒）、高教会派（倾向于遵循天主教仪式）和广教会派（如辉格党在神学上即信奉以国家为基础的宗教）。在这些伟大的信仰运动中，有些宗派和团体信奉上帝的普遍护理，有些则信奉上帝的特殊护理；有的重视赎罪，有的相信炼狱。加尔文教徒、卫斯理宗教徒、贵格会教徒、阿米尼乌斯派教徒、长老会教徒、公理宗教徒和浸礼宗教徒，都可被归入一个非正式的“福音派联盟”；这个阵营所寻求的是与圣公会教徒之间的联结点。在他们之中可以明显地看到追求虔诚和正义的举动，虽然这仅仅是应有之义。曾有一支在与牛津进行的泰晤士河赛艇比赛中获胜的剑桥队伍，九人中有八人都在赛后接着前往伦敦东区传教。而“英国国教”圣公会的教徒则没有这么高的热情，他们崇拜那种在世俗之中值得尊敬的东西；对于穷人和恶人，他们也许更憎恶穷人。就像塞缪尔·巴特勒在《众生之路》（1903）中所描写的一场1834年
的乡村教堂集会：他们“对于熟悉的事物，即便不喜欢，也会宽容；而对 28
于不熟悉的事物，则会统统地厌恶。同样地，如果听到基督教信仰遭受怀

疑，并且目睹这种怀疑得到践行，他们也会感到恐惧”。他们都属于那种体面但不会思辨的人。

一份1851年人口普查员的报告指出：“有人认为，劳工如果不能谨记他们低人一等的地位，就不能进入我们的宗教机构；据说教堂长椅本身的存在和免费座位的位置，就足以让他们止步于教堂之外。”至于勉强维生的人和近乎赤贫的人，没有人真心愿意让他们去教堂。如果他们试图进去，很可能会被驱逐。一名蔬果商贩向社会调查者亨利·梅休承认：“小贩们不知为何总会把信教和体面混为一谈，所以他们对这种事总有一种奇怪的感觉。这件事对他们来说就是个谜。”

真正让评论家们感兴趣的是，在这个“受人尊敬的”阶层中，有许多人根本就没有信仰。他们对牧师和传教士的话持怀疑态度，有许多人不知道该相信什么——如果有什么东西是可以信的。法国历史学家希波利特·泰恩评论说，普通的英国男女相信上帝、三位一体和地狱，“但都没什么热情”。这就是问题的关键：英国不算一个世俗国家，却是一个冷淡的国家。讲炼狱的传教士被认为是一种新事物，一种能引人围观的事，尽管他们有很多坚定的追随者。18世纪流行的狂喜和晕厥已经不再是英国的风格，现在唯一能让群众产生激情的就是唱赞美诗。被狄更斯等人所批评的英国主日的死寂，清楚地说明了教会已无法孕育激情。在英格兰，人们感觉不到那种在俄罗斯或美国依然存在的大众信仰。相反，人们很容易对既定信仰的教条产生不满；特别是地狱的信仰，还遭到了围攻。随着某种明确的教义被悄然舍弃，社会就有可能不再那么僵硬和教条。不过，自17世纪以来的地区差异还一直存在；比如圣公会在英国东南部较为盛行，原始卫斯理宗则是在西北和西南部。

29 利物浦勋爵自己就有点儿“卫斯理宗式”的脾气，而他也曾在1812年推动通过了一项进一步宽容新教徒的法案。威廉·科贝特在《骑马乡行记》（1830）中形容新教徒像“一群总在吆喝、谩骂的水手”，是“流浪的狂徒”，但是从贵格会到亨廷顿伯爵夫人会，这些人已经占了英格兰信教群体的很大一部分，并且他们都认为自己不属于英格兰国教。反过来，他们也被禁止到牛津或剑桥大学读书，不被准许在教堂里结婚或在圣公会牧师的主持下入葬墓地。

除了正统派以外，最大的宗教群体就是福音派和功利主义者的同盟，他们在很大程度上塑造了这个时代的性格。两者对德育改革的热情都很高，都追求理性和维新，认为这是通向启蒙的两条道路。学习与劳动，布道与谴责懒惰和奢侈：正是这些宗教信仰与世俗追求的双重因素，改变了英国人情感的本性。功利主义者要为最多的人寻求最大的利益，而福音派对《圣经》所做的最严格的解释，成了功利主义者的“幸福计量”的极佳助手。这两派一样兼有实用主义和教条主义的思想，并且都在社会改革以及宗教改革中充当了道德代理人。用他们一位成员的话来说：“这是一项永恒的工作。”但他们同样也只争朝夕，印发了大量有关自我完善与实用道德的小册子和期刊，识字的人都能看懂。

天意、进步和文明都是上帝之法的一部分。福音派宣扬个人新生，而功利主义者宣扬自立自助。他们的第一次成功是将踏车引入了监狱。到19世纪30年代，他们的信念已经成为公共政策。他们所宣扬的东西并不都是刻板无情的；福音派教徒大力反对奴隶贸易，而功利主义者则攻击《谷物法》以及其他自由贸易的障碍。他们要求改革，并且联手推动解构了19世纪20年代的政局。他们吸引了处于产业变革边缘的人民，乔治·艾略特写道：“福音派的真正好戏——对于有足够智慧来理解和再现它的人来说，福音派的精彩之处实在太多了——是在中间阶层和下层阶级之中上演的。”正 30
是这两个阶级彻底改变了英国。

1791年生于伦敦沃尔沃思的查尔斯·巴贝奇，是19世纪最伟大的发明家和分析家之一。他完整构想了被他称为“差分机”和“分析机”的机器，而它们是数字计算机的先驱。那些机器是由穿孔卡片和转盘组成的复杂精巧的装置，无论当时还是现在都很少有人能理解。有趣的是，虽然威灵顿公爵是老牌的保守分子，但他似乎能意识到这些机器的潜力。

从17岁起，巴贝奇就开始沉迷于代数；是什么赋予了这些数字生命？他对自己的数学能力非常自信，梦想能通过一个数学过程把数字创造出来。

他回忆道："我第一次觉得有可能计算这些表格是在 1820 年或 1821 年……我对朋友们说，也许可以用蒸汽来计算……"这种说法用了点比喻，而在另一次讲述中他回忆道："我认为所有这些表格［指对数表］都可以用机械来计算。"当时，人们对蒸汽、引擎和机械的认识都还处于初始阶段。巴贝奇在画完几张设计草图后，就陷入了焦虑和抱怨。他设想了一种计算数学表格的机器，而它预示着一个属于机械工具和工程技术的新世界。这一设计远远领先于当时的其他计算工具，对于他的同时代人来说，这就像是给猴子塞了一台电视机。

这部机器被称为"差分机"，因为巴贝奇用有限差分法计算数字表格。没过多久，他又开始研究所谓"分析机"，那实际上是一个自动计算器。它就像一个棉纺厂，原料就是数字，它们会被封存在一个独立的"仓库"中，直到被送进"车间"加工。每个模块都各司其职，例如加法或乘法的计算，但又和其他所有模块相连。巴贝奇称它是一台"首尾相衔"的机器。他写道："所有的算法都在机器的掌握之中。"这些设想仿佛来自另一个世界，
31 直到 21 世纪中叶才引起人们的重视。它们被形容为"人类历史上最伟大的智慧结晶之一"，可当时的英国人对它们几乎毫无兴趣。

这一机械已经超越了时代。它的技术太过先进，很难为人理解。它是人类有史以来造出的最巧妙、最复杂的机器，但它跨越的是一个还无法完全理解它的年代。我们没法确定还有多少别的装置和发明掉进了这条时间的裂隙。一个分析机"车间"的复制品被放在伦敦科学博物馆里展出，它看上去仍像是一位天外来客。放到今天来看，它仍然多少有些与时代格格不入。巴贝奇的孑遗还不止于此：他的大脑有一半被保存在亨特博物馆，另一半则在科学博物馆。

巴贝奇的名字远不如这一时期的诗人和小说家来得响亮，这说明维多利亚时代的知识阶层对应用科学并不重视。然而有一个人完全凭借自己的天赋坚持了下来，他就是杰里米·边沁。他可以被称作功利主义和"幸福计量"的"全方位先驱"（pan-progenitor，这里借用了边沁发明的一个新词 pan-opticon，即全景式监狱）。尽管他的调查工作是从 18 世纪开始的，但我

们最好还是将他放在下个世纪的语境中审视。1748 年生于斯皮塔佛德的他，是又一位伦敦的伟大预言家，一位可与巴贝奇比肩的注重务实的天才。边沁身前虽然赞誉有加，但声名并不十分显赫。他和巴贝奇可被并称为无名的先知。

边沁针对所有的改革工作中提出了一个简单的信条：“追求最大多数人的最大幸福。”这一基本原则驱使他踏上了法律改革、监狱改革和《济贫法》修订的艰难之路。如果他是一个基督徒，也许会把《路加福音》（3：5）的话作为自己的座右铭——“弯弯曲曲的地方要改为正直，高高低低的道路要改为平坦”。他参与主持了 1832 年《改革法案》，该法案促成了成年男性的选举权，同时他提出：“每一项法律都是邪恶的，每一项法律都是一种对自由的侵犯。”用理性的方法追求理性的解决方案是这个时代最大的难题。在这个时代中回响的，是机器、竞争和进步的乐章。“生存还是毁灭” 32
已经不再是个问题。它们已经来临，思考还有用吗？

边沁还为技工讲习所的建立做出了贡献；它们成为维多利亚时代自封的光辉业绩之一。这里不单向技术工人开放，也欢迎职员、学徒、店主，这些人是因窥见眼前未知的知识世界而被激起了热情。事实上，讲习所成了有抱负的中间阶层，而不是最初针对的体力劳动者聚集的场所。然而，这一时期许多有趣的小说和传记都谈到了人们面对困难时进行的艰苦甚至有时是痛苦的自学。有些人在黎明前起床，借着烛光读书，有人在客栈的火光下读书，有人会步行 13 英里去书店，还有人会花一便士去当地的酒馆看报纸。

所以说，19 世纪并不一定是个宗教的世纪，这一点后面也将谈到。科学的知识体系逐渐受到尊重，这对于那些一心宣传教义的人并不是好事。社会走向世俗化的最初标志就是对宗教本身不断加重的冷漠；基督教信仰变得越来越破碎而不稳定。进化取代了救赎，科学的方法显然比任何一本基督教知识促进会的小册子更能洞察生活中的实际事务。

查尔斯·达尔文的《物种起源》（1859）和 1851 年万国博览会、阿尔伯特音乐厅一样，是典型的维多利亚时代的产物。该书论点是基于奋斗和竞争的双重必要性，而在由此而来的生存竞争中，“北方的类型能够战胜南方的类型”。这里没有妥协、救赎和慈悲。这的确是一个黑暗的世界，它被劳动的必要性和对权力的欲望所主宰，充斥着战斗和屠杀。从查尔斯·达
33 尔文的角度看维多利亚时代的文明，就会对它有更清楚的认识。他也采纳了马尔萨斯的理论，即人口的增长超过了谋生方式的发展速度，人类也因此注定会灭绝。我们也可由此理解维多利亚时代的忧郁，这种忧郁和维多利亚式的乐观具有同样的感染力。

毫无疑问，对福音书的研究正在让位于对地质地层学的研究。至于科学的主导权是握在国教徒还是非国教徒手中似乎没有什么区别。地质学已经成为最受欢迎的科学，其研究者可以在数百万年的跨度上自由地推测。但 19 世纪的地质学最重要的一个方面在于，这些研究者都是业余的，都是纯粹出于好奇而被吸引过来的。这是个属于助理牧师的话题。这些业余爱好者中最杰出的是 1799 年生于莱姆里杰斯的玛丽·安宁。她的爸爸是一名家具木匠，但他很快就迷上了搜寻化石，连本业都忘了。莱姆是个完美的地方：那里的悬崖正开始风化剥落，嵌入的化石露了出来，很容易采集。玛丽·安宁从很小的时候起就跟着父亲搜集化石，可能是通过她父亲的教导和自己的经验，她获得了一种不可思议的辨认和鉴别未知远古生物遗骸的能力。据她一位儿时的朋友说，她是个“精神抖擞的年轻人，特立独行，不太在意虚礼客套”。她的勇气被归因于她在 15 个月大时经受住的一次剧烈雷击（那次雷击导致三人死亡）；她曾和莱姆的许多婴儿一样多病，但从那时起，就变得充满了活力和冒险精神。

她的追求并未因父亲的死亡而终止；在那之后，她反而加快了脚步寻找那些被其他人认为是丘比特的翅膀、女巫的手指或魔鬼的指甲之类的东西。她常常在莱姆的蓝杯酒店附近的马车站出售一部分化石；把菊石之类的放在桌布上，一个卖 2 先令 6 便士。尽管如此，她在 1811 年夏天取得了第一次巨大的成功；当时她的弟弟约瑟夫发现了一个奇怪形状的头颅的轮廓，它处在一处由石灰岩和页岩组成的蓝利亚斯地质构造中。约瑟夫没来
34 得及挖出化石的其余部分，剩下的工作就留给了玛丽。她不辞辛劳，花了

一年时间，挖出了一条似乎是大鳄鱼的东西。但当她把所有化石拼接在一起的时候，发现这是一种长度超过 17 英寸的生物，也就是人们后来所说的鱼龙。从那一刻起，她成了地质学界的名人。一个圈内同好约翰·默里曾说：“我曾参加过一次地质考察，对她在这方面的机智敏锐极为惊讶。只要看一眼在蓝利亚斯地层中暴露出来的化石边缘，她就可以识别出那是什么，立刻说出它的名称和特征。”

令人吃惊的是，据说“这个无知可怜的女孩”竟然可以和教授们以及其他杰出地质学家用他们的术语侃侃而谈、平分秋色。然而，从来没有人在课堂上提到过她，她也没有被邀请去举办过讲座。她仅仅是一个女人而已。她曾给一位名叫安娜·玛丽亚·平尼的朋友写信说：“世界如此无情地利用我，这让我对人类都产生了怀疑。我希望你能原谅我，尽管也许我不配吧。我真羡慕你能每天参观博物馆！”平尼自己则这样讲到她：“研究者吸收了她的成果，出版了很多书，其中的内容都是她提供的，但她没有从中获得任何利益。”

为了追寻 19 世纪前几十年的曙光，学者可能会选择对约翰·亨利·纽曼的小册子或查尔斯·斯皮尔格在南华克传播福音视而不见，他或者她会关注汉弗莱·戴维和电化学的发端，关注约翰·道尔顿的原子假说，迈克尔·法拉第或托马斯·杨。当然，宗教并未被完全忽视。如智识传播协会出版的亨利·布鲁厄姆的《论科学的目的、优势和乐趣》（1826）等书，就被视为较优越的自然神学的分支。查尔斯·莱尔在《地质学原理》（1830—1833）中写道：“我们到处都能发现造物主智慧的明证，以及他的远见、卓识和力量明证。”只要不谈达尔文的野蛮景象，这番话比圣保罗大教堂的布道管用多了。 35

## 4

# 令人厌恶的世界

生活的表象之下就是斗争。1822 年 8 月，卡斯尔雷用一把小刀割断了自己的喉咙，这就是长期令人厌倦的工作和紧张带来的结果。几天以来，他的言谈举止都有些奇怪；一个仆人试图安慰他时，他把手放在额头上，喃喃地说：“我在这里很累，太累了。”他请求过一次与国王的会面，向他承认了自己是同性恋的事，并说准备在事情公开之前离开这个国家；国王觉得他很反常，并提醒利物浦勋爵注意他的状况。也许是到了精神崩溃的最后阶段，他坚信自己三年前在一家男妓院被发觉了，并且现在还在受到勒索。这可能确有其事，也可能是子虚乌有，当时是有一些相关的传言。但要命的是，此时伦敦爆出了一桩同性恋丑闻，泰隆郡克隆赫镇的主教和一名士兵被抓了个现行；卡斯尔雷的精神也因此被压垮了。为了事情不闹成难以收场的丑闻，他选择了割喉自杀。

到 1820 年底，内阁显然在人员和政策方面将发生变化，否则肯定会垮
36 台。随着卡斯尔雷的离去，利物浦勋爵的政府更是遭受了严重的打击。同样清楚的是，卡斯尔雷最大的对手乔治 · 坎宁必将取而代之。坎宁本已准备出发就任印度总督，但他无法拒在国内担任高官的诱惑。无人能与他的声望和雄辩媲美；只有他拥有足够的活力和政治智慧，可以在担任外交

大臣的同时成为下议院领袖。不过，由于支持天主教，他也树敌不少。有人说，卡斯尔雷每次演讲都能交到一个朋友，而坎宁每次演讲都会失去一个朋友。威尔伯福斯说，坎宁尖锐的讽刺“会把犀牛皮都剥下来”。他一直热衷于玩弄权谋，肯定不会“喝茶不讲方法”[1]，但事实上他的政策基本就是卡斯尔雷的政策的翻版，只不过热情更高、宣传更多而已。他和那些死气沉沉的老派政客大不相同，其格局更为开阔。他是一位女演员的儿子，这是他的不利条件，但他也并不需要什么良好的出身来获得前途。据说他甫进内阁，言行举止看上去就很像个首相。威灵顿曾说过，坎宁的脾气令他怒不可遏。一位同时代的人评论坎宁说，他总是“不断地在执行和撤销中切换”。当时常有人把托利党区分成“辉格式托利党”和“极端托利党”，但这些名头本身并没有什么意义，其标准不过是支持或反对坎宁而已。利物浦勋爵显然比他更为谨慎和超脱，始终保持着平衡。

利物浦勋爵为稳固他的政府，接受了以格伦维尔勋爵为首的一群灰心丧气的辉格党人的投靠，这些人都是为了高官厚禄而来。举个例子，白金汉郡的一位侯爵因此升成了公爵，而他的一名助手也在内阁获得了一席之地。所有人都成了赢家。利物浦政府更是因罗伯特·皮尔的稳步上升而继续振兴。皮尔二十四岁时就成为爱尔兰的事务大臣，所有人都对他感到满意。事实上，他的确把所有事情都做得很好；1822 年，他第一次进入内阁，担任内务大臣，随后威廉·赫斯基森也进入了内阁，领导贸易委员会。人事的变化当然会对统治产生影响，尽管并不会立竿见影。政府似乎变得 37
更加强健，充满了新的野心。有些人不觉得“旧的腐败会改弦更张”。“当然，”科贝特写道，“当有谁去世，或者割断自己的喉咙（就像卡斯尔雷那样），另一个人就会来；但政府还是同样的群体。”

任何有正常判断的人都知道接下来会发生什么。雪莱和拜伦的诗，以及威廉·哈兹利特的散文，都在鼓动一种尖刻而沉郁的愤世嫉俗的情绪，以对抗邪恶的权贵统治。罗伯特·骚塞抨击他们是“心灵病态和思想堕落

① 语出爱德华·杨格 *Love of Fame*。——本书脚注均为译注

的人，他们制造了一套适应自己不当施政行为的舆论体系，违背了人类社会最神圣的法令……”因为所有的写作者都保持关注，人们也很容易就能感觉到针对贵族和那些可能是辉格党或托利党的“傻瓜乡绅”的强烈情绪。在这段时间，各种周日版报纸不少于19种。煽动性的小册子和反政府大字报大行其道，新国王也像利物浦首相和坎宁一样饱受攻击。对于议员们来说，这在很多方面都像是坐在临近爆发的火山口上。坎宁对此窘境饶有兴趣；与他的前任不同，每当形势需要，他都要向公众表演一番。

舆论从本质上来说是一种中间阶层力量觉醒的现象。它不仅仅是一个政策问题——虽然像所得税这样的问题可能会唤起沉睡的野兽——它代表的是一种对公认的职责、勤劳和节俭的准则的尊重。现在能参与投票的都是中间阶层。

有人认为，这个更新的内阁在所有方面都比之前更富于辉格党的色彩。皮尔开始放宽刑法限制，删掉了一堆乱七八糟的过时法律条文，废除了一百多种死刑罪名，引起了19世纪刑法的一场革命。他还修改了交通法，并取消了法官的津贴，代之以工资。他的这些措施都得到了坎宁的支持。伦敦警察厅的成立则要稍晚。

38 贸易大臣威廉·赫斯基森则把注意力放在了“自由贸易”上，这在当时是一个时髦词语，不过人们并不清楚它究竟对物价或劳动力市场有多少影响。他采取的措施是降低进口关税，允许外国船只进入英国港口。这一政策早就该来了。一百多年前，亚历山大·蒲柏就曾在《温莎森林》（1713）中预言道：

> 当似大海和风一样自由的时代来临，
> 一望无际的泰晤士河将流向全人类。

赫斯基森还冒险触动了谷物价格，以此作为1832年废除《谷物法》的前奏。他无法同时取悦谷物的生产者和消费者，而且这事还牵扯到太多特殊利益（包括绅士地主的财富和贫困阶层挨饿的可能），以至于他只能小心翼翼地行动。他设置了一种按比例浮动的机制，让进口谷物的关税随其在国内市场上的价格而变化。不明就里的人认为这只是一种妥协。在当时混乱的情况下，它获得了通过。

正如赫斯基森放开了国家一直受到保护的贸易，坎宁也无视传统的政治智慧承认了新独立的南美各国。但他注定会成为变革风暴中的那根避雷针。在卡斯尔雷死后，坎宁接掌了外交部，他要应付那个决心剥夺人民自由的“神圣联盟”的另一场会议。不过，坎宁绝不是曾经瓜分欧洲的“维也纳俱乐部”成员。他与他们毫无关系，而且他还警告说，如果法国或西班牙胆敢入侵英国的老朋友葡萄牙，他肯定要出手干涉。威灵顿公爵作为英国代表在会上宣布：“我们独立自主，这是出于自愿的。”左右其他国家的内政不符合英国的利益，但英国倾向于承认和扶植顺应民意而崛起的政权。我们也很难说这样做的动机就是为了贸易和金融。

当西班牙开始把他们的南美殖民地让给法国人时，英国商人认为自己掌控的贸易将落入他人之手，并为此深感愤怒。现在，他们在自己的政府 39
里找到了强大的盟友。英国的商船变成了一支非正式的舰队，在各个起义者的地盘之间运送给养和信件。西蒙·玻利瓦尔有一支由6000名英国志愿者组成的军队，是他们帮助他成为从委内瑞拉到厄瓜多尔的一系列国家的“解放者”。坎宁是对此上心的唯一也是最重要的一位政治家，至少在起义开始的时候是这样。战争即将结束时，英国承认了哥伦比亚、墨西哥、巴西和阿根廷为独立国家；洪都拉斯和委内瑞拉加入了英联邦，这就确保了南美大陆不会再次为西班牙帝国所奴役。然而，土著美洲印第安人还是得再忍受几十年在西班牙殖民者管制下的强迫劳动。

大多数内阁成员反对支持起义者；欧洲的君主和保皇党对大洋那边冒出来的一系列共和国感到恐惧。欧洲各国的首都在酝酿反对坎宁的阴谋，并得到了英国内阁成员的赞成和默许，但他们一无所获。坎宁后来说，有一个阴谋“想把我换掉以改变这个政府的政策”。坎宁有一个不可估量的优势，那就是美国人站在他这一边。在1823年12月出台的“门罗主义”中，美国人宣布：“由于美洲大陆业已获得并保持着自由和独立的地位，今后欧洲列强不得再将其视为未来殖民活动的目标。”坎宁在下议院更是直截了当地说：“想到我们祖辈眼中的西班牙，我决定，即便法国拥有了西班牙，也不会让它是包括西印度群岛的那个西班牙。我呼吁新世界的加入，以改变旧世界的平衡。”乔治四世强烈反对以前受其统治的国家的独立；那些争取自由的起义者无疑是背叛了他们帝国的君主斐迪南七世。这样的事情离英国太近了。他拒绝在议会开幕时宣读坎宁的报告，抱怨说痛风让他无法走路，并且假牙也弄丢了。然而，他无法抵制乔治·坎宁的政策和意愿，王
40 权锁链上的最后一个环开始生锈了。

天主教解放问题也使内阁产生了分裂：皮尔反对，坎宁赞成。皮尔写道：“对于这个问题，我想这个国家已经没什么人有兴趣了。人们已经对它感到厌倦，不想再反对或思考它。”对于那些宗教信仰温和的人来说，情况无疑是这样的。1791 年的《罗马天主教救济法》已经扫除了不少障碍：它允许信仰自由，并且不强迫天主教徒接受“效忠王权誓言”。但如果是在一个“进步时代”中，这仍然是不够的。当时还存在着信奉天主教的爱尔兰这个小问题，但它是无法忽视的。1800 年的联合王国废除了爱尔兰议会，只留下一群完全不称职的公务员和拙劣的英国统治者。盎格鲁–爱尔兰贵族大多贪婪无能，而天主教农民则受到英国的残酷压迫，变得一无所有。允许英格兰和爱尔兰的天主教徒投票是一种天然正义的衡量标准；这种正义在 19 世纪变得更加有必要。坎宁在公开场合频频露面，以他的坚忍和风度来努力推动此事。毕竟，怎么可能一面帮助西蒙·玻利瓦尔实现他的独立愿望，一面却又拒绝给予丹尼尔·奥康奈尔同样的善意呢？

1823 年初，爱尔兰的要求被辉格党人提出，但为君主所拒绝；同时爱尔兰人自己也逐渐变得更加难以控制，更加不耐烦，随后奥康奈尔成立了一个天主教协会。大多数爱尔兰人只能以小块土地为生，却要忍受地主的高额地租，并且还得向新教教会缴纳什一税。当勇敢的天主教徒反抗压迫者时，就会遭到“黎明男儿”和“丝带会”这类新教的欺侮与殴打，因此他们转而依靠“捍卫者”这样的组织。1825 年，天主教协会被取缔，但它将自己重新包装成了一个教育性质的团体。大家都知道那是怎么回事，只不过是为避免

被起诉罢了。是奥康奈尔把神职人员和世俗群众联合在了一起。

“联合”一度等同于阴谋叛乱。1799 年的《结社法》禁止成立工会，这反映了当时人们对雅各宾派的恐慌。然而，19 世纪 20 年代，在裁缝、造船 41 匠、锯木匠、制桶匠等不同群体中已经出现了联合。他们调整工资，限制学徒人数，拒绝和没有加入协会的人一起工作。一个议会委员会发现，其中一些团体已经悄悄存在了将近一个世纪，但要到 19 世纪 20 年代，他们才被赋予了正式的名字和身份。斯托克波特珍妮机纺纱工联合协会成立于 1824 年，它只是同时期涌现的许多常见行业的“联合协会”中的一个。这些组织被称为“工会”，但代表的只是某些传统行业里的人，和工厂里的工人阶级无关。

弗朗西斯·普雷斯是这场新生的工会运动中的代表人物之一，其绰号是“查令十字街的激进裁缝”。他是那些几乎和伦敦的历史同样悠久的老牌激进分子之一；无论在哪里，只要有大群的男女聚集，就会有共同的牢骚不满。他组织了一次皮马裤（那是当时的工作服不可或缺的组成部分）制造匠的罢工。虽然失败了，但他并没有灰心，而是继续帮助着组织其他的激进团体。不过，他的主要目标是要废除禁止成立工会的法律。1825 年，在议会中朋友的帮助下，一项《结社法》被通过了；它赋予工会很小的权力，仅限于在讨论工资和工作条件时举行集会——其他任何事情都可能被定义为犯罪。这部法案允许工人“加入任意团体，以争取预付工资、确定工资率、减少工作时长、更改持续时间，以及减少劳动产品数量……”1825 年 10 月 8 日的《谢菲尔德水星报》称，这个国家的工人们已经团结起来，准备遵循这些严格的限制来采取行动了。这一法案是在繁荣时期通过的，但当繁荣衰落并开始消退时，新的工会却没有能力应对衰退。

在丹尼尔·奥康纳尔的领导下，天主教协会继续在爱尔兰蓬勃发展。罗马天主教会支持它，并慷慨解囊为它支付会费；奥康奈尔本人成了辉格党改革的英雄之一。爱尔兰不过是西西里或希腊那样的下一个受害者，人 42 们当时说起“可怜的爱尔兰人”，其所指已经变成一个民族，而非一个特别的阶级。乔治四世对此也帮不上什么忙，他在给罗伯特·皮尔的信中说：

“国王担心有一种观念已经传播开来了，那就是国王本人并不反对天主教徒的主张……他不愿意再把天主教解放当成一个没有定论的问题留在内阁中。”威灵顿等人当然也看了这封信，他写道：“如果不能除掉天主教协会，我们就要准备在爱尔兰打内战了。”

人们总是在谈论内战。到 1825 年，一位政治改革家弗朗西斯·伯德特爵士提出了一项《解放法案》，点燃了舆论。4 月底，法案在下议院获得通过；皮尔和利物浦勋爵威胁说，如果法案越过了它最后的障碍，他们就辞职。利物浦勋爵宣称：“我特别排斥罗马天主教，它对于国民生活的渗透简直无孔不入，并向人们灌输一种闻所未闻的暴政体制……”古老而熟悉的“不要罗马天主教！”的呼声又到处响起，上议院否决了这项法案。不过，从自然正义与国家和平的角度来看，显然天主教徒最后会获得成功。

然而，随后到来的是 1825 年的金融崩溃，是又一个贪婪和过度自信的泡沫的破灭。到了 1826 年，曾经连轴转的工厂被迫关闭，工人们变得无所事事。经济繁荣几年，然后走向衰落；这似乎是自然甚至不可避免的。但是没人真正吸取了教训。人们时常会用“跷跷板经济”来形容这个金融时代的景象。在恐慌的风暴最为猛烈的十来天里，许多机构关门谢客以抵挡冲击。

金融危机与天主教危机同时发生，冲击着地主、农民、工匠和社会改革者。“至于大臣们，”一位议员说，“他们已经充分证明自己缺乏管理能力。社会从未像现在这样普遍感受到这些负责的大臣们的无能；所有阶层都把将他们免职视为唯一的希望。”

收成不好造成的谷物长期短缺，使得形势愈发恶化。很少有人拥有自
43 己的土地，缺粮引起了广泛而深重的不幸。许多行当被迫停业，福音派的信众到处传播谣言，说是上帝出于正义的愤怒，向这个国家举起了手。爱德华·欧文两年前就开始了他预言式的传教，现在许多人说他的谴责和预言的确揭示了真相。第二次降临就快要到来了吗？关于天启、神的惩罚和即将来临的愤怒的话题，已是司空见惯。约翰·马丁在 1822 年画了《庞贝和赫库兰尼姆的毁灭》，而爱德华·布尔沃-利顿的小说《庞贝城的末日》

则于1834年出版。

议会变得更加乏味和实际。政府允许50万夸脱的谷物从海关仓库投放到国内；这令地主和农场主大为懊恼。坎宁向明显不满的下议院宣布了这项措施。评论家托马斯·克里维写道："我从未见过辉格党和托利党的地主们这样同时愤怒过，其中托利党人更为激烈。"这被认为是对《谷物法》的彻底破坏。他们确信谷物市场的放开还有其他有害的后果，因为对地主和农场主的打击离"推翻吾国现有社会和政治制度"的全面改革更近了一步。破坏《谷物法》就是挖旧体制的墙角，但在改革者看来，支持《谷物法》就意味着永远剥夺自由。这么讲的人是严肃的，听的人也是如此。一些人甚至将谷物短缺归咎于自由贸易和革新举措的影响。坎宁的回答是："那些不分青红皂白抵制所有以革新形式出现的改良的人，可能最终会发现自己不得不接受这些举措，尽管对他们来说那并非改良。"

但是，即便这些土地所有者如此愤怒且面临饥荒，他们并没有做什么去压制大众的呼声或挑起上帝的愤怒。于是人们开始翘首寻找天启。此时，一支拼凑而成的英国军队想要占据西非繁荣的阿散蒂地区，但他们在阿多
曼索河岸边被阿散蒂人击败，所有的军官都掉了脑袋；上帝的愤怒进一步 44
得到了证实。来自一个如此遥远偏僻之地的新闻只是为了强调上帝的力量。

1826年6月举行了一次不温不火的选举，其间新教对自身力量的展示也许是最微弱的一次。利物浦勋爵仍在勉力坚持，但也逐渐衰弱下去了。

在这段也许颇具象征意义的时期里，托利党的核心人物、王储约克公爵于1827年1月初死于水肿，并在漫长的仪式中于温莎的圣乔治教堂下葬。威灵顿公爵、林肯主教、蒙特罗斯公爵、乔治·坎宁以及其他政要出席了仪式，但严寒和教堂冰冷的石板地面让一些人得了病。主教去世了，威灵顿公爵和坎宁病得很重。这些年老的保守势力正被死神冷酷的镰刀所收割。

利物浦勋爵面对这诸多不快，终于下定决心离开了人间。在约克公爵下葬的6周之后，他遭遇了一次致命的癫痫发作，此前他已经苟延残喘了18个月。他的死一下子打开了被掩盖10年之久的党争的大门，这10年之

中充斥着虚假的和谐、恶毒的谣言和低声的污蔑。坎宁自然成为接班人，但当他被任命为首席大臣时，有六名内阁的同事辞职了。他不得不起用一些辉格党同僚，但有谣传说他自己就是半个辉格党。军务大臣帕麦斯顿在这场与“愚蠢的托利党守旧分子”的争论中站在坎宁一边。“在天主教问题上，”他写道，“在贸易原则上，在《谷物法》上……在殖民地奴隶问题上……在所有这些诸如此类的问题上，政府得到的支持都来自辉格党，而反对都来自那些所谓的朋友。”罗伯特·皮尔也是这六人之一。难道坎宁没有支持天主教的事业，和皮尔形成鲜明对比吗？有些人嘲笑皮尔和他的朋友们现在正式成为“国王陛下的反对党”。只有利物浦勋爵能够维持他们之间的秩序，这也许是对他能力的最大要求了。他内心是站在皮尔一边还是
45 坎宁一边？无人可以知晓。他寡言少语，城府极深。内政部次官认为：“利物浦的私人朋友比以往任何一位首相都要少，他调解男人之间感情的水平也不及他们。”

但他所处的是一个令人厌恶和不安的世界。霍兰德勋爵在1826年底写道：“政党不复存在了。辉格党和托利党，皮特派和福克斯派，大臣和反对党，已经不再成为区别的标志；但新的鸿沟却横亘在不同的阶级和重要利益群体之间——种植者和消费者，土地和资金，爱尔兰人和英国人，天主
46 教和新教。”威灵顿公爵认为这一时期的政府是“不切实际的”。

# 5

# 变革的大门

坎宁走马上任，成为第一位得到他所延请入阁的辉格党人公开支持的首相。许多人不信任他，但似乎也没人要用阴谋推翻他。那些因他支持天主教而拒绝与他共事的人已经足够公开地摆明过态度了。他执政初期取得了一些成功，设法制定并通过了预算。外交事务仍然是他重点关切的一件事情；他不得不就希腊、土耳其、西班牙和葡萄牙的各种不满进行谈判。“我很累。”他对一位大臣说道。但当时的外交大臣达德利勋爵比其他人看到的更多，他写道：“我从来没有从他那里听到过一个不友好、恶毒甚至不耐烦的词。他雷厉风行，并且到最后一刻都保持着轻松愉快。”威廉·哈兹利特批评他是个喜欢玩牵涉“诡辩困境”和“外交辞令”的“政治游戏”的人，这两种评价并不矛盾。他仍然是伊顿最聪明的男孩，风趣而又善辩。哈兹利特补充说：“真理、自由、正义、人性、战争与和平、文明或野蛮，这些东西只有在他对其发表演讲时才变得有意义。”他有足够流畅的语言和迷人的想象来为这些说法提供证明。 47

是他的身体而非多变的性情最后击垮了他。他告诉国王，自己感觉已经“病入膏肓”。1827 年 8 月 8 日，在上任 100 天后，他去世得如此平静，以至于周围没有人注意到。他是 19 世纪那些以刻板的方式把自己累死的政治家之一。没有适当的公务员制度，没有适合的政党，除了朋友和直系亲属之外，没有人支持他。剩下的只能依靠酒。他的外国敌人很高兴，因为就像奥利弗·克伦威尔一样，他在国内的声誉“不过是他在海外荣耀的阴影”，在国外他被形容得像暴君那样恐怖。

他当然也留下了重要的未完成之事，在弥留之际，他一直念叨着葡萄牙，但没人明白他的意思。更倾向自由主义的托利党人的那些希望，也随着他的去世一同破灭了。在许多人看来，天主教解放事业似乎已经失败。

坎宁的继任者也许是所有英国首相中最不为人所知的。戈德里奇子爵因其面对挑战时的明显软弱而得到了“好人戈德里奇”和“爱哭鬼”的称号。据说，在他向国王递交辞呈时，竟然哭了起来。他再也无法像查尔斯·布隆丁在尼亚加拉瀑布上走钢丝那样维持辉格党和保守党的平衡。他只在任了 6 个月，并创下了一项特别的纪录，那就是唯一一位从未在议会露面的首相。他的脸皮太薄，不愿受到任何人的关注。

没有证据表明戈德里奇和他的大臣们也沾染了坎宁对外交事务的迷恋，在他的短暂任期内，英国海军也才碰巧取得一场重大的胜利。为了帮助希腊打赢摆脱奥斯曼帝国的独立战争，海军上将科德林顿让一整支土耳其舰队沉入了纳瓦里诺湾的海底。在这场战斗中，他和法国、俄国联手行动，胜利并未立刻给希腊带来独立，但揭开了希腊脱离土耳其的序幕。梅特涅说，这一行动“开启了欧洲事务的一个新时代”。新的时代总是来了又去，但威灵顿公爵还是希望留着奥斯曼帝国作为对俄国的制衡。

48 纳瓦里诺之战是否得到了戈德里奇的批准并不重要。他在任的时间还不够长，因此他的意见仍然无足轻重。赫斯基森称这位新首相“健康状况一直很差，已经精疲力竭，应变和决策能力也受到了很大损害”。据说他就像蒲草一样柔弱，于是带着解脱的心情辞职了。他既没兴趣也没能力胜任这一职务，很快就彻底厌倦了。

国王也许对该任命感到后悔，现在他选择了另一位风格不同的领袖，那就是令人敬畏的威灵顿公爵。有句话说得在理：好军人不一定总能成为好政治家。威灵顿从不在意公众舆论，他最了解的是战场。葡萄牙对他来说，除了是一个打过很多胜仗的地方外还能是什么？据说新政府第一次内阁会议后，他曾说："真是怪事，我下了命令给他们，他们居然还想继续讨论。"威灵顿有身兼内政大臣和下议院领袖的皮尔在身边，但仍不能保持内阁的完整。就在那次内阁会议之后，一位大臣说，他们之间保持着"刚刚决斗完的人之间的那种礼节"。大法官说："我们不应该在餐后开会的。我们都喝得太多，对彼此都不够礼貌。"他们碰到一起就总是争吵，无法达成任何一致。令威灵顿觉得沮丧的是，他担任了首相就不能担任陆军总司令了，不然会给人军事专制的感觉。国王又对任命威灵顿当首相感到后悔，指责他缺乏灵活性。当时有一种说法："要么亚瑟王滚去见鬼，要么乔治王回汉诺威。"亚瑟就是威灵顿公爵的名字。

皮尔尖刻地批评他那些更为保守的同僚："毫无疑问，我得到了朋友们非常热情的支持，但他们都是些交好运的乡村绅士、猎狐行家，等等；这些最优秀的人可以开一晚上的会，但他们不会放弃自己的爱好，那就是为各种细枝末节争论到凌晨两三点……"

皮尔比威斯敏斯特的任何人都清楚，这些细枝末节就是政策的核心。 49
政府充其量是一个不稳定的利益联盟，其中包括他的支持者、以前坎宁的支持者和国王自己。"我必须为自己工作，"威灵顿对一位同僚说，"尽管我可能会受苦，但请上帝保佑，我会成功地在这个国家建立一个强大的政府，然后光荣退休。"

也有一些幸运的事情发生：其中最重要的是，辉格党在1828年春天成功废除了《宣誓条例》和《社团条例》，这些条例的目的是把非国教派从政体中排除出去。之前他们只有在某些日子接受新教圣餐，才有可能担任公职。现在这些禁令已经解除，不同信仰的人已经可以和圣公会信徒同样享有担任公职的权利。这向社会解放又进了一步。顺带提一下，它还产生了另外一种影响，即以前不可分割的教会和国家的纽带已经被打破。人们普遍认为，天主教解放肯定会随之而来。我们可能有一种预感，它就像丁尼生《亚瑟王之死》（出自其诗集《国王之歌》）中的亚瑟遗言所说："旧的秩序已变，让位于新的……"

众所周知，《宣誓条例》的废除是由这个时代一位杰出的辉格党人提出的。约翰·罗素勋爵来自一个古老而受人尊敬的辉格党家族。罗素看上去是一个瘦小虚弱的人，但他的力量和意志令对手惊讶。他相当小气而拘谨，嗓音尖厉而老派，而这也被他遗传给了后来的家族成员。他的家庭在彭布鲁克洛奇，有人形容他们“羞怯、畏缩，就像一只喜欢缩回充满崇高原则和宗教感情的壳里的蜗牛”。他思想高尚，精神敏感，维多利亚女王认为他“冲动”、“轻率”和“虚荣”。相比她对其他政治家的描述，这已经算是赞扬了。然而，一个外国人指出，“他显然很冷淡，对别人的话漠不关心”。这种冷峻的智慧是辉格党贵族的另一面。他拥有一个根基深厚的辉格党家族赋予的天赋和风度，但也有着敏捷的智慧和热烈的精神，使他挺过了议
50 会的动荡风波。

1828 年春天，坎宁的支持者出于愤怒或误解，集体离开了威灵顿的内阁。这些人其实是个相当杰出的群体。墨尔本子爵、帕麦斯顿子爵和达德利·沃德勋爵是一起离开的，据大卫·塞西尔说：

> 三个人去看了赫斯基森；然后，他们让马车慢慢地跟在后面，漫步在春夜温暖的寂静中，进行最后的讨论。沃德走在中间。“好吧，”他开口说，“既然就剩我们在街上，除了卫兵没人能听到，那么让我听听你们的想法吧——走还是不走？”
>
> “走。”帕麦斯顿和威廉（墨尔本子爵）对他说……可怜的沃德做了最后一次尝试：“像公爵这样伟大的人物，还是有些值得人们依附的地方。”“就我而言，”威廉不为所动地反驳道，“我并不认为他是那么伟大的人。不过，各人的看法不同吧。”

翌日，他们三个集体辞职了。

让托利党人高兴的是，赫斯基森、帕麦斯顿和其他一些重要议员都已离去。威灵顿没有挽留就让他们走了，显然是一开始就不想和他们在一起。他们之所以被选中，是因为他们是帮坎宁解决问题的人，但他们并非不可

替代。在威灵顿和皮尔独揽大权的情况下，托利党人打开了天堂的大门。

1828年6月，丹尼尔·奥康奈尔赢得了克莱尔郡的递补选举。他是个改革者，不算革命者，但他支持可以解放被压迫人民的一切行动。尽管如此，他还是反对在爱尔兰开展任何暴力恐吓或煽风点火的行为，并认为通过议会获得自由比通过武装斗争得到解放更有力、更安全。奥康奈尔有三张脸孔：首先是向他的亲密朋友展示的那张脸；其次是向下议院展示的那张脸；最后是向他的人民展示的那张脸。对他的人民来说，他是一个土生
土长的人，一个具有酒吧演说家口才的爱尔兰人。在议会中，他充满激情， 51
有时语无伦次。而在朋友看来，他温文尔雅，甚至有些迟钝。他是精通情绪和办事节奏的大师。

他和很多人都认为，虽然天主教徒不被允许进入威斯敏斯特宫，但政府并没有禁止他们参加竞选。所以他参加了克莱尔郡的递补选举并赢得了胜利。他无法在威斯敏斯特宫获得一席之地，因为他是个不愿意宣誓效忠国王的天主教徒。那该怎么办？如果他被拒绝进入议会，可能会引起爱尔兰的叛乱甚至内战。而如果允许他进入议会，又可能会在英国引发类似的事件。在英格兰，国王紧紧地抓住加冕誓言不放——就像一个钉子户似的，或者说像一个快要溺水的人。只有一场宫廷革命才能撼动他。当你身陷一群狂热的改革者或是伦敦街头游荡的新教暴徒之中时，这种困境是显而易见的。大选是不可能举行的，因为天主教徒会仿效奥康奈尔的先例，选出一个不能进入议会的罗马天主教议员方阵来。如果天主教协会现在已经证明它比传统的地主势力更为强大，而新教宪法只能咆哮和抓狂，却什么也做不了，那这部宪法还有什么意义？

威灵顿和国王谈了几个钟头，国王数次因为伤心和愤怒流泪。威灵顿现在认为，解放天主教徒是唯一切实可行的办法。国王越来越激动，直到快要像他父亲那样发疯为止。辉格党的女主人霍兰德男爵夫人从可靠的渠道得知，国王谈论这个可怕的话题长达几个小时，并威胁说要退休去汉诺威，再也不回英格兰了。他还吹嘘自己在滑铁卢打过仗。威灵顿现在相信国王是真的疯了。不过威灵顿和皮尔都明白比赛已经结束，再也不能禁止

爱尔兰人进入威斯敏斯特了。手也握了，眼泪也流了，亲吻礼也行过了，至少对国王是如此。终于，国王在 1829 年 3 月 4 日给威灵顿的信中写道：

> 亲爱的朋友，由于发现国家即将陷入无政府状态，我决定对内阁
> 52 认为符合国家切身利益的问题发表我的意见。在目前的局势下，我同
> 意按照你提出的措施办。老天知道我写下这些话时是多么痛苦。

这件事必须做，而且已经有人做了。国王在国家事务的管理中只能是一个微不足道的角色。

1829 年 3 月，皮尔提出了《天主教解放法案》。每个人都知道它来了：皮尔知道属于天主教的时刻即将到来，威灵顿也知道。也许世上没有任何力量可以阻止它。丹尼尔·奥康奈尔以前在克莱尔郡的对手维西·菲茨杰拉德敲响了警钟："我相信他们的成功是不可避免的——在天底下没有任何力量能够阻止它的前进。叛乱可能会发生，你可能会处死数千人，你可以压制它，但这些也只不过是在推迟妥协的日子罢了。"到月底，法案通过了三读。4 月，它以两票的优势在上议院获得通过。"亚瑟（威灵顿）是英格兰的王，"国王抱怨道，"奥康奈尔是爱尔兰的王，而我只是温莎堡的主人。"国王似乎说服了自己相信，只要这样，他便又可以领导这个国家了。有人认为"公众舆论"是引导自由变革的力量，但实际上，并不存在一种确定和长久的声音。

4 月 13 日，该法案获得王室同意，天主教解放成为法律。这个曾经被排斥的宗教的信徒现在可以在联合王国担任除英格兰大法官和爱尔兰大法官以外的任何公职。不过，并非所有的事情都如此顺利。爱尔兰小块土地所有者的选举权门槛被大幅度提高：财产要求从 40 先令提高到了 10 英镑。20 万人失去选举权。曾让奥康奈尔借以起家的天主教协会不复存在。然而，也没有耶稣会会士被允许指导见习修士；这么做是希望这股宗教势力能自然消亡。

然而，我们可以说，此时英国圣公会 300 年的统治已经走到了尽头。

随着神圣光环逐渐褪去，英国教会的神职人员开始转而扮演职业人士的角 53
色，向律师等群体学习世俗的习惯礼仪。有学历的神职人员数量有所增加，教会的权威也被移交给枢密院司法委员会。

在这个过程中，托利党这个最初的反天主教派别的人数减少了，他们有 173 名下议院议员和 100 名上议院议员顽抗到最后。后面还有更多的好戏。改革的大门已经打开，透过门缝已经可以窥见未来会选举改革和废除《谷物法》。皮尔和威灵顿被广泛视为叛徒。里士满公爵夫人认为威灵顿“出卖”了新教事业，她用大臣们的名字给客厅里养得肥肥的老鼠起名。威灵顿对此却无动于衷，他不介意有天主教徒来作“点缀”，只要这些人都是绅士。有 6 位天主教贵族像是受到召唤一样，第一次进入了上议院，但他们并未形成一个托利党或者辉格党那样的党派，而只是就公众关心的问题发表个人的意见。政治日记作家查尔斯·格雷维尔评论说：“如果政府没有对手，他们就不可能有一大批可以依赖的支持者。”据说，威灵顿政府成为一个“有辉格党政见的托利党政府”，仅仅是为了让事情变得复杂一些。

这种意见上的不确定也是皮尔作为内政大臣能够通过大量立法法案的原因。1829 年，他设计了《大都市警察改进法案》，如果换一个时间，该法案也许会引起很大争议。曾经人们只打算靠 350 人来监管一个 100 万人口的城市。“想想布伦特福德和德特福德晚上没有警察的状况吧！”皮尔告诉威灵顿，“我觉得真的需要麻烦你，因为我们不需要更多的证据来证明，这种状态必须结束了。”因此，他组织了一支由 2 000 人组成的高效队伍，将其分成若干部门，并置于两名治安法官或“警务专员”的监督下。到 1829 年秋天，这些“皮尔党”（Peeler）或“鲍比党”（bobbies）（这两个称呼源自队伍创建者罗伯特·皮尔的名字）开始头戴铁框高顶帽，手拿警棍值勤。他们不见得在哪里都受欢迎，有人就质疑他们是为保护富人财产而监视穷人。曾有一名男子被指控在暴乱中谋杀一名警察，而陪审团宣布他无罪，
并做出了“正当杀人”的裁决。在这一年里，有太多的愤怒和狂热，而这 54
也让皮尔抓住了打造新社会基本框架的机会。

组建警队的措施遭到厌恶，因为这被视为对个人自由的侵犯。难道拥

有一柄剑或一把手枪不能起到同样的作用吗？一旦发生不幸的事件，高声喊叫和永远警觉的群众总是管用的吧？“什么！这是英国吗？”科贝特质问新式警察，“这还是那片充满男子气概的土地吗？难道这就是那个嘲笑法国人恭顺的国家吗？”不过，当时所有的强力机构都没有被禁止，无论这些人是功利主义者还是福音派。太多的国内动荡引发了对安全的更多需求。

谷物危机令天主教问题黯然失色。所有人——商人、工厂主、农场主、劳工——仍然忍受着 1826 年以来的艰难处境和“痛苦时光”。代表肯特郡的议员说，该郡所有的农民都无力还债。萨默塞特的织工不得不每周只靠 2 先令 6 便士生活，这点钱连买盐和土豆都不够。3 月，伦敦爆发了骚乱，曼彻斯特、阿什顿安德莱恩和其他地方也发生了骚乱。斯托克波特政府一度向闹事者宣读了《骚乱法》，勒令其尽快散去。对于皮尔来说，有意中立的政府何时需要进行武装干预是个问题。1830 年，曼彻斯特政治同盟和伦敦政治同盟成立，其目的是促进社会和政治改革。各行各业的罢工、改革会议和政治活动也在其后两年一直向政府施加压力。到该年年底，托马斯·阿特伍德成立了伯明翰政治同盟，并举行了有史以来规模最大的室内
55 会议。也难怪那些有产阶级开始感到自己陷入了包围。

# 6

# 虚幻的希望

1830年，罢工达到了高潮，其中有许多是针对那些还在坚持上班的“工贼”。当年春季，一份名为《工会指导与合作资讯》的工会报纸称：“机械的改进将很快使得他们不再需要你。”大量工会涌现出来——全国工会大联盟、陶业工人工会、全国大统一工会和建筑工人工会。“这些工会的历史，”弗里德里希·恩格斯写道，“是夹杂着几次胜利的一系列失败。”他的意思是，经济学的规律，或者资本主义的规律，是不可违背的。

天主教解放斗争的旁观者们注意到了一两个可能会在将来引起混乱的问题。他们说，只有两三个内阁大臣可以说服或哄骗君主同意他原本强烈反对的建议。他们看到，还是那两三个内阁成员，如果有足够的权威，就可以通过争辩、威胁和贿赂来支配上下两院。他们还指出，国家从整体上看并不太关心宪法是怎样规范他们的领袖的。毕竟，现在已经不存在传统政治话语中的那种巨怪了。人们可能是有点杞人忧天了。当天主教徒和清 56
教徒得到公民自由的时候，并没有什么激烈的反对。英国已经不是50年前发生反天主教的戈登骚乱的那个国家了。有人认为，“中间阶层”过于关心他们的社会和经济福祉，因而并不怎么关心这一时期的宗教争议。毕竟，天主教和清教徒也希望自己成为绅士。1830年1月，《评论季刊》上刊登了

一篇匿名评论，给中等阶层的崛起起了一个名字。该文认为，他们

> 坚定而忠诚地依附于所谓的托利党，或更恰当地说应该叫保守党。这个政党由我们国家人数最多、最富有、最聪明和值得尊敬的那部分人组成。如果失去他们的支持，任何政府在勇气和恒心上都会有所欠缺。

“保守党”一词很快就被接受了。不知是出于什么巧合，就在同一年，一度分裂的辉格党也重新聚集起来，形成了一个具有一贯政策的政党。

而乡下的穷人就没有这么幸运了。他们唯一想要的变化（除了迅速消灭地主和农场主外）就是装在打着补丁的破裤子里的硬币数量。这些人大部分来自从拿破仑战争结束以来一直困扰英国乡村的失业雇工群体，还有许多人曾是工厂里的工人，因被飞速进步的机器代替而失业。到 1830 年，当早期的工人协会还未成型的时候，农业劳工就形成了自己的组织“斯温上尉”，这个名字是他们用来署名的。这一年的夏天，东肯特地区的脱粒机遭到了破坏，到 10 月，有 100 多台脱粒机被拆毁，此外还有针对什一税仓库和老旧济贫院的零星暴力活动纵火者手中的火把正在熊熊燃烧。他们抗
57 议什一税和圈地、狩猎法和济贫法，以及引起农村贫困的所有其他因素。一年内发生了 1000 多起暴力事件。

“斯温暴动”不是一个全国性的或步调一致的运动；各地的人们都有自己的不满，都认为自己面临最急迫的生存需求。弗朗西斯·杰弗里是一位苏格兰的鼓动者和编辑，他写道：“真正的战斗不是发生在辉格党和保守党、自由主义和非自由主义以及那些文质彬彬的教派之间，而是发生在有产者和无产者之间，在斯温组织和法律之间。”1830 年 2 月，另一位著名的辉格党人厄尔·格雷写道：“所有对身份和权威的尊重都完全丧失了——所有公众人物的品格都遭到了嘲笑……”

国王乔治四世现在处境艰难，“几乎要抓狂”。他对天主教解放的反应，他歇斯底里的滑稽举动，他丰富的眼泪，他的沮丧，他的脾气，以及他对

最亲密的大臣猥琐的模仿，并没有使威灵顿及其同僚对他更为亲近。他在最后的日子里情绪波动很大，有时昏昏欲睡，有时喋喋不休，靠鸦片酊、樱桃白兰地和其他饮品来续命。这一刻，国王开始了他缓慢但不可阻挡的走向坟墓的旅程，而他的人民都在默默地盼望它尽早结束。“我的孩子，这就是死亡！”他向一位侍臣宣布，仿佛他一直在等待一位期望已久的客人。它终于来了。没有人哀悼他，也没有人在乎这一切。

继任者是“水手国王”威廉四世，他的心地显然不坏，但是举止有些笨拙。“看看那个白痴，”乔治四世提到他时常说，“如果他坐在我的位置上，人们会想起我来的。”但显然谁也没有。新国王的脑袋形状像一个菠萝，但是里面内容倒是很多。他之所以被称为“水手国王”，是因为他已经当了很久的海军元帅，也有人暗示他是辉格党人。“国外的人们有一种强烈的印象，”查尔斯·格雷维尔在他著名的日记中写道，“觉得国王已经精神分裂了。我敢说这可能有点道理。他变得极其易怒，发起火来丝毫不顾体面。”从威廉一世以来，几乎每个君主都被人这样说过，也许算是一种职业病。

然而，威廉四世举止是温和的，甚至有点不拘小节。同时代人描述
他为“一个小小的红鼻子老人，饱经风霜，十分英俊，声调和仪态不太优 58
雅”。他一个人走在街上，就会吸引大批人群。当他骑马外出时，常常让伦敦人“搭便车”。墨尔本勋爵评论说：“他没有那种绅士的风度。他明白那是什么，但他没有。”

国王去世，大选成为必须要做的事。唯一的问题似乎是：威廉会偏袒威灵顿和保守党，还是转向格雷伯爵和辉格党？选战从 7 月 23 日开始，中间因另一次巴黎革命的消息而中断，但很快又变得更为活跃。究竟有多少英国人知道海峡对岸的事情，对此人们只能猜测，但毫无疑问，“斯温上尉”运动的高涨和 7 月在巴黎发生的事件有某种关联。查理十世让位给了支持君主立宪的路易·菲利普。资产阶级几乎兵不血刃地就把君主赶了出去；但在英国，有很多人为自己国家的宪政平衡深感恐惧。

在这种情况下，1830 年的选举没有解决任何问题，但它把困扰上一届政府的所有关于农业和选举的问题都提前暴露出来。“斯温上尉”运动已足

以引起有地阶级的恐慌。他们几乎不惜任何代价要求和平，对政治改革的要求变得更加迫切。

然而，托利党对此无法做出保证。在经历了《谷物法》和天主教解放运动之后，该党已经四分五裂，处于一种腐朽的晚期状态。当时存在着极端托利党、自由托利党和温和托利党，每一个又分为若干派别和小团体。这当然是一切政党的特点，但是形势太好或太差都会加重分歧、扩大裂痕。在新议会开始后的一次辩论中，厄尔·格雷发表了一篇演讲，他敦促必须“改革议会”。威灵顿公爵起身做了回复，但他的发言完全错误估计了全国的情绪。他说他无意推行改革：“我现在就可以宣布……只要我还在这个国家的政府中担任职务，我就始终认为自己有责任在别人提出此类建议时进
59 行抵制。”他的言论遭到了抗议。当公爵坐下时，他问了一位同僚发生了什么事。“我讲的不过分吧，是不是？”“拭目以待吧。”阿伯丁勋爵回答说。

股票在次日早晨下跌。到了晚上，议员们一个接一个地向威灵顿提出抗议。独裁者拒绝了改革，就这么简单。人们很快就担心，“激进分子”——不管现在他们是谁——一心要在伦敦街头制造不和。这种对不稳定的恐惧使得“民众会以法国式的叛乱推翻政府和君主制”的谣言更为流行。标语随处可见：“武装起来！武装起来！不自由毋宁死！”这些标语的作者可能会被同时指控剽窃和煽动叛乱。但民众比煽动者具有更多的常识，城市街道上的人群仍然保持着幽默。一天过去了，没有任何枪声响起。在白金汉郡、汉普郡、威尔特郡和伯克郡发生的几起缺乏热情的暴乱很快就被各郡的治安官驱散了。

威灵顿公爵几年以后回想这段时间时，写道：“是我让这些治安法官都骑马上阵，让每一个人都带上自己的侍从、仆人、马夫、猎手、看守，拿起马鞭、手枪、猎枪以及所有能找到的东西，共同或在必要时单独冲击那些暴徒，驱散他们、摧毁他们，并把无法逃脱的人关进监狱。”这个王国仍然在用近乎中世纪的方式进行防御。

但对威灵顿来说，这次言语上的失误证明了他的颓势。但是又有一件事似乎展示了他的怯懦，且让情况进一步恶化。国王本来应该参加伦敦市

长就职日的宴会，但政府拒绝了此事。他们不是害怕有人对国王下手，而是害怕有人对威灵顿公爵不利。下议院对内阁的胆怯发起了猛烈抨击。新式警察的出现也引发了敌意，这一职业被认为是受法国启发而被创造出来限制个人自由的。威灵顿在自己的政党内都无法获得多数支持，更不必说在下议院了。在举行了反对他的政府的投票之后，威灵顿向新国王提出了
辞职。威廉四世呼吁格雷伯爵领导成立一个新的辉格党政府。威灵顿政府 60
执政的 3 年间，充满了种种痛苦和误解；现在，它终于在无人惋惜的情况下倒台了。继承威灵顿公爵的是一位伯爵，一个坚定的辉格党人，现在更出名的是以他的名字命名的茶。格雷是一个镇定自若、具有贵族气质的人，他天庭饱满，思想崇高。他热爱“人民”这一抽象的概念，但据说他只是远远地爱着他们。他在议会中的所作所为和他的举止一样庄严而有分寸。在 23 岁刚加入议会时，他就表现出了一位年长政治家的模样和风度。

格雷的辉格党内阁是 18 世纪以来最贵族化的内阁，13 个人里只有 3 个人是平民出身。帕麦斯顿勋爵是一名爱尔兰贵族，他虽然也坐在下议院，却很难被称为平民。在这里，甚至连民主都不会成为话题，然而，改革却成为紧迫的问题。据一位同僚说，格雷对成为首相的前景“深感沮丧”并不停抱怨，他面临的一个最重要的问题就是改革造成的困境。过去他常常表示自己对这个问题抱有良好的兴趣，但很难说他是一个民主派。他的目的是维护贵族，用补救性措施巩固其权力。他认为，适当的改革将“使高级贵族具有真正的能力……我承认我应该选择贵族，因为那个阶级是国家和王位安全的保证”。他正在恢复辉格党作为指导和监督改革事业的贵族的旧身份。迪斯雷利后来称正统的辉格党为“民主贵族”，尽管他宣称自己并不理解这个词，但它是完全合适的。内阁本来就是利益冲突之下的广泛联盟。里士满公爵作为托利党，也成了内阁成员。新的大臣们取代的是一个在过去 60 年一直表现卓越的托利党。有句老话说：人人都喜欢贵族。

由于改革成为迫在眉睫的事，政府专门成立了一个委员会。格雷和他的同事们认为，有必要“永久解决这一重大问题，不再让改革的骚动被派
系之争和不满的图谋所利用——而是要通过明智而全面的规定激励社会的 61

所有阶层，让它们坚信自己的权益得到了充分的保障和加强……”这些话对普通人没有吸引力。人们没有谈论自由和平等，更不用说博爱了。这些对于委员会成员来说并不重要，他们的首要目标是维护国家的统一与和谐，特别是维护有地贵族的财产权。其关键词是“永久”，这只能意味着辉格党无限期地保留权力。委员会还将更多的受尊敬的世袭土地所有者纳入条款保护，希望在地主和中间阶层之间进行一些调和，以便两者都能自行其是。1831 年 1 月，格雷写信给一位同僚：“我明天要去布莱顿提出我们的改革请求。这是一项强有力的有效措施。如果国王同意，我想我们将得到舆论的支持。如果他否决了——接下来会发生什么？”他的恐惧似乎是没有必要的，国王批准了改革方案的所有细节。

无论国王怎么想，至少他是这样说的。他不想违拗或反驳他的首任首相。他对所谓的“时代精神”有某种感觉。尽管国家的社会和经济状况发生了重大变化，但政治制度依然如故。有人用瘫痪和衰老来形容它。康沃尔郡有 44 个议席，而利兹、伯明翰和曼彻斯特没有任何议席。在老塞勒姆，7 名选民可以选举产生 2 名议员。但事实上，由于地主控制了选举权，与这些选票绑定的都是些无主荒地。荒谬之事层出不穷。改革者在所有事情上都能为自己找到理由，但在关键的那件事上除外。不管这个体系有多么荒谬和失败，它都还在运转，从而保持了国王对帕麦斯顿勋爵（以及现在这位新任外交大臣）所说的“联邦的稳定以及国家的和平与繁荣”。变革的后果可能是可怕的。之前议会中的伟大人物将不再被引入这一体系，他们将被由选民控制的平庸之辈所取代。一个与国家没有传统联系的新的城市或商业阶层将抑制地主的利益。这只是一场全国性变革的开始，英格兰
62 将变得和伦敦一样，被暴徒和示威游行所控制。

因此，关于改革法案的辩论是在一种非常激动的状态下进行的。1831 年 3 月 1 日晚，下议院领袖约翰·罗素勋爵开始宣读他的建议的细节。在场的许多人本来预计将取消或改变大约二三十个选区。然而，罗素的决定是取消 56 个包括两个议席的“衰败选区”，另外还有 30 个选区减少一个议席。共有 143 个席位将被重新分配给各郡和新的市镇。这项举措引起了巨

大的骚动，它绝对是选举制度中迄今为止最激进的变革。总共至少有 102 个议席不复存在，尽管由谁来代替这些议员还没有定论。

托利党对这项计划的艰巨性爆发出歇斯底里的嘲笑。它看起来是不可能的。“上周二的那一幕是我从未见到过的，以后也不可能再看到……”麦考莱勋爵在给一位熟人的信中写道：“就像看到恺撒在元老院被刺，或是奥利弗·克伦威尔从议长桌上拿走了权杖。”他描述了下议院是如何在热烈的兴奋中等待最后的投票结果的：“查尔斯·伍德站在门口，跳上一张长凳，喊道：‘他们只有 301 票。’我们大声喊叫起来，你也许能听到查林·克罗斯。我们挥舞着帽子，跺着地板，拍着手。”他还描述了那些反对改革的人的神态：“皮尔惊掉了下巴；特维斯的脸色看着像是灵魂已死；赫里斯看上去像是犹大为了最后一次行动解下了领带。”很快，这个消息就通过一个个社团传遍了威斯敏斯特，然后又传到外面，叫声此起彼伏：“我们打败了他们！”“比赛结束了！”“他们完蛋了！”

然而，这项法案仅以一票之差通过，比失败只是好了那么一丁点儿。格雷现在决心解散议会，无疑是希望有更多的人来支持改革。但反对派决心避免这一不幸的命运，并言辞激烈地抵制解散。国王认为这违抗了他的权威，于是骑着马来到威斯敏斯特，决定按既定方针解散议会。他做到了。 63

随后的 1831 年选举被称为“干净选举”，因为选民第一次不需要贿赂就可以投票。狄更斯在《匹克威克外传》（该小说设定在 1827 年，但出版于 1836 年）中对伊顿斯威尔选举的描述，辛辣地揭示了司空见惯的贿赂和酗酒行为。这些人一直被灌得醉醺醺的，并且被锁进了酒吧里，直到投票的时候才被放出来。格雷解散了议会，促成了一场大选，人们都在高呼：“法案！完整的法案！除了法案什么也不要！”除非生来胆小，几乎所有人都无法抗拒这种吸引。这也许是英格兰有史以来最接近全民公决的事件。伦敦也为此发起了所谓的“照亮”运动，这是对街头骚乱和胁迫的委婉说法。凡是没有把点燃的蜡烛放在显眼位置的人的窗户都被打碎了，你可以沿着碎玻璃找到暴徒的行踪。

全国改革协会在博物馆街皇冠酒馆举行的一次会议上宣布：“黑暗政府

的罪恶，使得人民长期受到深重的压迫；最终他们忍无可忍。他们首要的奋斗目标就是终结这个积弊日久的体系……”威灵顿公爵坚信革命已经爆发，除了内战和流血外别无他途。到目前为止，这似乎已经确定无疑；现实就像一场噩梦，久久不散。结果，格雷伯爵以上升至136票的多数票重返政坛。辉格党人自己也没有料到改革如此受支持，甚至对其激起民众感情的程度感到震惊。

第二轮改革法案的辩论始于夏季。嘈杂的泰晤士河缓慢地流经威斯敏斯特，似乎在炎热的天气之中一切都在腐烂，发出恶臭。1831年6月，第二轮改革法案以136票的多数通过。由于该法案的支持者开始受到争论和分歧的困扰，因此顽固阻止该法案的势力又占了上风。罗素被迫放弃自己
64 的职位，将其交给了阿尔索普子爵，但这位天生健壮的子爵在这种困境下身体也被压垮了。法案到了9月才送交上议院。10月初，贵族们以41票多数否决了法案。然后清算就来了。《纪事报》和《太阳报》以黑色哀悼的版式出现，但《纪事报》宣布“恶人的胜利不会永远持续下去”。诺丁汉城堡的一部分被烧毁；在伯明翰举行的一次有15万人参加的集会上，人们发誓，在实行改革之前绝不纳税。激进的改革者弗朗西斯·普雷斯发表了一次演讲，他在演讲中宣布：“我们能够造成的事实都无法达到我们的目的。我们必须要提高格雷伯爵的想象力，我们必须假装害怕自己。”

布里斯托尔到处发生了暴乱。有些郊外的房屋是自17世纪以来第一次安装了大炮来防御。治安法官警告说，由于害怕被判谋杀罪，没有人敢杀死暴乱和示威者。没人想为另一场“彼得卢”负责。主教们被围困在街上，不能到教区去履职。科贝特说：“你遇到的每一个人似乎都因愤怒而颤抖……建立一个共和国的呼声似乎相当普遍。”托马斯·阿特伍德在伯明翰成立的“政治同盟”被其他许多类似的社团所效法；最后他们联合起来，发展成了一个全国政治联盟，其目标是将选举权扩大到中下等阶层和劳工。这被认为是对法律和秩序的威胁；当局试图阻止其影响，但他们的行动基本上是徒劳的。

疾病加剧了政治动荡。1831年秋，霍乱开始在城里蔓延。约翰·霍格

是一名医生，他记下了这种疾病是如何“从无痛的肠道松弛并伴随着无色排泄物开始的”。随后是肠道痉挛性疼痛和腹泻；随着“过度的折磨和体力的消耗”，病人的病情会迅速恶化。身体开始发蓝或发青，则是死亡即将来临的预示。最后的生命力会随“偶然排出的巧克力状液体”而逝去。幸运的是，死亡在36小时内就会到来。这种流行病的烈度还在增加。1832年夏，兰贝斯张贴了一张告示，要求 65

> 死神受到公共下水道委员会的邀请，进入他在兰贝斯的住所……在伦敦这座隔离棚里，主要街道仍然普遍没有下水道；这真是国家的耻辱。除非迅速采取措施消除人民日益增长的不满，否则她将进行必要的复仇，用灯柱和吊绳来实施报复性的惩罚。

在死亡和疾病之中，政治之火仍在熊熊燃烧。尽管四周都是煽动性的语言，有一点还是能让政府感到宽慰：生病或士气低落的人不会发动革命。相反，经常有生病的人决定采取“冷水疗法”，从滑铁卢桥上跳下去。

第一轮和第二轮改革法案都因上议院而受阻，但第三轮尝试在1831年和1832年之交就开始了。上议院害怕社会混乱以及特权受到威胁，于是在1832年4月14日通过了这项法案。然而令人吃惊的是，3周以后，他们又通过了一项充满敌意的修正案，使该法案再次失效。与民众玩危险的游戏是不明智的。威灵顿公爵再次被要求组建一个政府，准备实行更加温和的改革。但他遭到了整个国家的反对，人民发誓要和英格兰银行作对，提出了“取黄金、阻公爵”的口号。威灵顿停了下来，在这种前所未有的情况下，他无法组建政府。

国王在他的房间里深感烦恼。只要政府成员包含威灵顿，任何组合或变通都不可能奏效。唯一的补救办法就是往上议院里塞进更多顺从的贵族，让改革法案通过。国王流着泪纠结和祈祷，但他知道结局已定。于是他写了一张纸条：“陛下授权格雷伯爵，如果在法案的进展中出现障碍，就向他提交一份扩大的贵族名单，以使法案能够通过。”这样就够了，危险已经够

66 大。现有的贵族们更关心自己的地位，而不是下级的投票权。他们中的大多数人现在不打算参加改革法案投票，以免引入新的贵族。可能会有多少人加入？ 40 人？ 50 人？太不可思议了，绝不能让这件事发生。1832 年 6 月 4 日，《改革法案》通过了三读。

人们曾经认为，新形势为选举进程注入了民众的活力，中间阶层已经能够战胜上层阶级的利益。但事实并非如此。那些老顽固还在位置上。以前所有形式的腐败仍然存在，尽管不那么明目张胆了。被一个显贵或家族垄断的“口袋选区”依然存在。萨德伯里和圣奥尔本斯仍然对出价最高的人开放。农场主和地主继续对选举施加不当的影响。帮派战争被认为是理所当然的。在这个世纪晚些时候实行无记名投票前，选民是可以被“做工作”的，即以各种方式对其进行贿赂。

投票的办法没有发生重大的变化，现有的 435 万名选民又增加了 21.7 万名。在下议院，贵族和准男爵的后代人数有缓慢减少；但在 35 年中，代表地主利益的议员只减少了 100 人。一些激进分子在第一次议会改组的时候当选，但只占往常利益集团的一小部分。约翰·斯图尔特·密尔在 1833 年给一位朋友的信中写道：“我们的吉伦特派是一盘散沙……没有领导，而没有领导，就不可能有组织。激进分子中没有一群或一个有领导才能的人。”法国的吉伦特派是一个由 12 名共和主义者组成的团体。但这里的事情不是革命。密尔在《代议制政府》（1861）中认为，改革没有改变代表权的本质，也没有为普通民众中的任何少数群体让出空间。这实际上是维持现有社会制度的一种非常有效的办法，同时也满足了一些城市居民和激进分子的自命不凡。它并没有提到男性普选或年度选举，而这曾是对激进分子来说不可缺少的要求。格雷称之为对古老权利的重新主张。王权、地主、
67 中间阶层和大众就像政治魔方那样融为一体。

尽管如此，改革还是被人们接受了，因为有些人只想有些改良就好了，还有些人会期待进一步的创新。事实表明，地主现在可以和中上等阶层以及繁荣的城市经济结合起来。这也许让托利党感到沮丧，但非常适合辉格党人，他们希望形成一种广泛的利益联盟来巩固自己的权力。然而，改革

没有给工人阶层和中下等阶层带来什么好处。他们一切照旧。如果每年交的房租不到 10 英镑，他们就没有投票资格。无产阶级不是这个体系的一部分。改革与民主无关，民主太高深莫测，也不好用。改革的主要动机是权宜之计，而不是为了某个原则。它废除了某些恶习，但其他的畸形和矛盾依然存在。贵族们可能遭受了一些痛苦（尽管连这一点也值得怀疑），但激进分子和改革者所得甚少。对于格雷来说，他只想给那些饥饿的人一点面包屑，以平息可能的叛乱。他预见到，或者说他自称能预见到，进一步的改革是不需要的。

然而，这项法案可能会激起更大的变革。著名的激进分子约翰·布莱特说："这个法案不够好，但只要它获得了通过，那就是一部伟大的法案。"也就是说获得通过这一事实成为它伟大的标准。这种标准在英国议会中从来没有过，可以说它完全无视了埃德蒙·柏克的理论，即选举制度必须通过系统性和出自道德本能的方式来进行改革。1832 年的改革法案与系统性及道德本能都毫无关系。设计它的人，其目的就是为了维护他们的世袭制度，巩固国家的稳定。

这一进程揭示了政局的其他方面。很明显，在任何人民和上议院的对抗中，上议院必须低头。富裕的中间阶层也登上舞台，这本身就标志着英国政局的一个重要变化。格雷本人可以为他最终的胜利感到一丝喜悦；如果真要去任命贵族，那就是迫使国王去做一件他深恶痛绝的事。激烈的矛盾没有出现。 68

一位议员亚历山大·巴林警告说："在改革后的议会中，一旦矛盾来临，乡村士绅将无法与来自工业地区的那些活跃、聪明、富有进取心的人相抗衡。"难道他的话错了吗？对于英国历史上第一个改革后的议会，人们确实对它的工作流程有些忧虑，担心它无法有效管理国家。一位内阁大臣曾预言："如果政府在改革后的下议院第一次会议上失去控制力，那无异于往空中扔了一块陨石，混乱马上就会来临。"1833 年底，格雷的儿子将政府描述为"完全没有统一的目标，每一阵风都能掀起一场波澜"。大家都认为无人能够有效地开展行政。当威灵顿公爵被问及他对改革后的新议会的看法时，他回答说：“我一生中从未见过这么多破帽子。”

然而，《改革法案》的实际效果比服装问题更为重要。中间阶层现在约占人口的 20%，在责任和影响力方面有所增长；关于奴隶交易和谷物贸易问题的请愿书像雪片一样飞进国王的议事室。政治联盟和劳工联合会为工厂和工会改革的倡导者提供了实际的帮助，这使他们获得了优势。新获得选举权的选民人数大增，大大提高了政党的地位。从 19 世纪 30 年代开始，党派核心组织和俱乐部成为政治生态的一部分。

“口袋选邑”的重新分配，以及随后独立议员日渐减少，都意味着政党关系变得更加牢固和显著。最后只剩下两大政党来掌控局面了。结果，改革成了一个关键的政治词汇。辉格党希望的改革是通过对中等阶级让步来维护贵族的特权。而托利党希望的改革是用旧家长式的做法来保护穷人，比如“公平价格”这样的办法；托利党攻击新的《济贫法》，认为那是对贵族地主传统权威的侮辱。

69 令许多人恼火的是，一切都变了，但好像一切又都没有变。也许这就是英式生活的本质。这是一场没有改变政治性质的革命。威廉·科贝特的话一如往常地令人难忘：“那些政治骗子的快乐时光一去不复返了。好似互相对立的先生们，所对立的仅仅是他们身处的位置；他们面对面坐在下议院，仅此而已。在其他方面，他们就像牧师和文员，或者说更像乌鸦和野狗，一个哇哇地叫，一个汪汪地吠，但两者的目标是一致的，都在追求相同的食物。”本杰明·迪斯雷利是一个即将掺和进来的局外人，他在 1835 年问道：“他们（激进分子）最喜欢用的那个短语‘人民的下议院’是什么意思？……这些议员在国家中形成了一个阶层，他们享有特权，却不用负责，而且还是世袭的，就像贵族一样。”

上议院已经屈服，但并没有形成持久的力量来制约他们。下议院赢得了胜利，但在联邦内部并没有获得至高无上的地位。围绕着国王与议会的关系，仍有许多悬而未决的问题。只要你接近这些问题，就会发现其中充
70 满着混乱、含糊、矛盾、狡诈和虚幻的希望。

# 7

# 监督员

众所周知，改革议会于1832年12月3日解散。在随后的选举中，格雷在1833年1月29日组建的新议会中赢得了比对手更多的票数，辉格党也戴上了改革的桂冠，共取得441个议席，而威灵顿和皮尔领导下的托利党只有175个。大家都知道，皮尔将成为“未来的政治明星”。

格雷领导下的新政府包括一些激进分子，他们因改革法案而深受鼓舞。这些改革者反对顽固托利党的主要措施有三项：1833年的《工厂法案》、1833年在整个帝国实行的《废奴法案》以及1834年的《新济贫法》。他们的抱负来自对边沁主义的坚定信仰，因为边沁和他的法律思想很符合更为年轻自由的辉格党的胃口。

《工厂法案》可以溯源到14年前，那时，罗伯特·皮尔曾建议不得雇佣10岁以下的幼童，童工每天劳动时间不得超过10小时。他的父亲是一位富有的棉纺织厂主，而他秉承了父亲的意愿，致力于改善员工的工作
条件。这些建议进入下议院后就如同石沉大海，无法实现。然而，它们被 71
1830年的困局复活了；一位改革家理查德·奥斯特勒在给《利兹水星报》的一封信中，描述了“我们数千有着同样遭遇的男女同胞，约克郡一个城镇的悲惨居民”的状况，“此刻，议会正和奴隶制并存，这种奴隶制比地狱

般的殖民地奴隶制更为可怕”。约克郡现在有了自己的议员——反对奴隶制的巨子亨利·布鲁厄姆，他已经和这个制度斗争了将近20年。

奥斯特勒的报道引起了极大的轰动。但是人们对于“工厂生产制”仍然不甚了了，一位评论家在1842年指出：“工厂生产制度是一种现代创造；历史不能揭示它的性质，因为它还没有开始认清自己的存在。如此巨大的创新力量是无法预料的。”就算拉伯雷笔下的人物——高康大和庞大固埃再世，也不会比新的分工方式更令人感到惊愕。似乎一切都太浩大、太复杂、太多元，让人无法理解。从国家层面出发布置军事和防御尚不算一件新鲜事，但处理卫生、教育、住房和工作等方面的事情，则是以前从来没有尝试过的。

1831年底，约翰·卡姆·霍布豪斯提出了一项《十小时法案》以限制使用童工，政府也因此成立了一个委员会来调查这些“白人奴隶”的状况。一项法令于1834年3月1日生效，它禁止雇用9岁以下的儿童，9至13岁的儿童每周工作48小时，13至18岁的儿童每天最多工作12小时。该法案受到了广泛的批评和无视；许多人抱怨说，政府的这些措施是在蓄意违背贸易自由和契约原则。然而，这表明了一个立场：政府第一次宣布要对18岁以下未成年人的困境负责。这是迈向国民教育体制的第一步，尽管它充满了犹豫不决和各种不足，尽管没人能预料它将走向何方。

72 立法之后，独立监督员被引入了棉纺织厂，以确保法律得到遵守；这也是日益加强的官僚控制的一部分；除此之外，还出现了监狱、住房、建筑条例、路面铺设和路灯安装监督员。到19世纪40年代，人们普遍认为，地方问题应由一个核心政权带领各个监督部门来进行管理。监督员在包括卫生和教育的每一项公共服务中发挥作用；他们的角色是维多利亚时期社会体最重要的一个部分，而整个体制也缓慢完成了从个人倡议的驱动到有体系的国家干预的转变。这样或那样的社团让位给了蓝皮书和内政部。

最近一项关于19世纪上半叶福音信仰对社会和政治事务的影响研究是博伊德·希尔顿的《赎罪时代》，这一标题恰当地表明了基督徒的普遍情绪。他们和所有新世界的公民一样，一想起来到他们面前的人就充满恐惧和愤怒。

没有什么比矿井下的孩子们更能激起中间阶层的耻辱感的了。儿童的死亡成为这个时代的中心话题之一。“小奈尔死了吗?”那些在1841年等待着装运《老古玩店》的船抵达纽约港的人问道。那位被暗杀的总理斯宾塞·珀西瓦尔的儿子在下议院起身发表的言论，触及了这个时代的原始情感；他宣称：“我站在这里是为了警告你们，上帝将要进行正义的审判，这一审判很快就会落到你们头上，现在已经近在咫尺。”周围的议员试图把他拉回座位上，《国会议事录》里记载说，“到处是难以描述的混乱”。1833年夏天，正是在这样的气氛中，废除奴隶制的法案得到了通过。

这项改革最受福音派，尤其是那些后来被称为克拉珀姆派的改革者的支持。26年前，奴隶贸易被废止；现在，奴隶制本身在整个帝国都被禁止了。最初的要求是基督教公谊会提出的，他们优秀的传教和宣传工作激励了这个时代的政治、人道主义和慈善运动。还有另一个因素：奴隶贸易是沿着海上的航线进行的，但英国的海洋霸权应当依靠法律的力量来取得。
因此，所有6岁以下的奴隶都应无条件获得自由，而超过6岁的奴隶则应 73
当成为学徒，劳动时间有限度，工资有保障。这些要求在世界的另一头要如何迅速而彻底地得到实现是另一回事，但奴隶主们得到了大约2000万英镑的补偿。

然而，英国的自由人本身并不一定是自由的，他们如同身处奴隶制一样，受到贫穷的铁镣的束缚。到1830年，全国20%的收入被用于救济贫困，与此同时发生的则是无处不在的干草堆纵火、非法游窜和机器破坏。旧社会已经解体，贫穷不再是等级秩序的一部分，穷人劳动的必要性和贫穷的神圣性已经成为过时的说教。1832年，皇家济贫法委员会在调查后得出结论：以前的济贫计划并未实现其目标。

因此，这时有一种新的贫困救济制度被引入了，其目的是区分不想工作的人和不能工作的人。旧的《贫穷法》是由各教区的民众维持的，他们最了解那些要求救济的人的情况；它从17世纪初开始运作，但现在新一代的官僚认为它已经过时了。1834年，《新济贫法》颁行，被视为组织和效率的典范。它遵循的是边沁主义的原则。旧有的教区被划入“联合教区”，在白厅三名《济贫法》专员的监督之下，负责管理新设置的、被当作约束和管教工具的“济贫院”。这项中央决策和地方行政相结合的新政策成为19世纪对社会政策的一大贡献。

白厅的专员们被称为“萨默塞特府的三帕夏”“三头魔王”“三人团”，他们借以行使职权的工具是各地的监护人委员会，他们负责确保只有病人或符合标准的穷人才能进入济贫院。他们禁止了向身体健壮的男子提供院
74 外救济。仅仅贫穷是不够的，成年男子毕竟可以依靠劳动摆脱贫穷。济贫院也是如此，家庭被分割，生活必需品实行严格配给，居民像囚犯一样被迫从事单调无用和令人厌烦的劳动。一位新制度的支持者 H. H. 米尔曼牧师写道：“济贫院应该是一个环境艰苦、食物粗劣的地方，一个属于潦倒和谦卑的地方，它应该实施严格甚至是严厉的管理，人们出于人性应当对它感到厌恶。”

这一严酷的制度的引入，在一定程度上可以解释宪章运动作为大规模抗议活动的起源。济贫院遭到了广大群众特别是穷人的憎恶；它成了压迫的象征，被人称为“巴士底狱”。被迫进入济贫院其实就等于进监狱。它也是议会改革的产物，以前的任何议会都不可能创造出如此整齐划一或官僚主义的东西。它的实现依靠的是辉格党、改革派、教条主义者和边沁主义者。应该记住，《新济贫法》是由辉格党而非托利党提出和通过的。当然，许多托利党都支持它，但也有一群激进的托利党谴责它是人民的敌人。人们对于济贫院这类机构的疑虑很快就加深了，甚至父母都不愿意把孩子送进新的学校，因为这些学校经常和灰色石头的济贫院建在一起。迪斯雷利深知这是一种新的“野蛮主义”。这一恶劣的景象和同样冷酷的虚假神圣，作为后来所谓“维多利亚主义”的典型持续了几十年。它源自远大的抱负和坚定的原则，然而一旦被置于阳光之下，它就立刻变得压抑和令人沮丧了。

在这一时期，维多利亚公主开始了走遍英国的一系列“旅行”，以了解这个将来会由她统治的国家。在第一天的日记中，她写道：“我们刚刚穿过一个城镇，所有的煤矿都在那里，很多地方都能远远望见机器里的火光。

男人、女人、孩子、乡村和房子都是黑色的……”对所见痛苦的轻描淡写，
成了她将来统治的一个标志。作为一名年轻的女子，她也有火爆的脾气， 75
会激烈批评周围的人。国王威廉喜欢这个侄女，但对其母肯特公爵夫人却
十分轻蔑，并怀疑她暗中有操纵和背叛的行为。维多利亚的童年并不快乐，
不是被欺负就是受到过度的保护。她是在一个“玻璃屋”中长大的，周围
的人关心的都是他们自己的利益，而非这个女孩的成长。但她对于他人的
不服从有着敏锐的洞察力。即使在小的时候，她也俨然是一位女王，喜欢
那些扮演顺从角色的同伴。“我可以叫你简，”她对一个儿时旧友说，“但你
不能叫我维多利亚。”她实际上和囚犯无异，但她是一个被宠坏的囚犯；她
的一生都是任性、无常和苛刻的。

她有着极为严谨的写信习惯；据统计，如果把她的信从头到尾放在一
起，大概可以整理成700卷。这是一种趋于极端的维多利亚式趣味。老国
王是在维多利亚成年一个多月后去世的，这样也避免了触发摄政体制，而
新女王也幸运地无须听命于肯特公爵夫人及其顾问。 76

# 8

# 蒸汽和速度

第一艘蒸汽船于 1816 年横渡了英吉利海峡。如果风不大，全程仅需要三四个小时。不久以后，当其他蒸汽船正在汉堡和哥德堡附近蹒跚前进时，已经有明轮船开始从纽黑文出发向迪耶普疾驶了。第一条铁路线是一项艰难的工程，其轨道只有十几英里长，通往当地的煤矿，而现在的人们普遍认为铁路时代始于 1815 年。那时，蒸汽上升到了一个新的高度。许多人都知道詹姆斯·瓦特从沸腾的茶壶中得到灵感的事，但很少有人见过《蒸汽动力的重要意义的隐喻》这幅版画：瓦特坐在角落里做梦，一圈蒸汽围绕着工厂、烟囱和磨坊；那就是新的英格兰的愿景。

蒸汽动力慢慢来临了。有一幅 1809 年的版画《理查德·特里维西克的铁路马戏团》，展示了这位发明家兼工程师在一群观众面前引导蒸汽机车在一个圆圈里打转，就像是在马戏团带领一只驯服的大象游行一样。画中游戏的名字叫“谁能抓住我”，但它真正的重要意义被忽视了。

用那个时代的话说，铁路意味着“时间和空间的湮灭”。大地的景观似乎发生了变化。它在很早以前就失去了天然的林地，但现在那些石滩、荒
77 地、乡村公地都于这段时间被“封闭”在小的区块里，某种程度上是给新的铁路线让路。对于外国游客来说，英国的乡村呈现出一种花园般的篱笆

和栅栏体系。不过，它可不一定是如画的。不久以后将被铁路连接起来的北方工业城镇，其可怕程度足以与空气难闻、水也有毒的伦敦贫民窟相比。在一些农村地区，农舍仍然是用泥土和路面的废料筑成的，茅草屋里既可以住人，也可以养猪。这些和《谷物法》以及乔治四世一样，都是 19 世纪早期英国的一部分。火车很快就会以更快的速度行驶：当一座一座被熏黑的城镇贫民窟在一处煤矿后面一闪而过时，人们也许都没法认出它来。

修建铁路是人类在这一短暂时期所进行的最伟大的努力。在乔治和罗伯特·史蒂芬逊这对父子的监督下，斯托克顿—达林顿铁路于 1825 年建成通车。5 年后，曼彻斯特—利物浦线通车。斯托克顿—达林顿铁路从希尔登到斯托克顿的主要路线长 22 英里；还没有一种机车跑过那么远。但这条路线也是公用的，在上面跑的还有蒸汽货运机车、马车和有轨公共马车。任何伟大事业的开端都是复杂和不确定的。不过，虽然大家已经熟悉了蒸汽机，也熟悉了载着它作短途旅行的金属轨道，但是没有人知道火车车厢该是什么样子。人们最早是把特制马车车厢安上铁轨车轮，车顶上有一个行李架还配有后备厢。车厢长约 20 英尺，宽 6 英尺，而车身高度为 6 或 7 英尺；它就像《爱丽丝漫游仙境》里的马车，如果当时有那本书的话。

爆炸式的发展开始了。从 1844 年底到 1849 年初，人们一共铺设了 3000 多英里的铁轨，而新建的公路和街道不过 172 英里；在这段时间里，火车出行人次也从 3300 万提高到了 6000 万。不过，把这一时期的突出成就都归于“速度”可不那么美妙。运河完蛋了，税卡过时了，公路被遗忘了。那些两轮的、四轮的、单马的、多马的、轻便的、敞篷的、出租的……各种各样的马车很快就成了过去。但是速度有什么意义呢？威廉·科贝特遇 78
到了一个乡下女人，她的生活从来没有超出她教区的界线。他很赞赏这个女人，并抱怨说：“现在那些把人类的身体从一个地方搬到另一个地方的设备，是国家的祸害，是工业、道德，当然也是幸福的破坏者。”与此同时，伦敦的大型码头系统正在定型；到 1816 年，已建成东西印度码头区、伦敦码头区和萨里商业码头区。

速度的飞快增加是生活中最令人惊讶的方面。当时有位叫 W. R. 格雷格的，谈到了一种“没有休闲和停顿——忙碌的人生……我们无暇思考自己从哪里来，到哪里去”。这无疑是饱经变迁的好几代人的抱怨。托马斯·德·昆西的《英国邮车》里有种种关于高速和厄运的暗示，但当该文发表时，邮车已被疾驶的火车所取代。在这篇文章发表的前一年，查尔斯·狄更斯在《董贝父子》（1848）中记录了铁路的辉煌：这些线路从伦敦出发，延伸到未知的将来。拉格比公学的校长托马斯·阿诺德在1832年说过：“我们在30年内度过了300年的时光。”到21世纪初，变革的思想已经被内化为人类神经系统的一部分，而在铁路时代，它所释放出的是一次电击。1833年，布尔沃-利顿说：“每一个时代都可以被称为转变的时代……可以说，从一种状态到另一种状态的传承从来没有停止过；但在我们这个时代，转变是肉眼可见的。”就是在这一年，“科学家”这个词被创造了出来。

卡莱尔所说的“机械时代”来临了，它的特征很快就变得明显起来。它鼓励统一和匿名，鼓励礼貌和克制，这是一个动作和反应迅速、吃饭快、工作快、穿衣快的时代。向泰晤士河深处看去，你可能会看到一条已经建了四年的隧道，旁边有潜水钟。抬头便可以看到天空中的氢气球。很快，精疲力竭的马和醉酒的邮差就不会再有了，邮车离开客栈的院子时大喊的
79 那句“平安！”也听不到了。一切都在向前发展。

拉尔夫·沃尔多·爱默生在《英国人的特质》（1856）中指出，“矿山、锻造厂、磨坊、酿酒厂、铁路、蒸汽泵、蒸汽犁，使人类的所有习惯和行动都有了机械的规律性”。蒸汽机成了这个时代的象征，人们围绕“人像机器那样工作会带来多少理论上的好处”展开了许多讨论。好吧，那也算是进步。

然而，这是一个反对进步会被认为不正确也不时髦的年代，尤其是到了19世纪40年代末，电的存在已被大众所知晓时。电力作为促进物质进步、提高产量之动力的意义，很快被人们所理解。把电力文明融合进工业机械文明的想法是前途无量的。19世纪初出现了伏打电堆，而在1820年，人们又发现电流可以产生磁场，为控制和改变自然世界提供了新的手段。

维多利亚时代的人们是科学的先驱者，是科学的观赏者，是科学的实证者，也是科学的阐明者。科学家被认为是巫师和表演家；尤其是电力，它成为这一时期引发好奇和惊讶的重要部分。在国家应用科学展馆，一只跳蚤可以被放大到一头大象那么大，人们也可以看到一条电鳗电晕它的猎物（那条鳗鱼的死引起了很多报纸的评论）。法拉第的“圣诞节讲座”于 1825 年开办；1845 年 11 月，他宣布光、热和电“仅仅是一个伟大的普遍法则的不同形式”。

如果世界可以被看成一个电气模型，那么科学家就成了它天然的阐释者，也许也是它的利用者。19 世纪的文本中充满了对能量和动力的引用，例如催眠术的流行是基于这样一种理念，即人体的力量可以通过一种无形的电流来进行引导和控制，而这种电流可以生成一种“动物磁性”，将一个人与另一个人结合到一起。电被英国物理学家焦耳描述为“有着惊人活跃性的元素之火”。

在这一时期，关于热、光速和电的理论，都与能量的动态本质紧密 80
联系到了一起。它们成为一个整体。这些理论转而又和支配社会关系和性关系的权力地位理论挂上了钩。在 19 世纪 40 年代出现了政治和社会的“系统”概念，但讨论是围绕着“系统的动力学”“力场”“磁性中心”展开的。

这一时期英国对科学的具体贡献主要集中在对物理学和对能量的研究；这是一个围绕着电学、磁学、电磁学和热力学旋转的世界。一些专业研究团体，如伦敦电气学会，与一批新奇特别的科学家一起冒了出来。一项十分有价值的实验是给新近绞死的尸体通电，“他脸上的每一块肌肉都可怕地抖动起来，表现出愤怒、恐怖、绝望、痛苦和可怕的微笑。这时，几个观众因为恐惧离开了房间，一位先生晕倒了”。

这已经很接近玛丽·雪莱的《弗兰肯斯坦，或现代普罗米修斯》（1818）所探讨的领域了。在书里，人在某种程度上被做成了机器，并被电击出了生命。它是 19 世纪的标志之一，它基于这样的想象，即工厂里的工人们被变得像他们所制造的机器一样机械，被简化成了“电流激活的尸体”。机器成为控制和管理、秩序和纪律的代理人。

1836 年，一块通电的石头上长出了小虫，引发了电流创造了它们的推论。实验者安德鲁·克罗斯报告说：“第八天，这些昆虫的腿能动了。在几天时间里，它们脱离了石头，在水面上愉快地移动，尽管它们看上去不太善于行动，尤其是在刚出生的时候。”这和被复活的尸体一样可怕，引起了同样恐怖的效应。当地的农民认为是这种电流虫把他们的庄稼搞坏了，在附近进行驱魔。撇开整个实验也许是一场精心策划的骗局不谈，这些虫可
81 能只是污染了设备的奶酪螨或尘螨。这个实验没有再被重复。

所以，如果电力是一种生命力，那么它驱动的机器也许会有生命？塞缪尔·巴特勒在《乌有乡》（1872）中写道：“过去从来没有一种生物能够如此迅捷地向前移动。我们难道不该嫉妒地看着这一时刻，在还能制止的时候制止它吗？为了达到这一目的，销毁目前正在使用的更先进的机械，难道不是必要的吗？尽管我们承认它本身是无害的。”威胁是现实的。“机械结构的精妙”将帮助机器语言的进化，其复杂程度就好比是我们“日常给予它们更多的技能，提供更多自我调节、自我运行的力量，这种力量超过任何的人类心智……当然，如果一台机器能够系统地复制出另一台的话，我们也许可以说它有了生殖系统”。这个观点如此这般继续下去，准确地传达出了一种属于遥远未来的担忧。

这些最好要在 19 世纪的神学背景下加以理解，那是一盏伟大的燃烧着的灯，所有人都向它致敬。现今这尊新的神祇的庙宇就是维多利亚时代的展览馆，其中有劳瑟拱廊的阿德莱德展览馆和卡文迪许广场的理工学院。人们在这些地方能找到蒸汽枪、电磁地球仪和氢氧灯显微镜。一条 70 英尺长的运河，被造来展示蒸汽轮船。这些藏品可谓海纳百川，其中还包括“杀死库克船长的夏威夷人的武器”。这表明，即便到了 19 世纪 40 年代，科学进步的要素仍然被归类为奇迹，而非人类的发现。它们并没有属于自己的认识论地位。展览的物品也可被看作消费品，和正成为商业世界一部分的新购物拱廊贩卖的商品并无二致；以前留给工厂车间的引擎和机械，正在一个更为随意和贪婪的环境中逐步取代它们。

到1830年，英格兰的工业化随着设施技术的进步而加快，超过了其他任何国家。英格兰的出口也高于其他国家；它生产了欧洲80%的煤和50%的钢铁。世界上全部的蒸汽机都产自英国，1832年，内森·罗斯柴尔德称英国是“全世界的银行，印度、中国、德国乃至全世界的交易都接受这里 82
的指导并在这个国家结算”。但在某种意义上，这些推断是虚假的。它们仅仅代表了伦敦和这个国家的账簿，但对它的生活一无所知。阿尔顿·洛克是查尔斯·金斯莱同名小说中的人物，他曾回忆起这个繁华时代的伦敦：“我是一个普通的伦敦人……我最早的回忆是一条郊区的街道，它那些杂乱的小商店和小露台，每一处都展现出一些新的变化多端的丑陋。”上帝让他做一个伦敦人，目的是“让我学着去同情那些不幸的人，他们坐在闷热难闻的阁楼和工作间里，在病中喘着气酗酒；他们被关在自己用砖和钢铁建造的笼子里，死亡的威胁随时会降临，他们被有毒的雾气和烟尘所笼罩，从摇篮到坟墓皆是如此”。是否有人曾告诉过这些人，他们这座没有形体、色彩和生命的城市，是“全世界的银行”？

即便它是世界银行，也不一定是一家受欢迎的银行。在一连串大臣的领导下，英国外交政策的全部意图，都成了在不带来耻辱和危险的情况下尽可能和欧洲事务保持距离。1831年春天，奥地利军队进入摩德纳和帕尔马，以镇压叛乱，并抵制法国对其提出的宗主权。其后，结果是显而易见的，整个意大利北部沦为一片战场。双方的战争持续了将近两年，帕麦斯顿子爵作为当时英国的外交大臣，明确了英国的政策：“英国不可能与奥地利一起参加一场旨在镇压自由和维持专制的战争；我们也不能与法国站在一起，因为这场战争的结果可能是扩大它的领土。因此，我们将尽可能地远离这场战争。”至于那些眼睁睁看着奥地利人在自己的领土上横行的人呢？“如果我们能通过谈判为他们获得一点点宪法自由，那就更好了；但我们都想维护和平……”这是英国外交政策的标志性时刻之一。和平意味着贸易，和平意味着工业化，和平意味着低税收和繁荣；和平是最重要的。

此时出现了一件令人震惊的事。1830年9月，一列名为“火箭”的蒸 83

汽机车贴出了试运行的宣传广告。它的锅炉被涂成了向日葵黄，烟囱则是白色的。这一时期正是机器的春天。利物浦议会议员威廉·赫斯基森同意于9月15日出席从该市到曼彻斯特的铁路的通车仪式。这件事被渲染成了该时代的重大新闻。当时一位著名的工程师尼古拉斯·伍德写道，大家都认为这“似乎是决定铁路命运的关键实验。整个科学界都在关注这项壮举”。

这段旅程在利物浦开始时很顺利，火车到帕克赛德时停下来加水，客人们被告知不要离开车厢。然而，赫森斯基还是从车厢上跳了下来，站在铁轨之间的空地上。他想越过铁轨和坐在另一列专列上的威灵顿公爵打招呼，但突然发现“火箭”号正从铁轨上向他逼近。车厢门打开了，人们试图伸出手把他拉上来，但没能成功。他摔倒在铁轨上，火车轧过了他的腿。几个小时之后赫森斯基就去世了。一位著名的年轻政治家去世，本身就会给阅读报纸的公众带来相当大的震撼；而他以如此可怕和前所未有的方式死去，更是引起了轰动。赫森斯基似乎从来没有见过火车，他还以为火车会像一匹马或者一辆马车那样从路上让开。

另外，令人感到吃惊的是，一列火车载着受伤的赫森斯基在25分钟内开了大约15英里，而当时人们普遍认为这条铁路的运行速度只能保持在每小时8到10英里。这一破天荒的实际速度让观察家和评论员们震惊了。也许有些自相矛盾：第一次致命的铁路事故，证明了火车至高无上的地位，并向公众传达了新交通方式的力量和前景。这个岛国似乎突然变小了。利物浦勋爵内阁的一名阁僚遭到马贼的抢劫，另一名却死于一列火车，这充分体现了时代本身的不平衡性。

84 1830年，女演员范妮·肯布尔也被允许乘坐史蒂芬逊家族驾驶的一辆新机车旅行，她写道：“完全看不见它是如何前进的，除了那台神奇的机器、有节奏地呼吸的白汽以及永远不变的步幅，你无法想象这有多奇怪……没有哪个童话故事比我目睹的更为美妙……”将复杂的机器与魔法和童话进行类比是19世纪上半叶有趣的特征之一。多年后，乔治·史蒂芬逊自己说道：“回顾这些伟大的事业，我们这一代人似乎已经实现了巫师魔杖的神奇力量。”这是当时唯一可以描述神奇的方式。范妮·肯布尔本就是一个不知疲倦地追求着刺激的人，可以说早已把小心谨慎抛到了九霄云外；但当时绝大多数铁路乘客在旅行中都十分紧张。火车的速度、噪声，以及被火车头拉着沿钢轨前进的全新感觉，给人们带来的即便不全是恐惧，也是相当的焦虑。

1844 年通过的《铁路法案》是在赫森斯基事故被遗忘很久以后的事了；它旨在确定已成为大众运输工具的铁道的最低标准。第一次铁路的“大爆发”已经开始。一些投资者对《铁路税收探究》这类小册子的出版感到紧张，它们声称曼彻斯特到利物浦的铁路所获得的利润不到 1%。然而，随着 1838 年秋季伦敦和伯明翰之间带有信号控制的铁路开通，谨慎的投资和逐渐的成功改变了投机者的观念。1844 年，议会批准建设 800 英里的铁路线；到第二年则是 3000 英里。“媒体支持这种狂热，”一位 1851 年的作家写道，“政府也鼓励它，人民却为此付出了代价。铁路立刻成了一种时尚和狂热，它重新描绘了英国。”在 50 年内，海洋与海洋、河流与河流，还有港口、村镇、城市、市场和矿山，都连到了一起。最近的历史已经从视野中消失了。古老的客栈和乡村酒馆成为相机拍摄的主要对象之一，为的是唤起“古老英伦”的印象。它们正在成为一直深受英国人欢迎的古旧传统的一部分。这些地方景色优美，能拍出非常漂亮的照片。 85

据统计，维多利亚时代最受摄影师欢迎的主题是废墟；它可以让人陷入一种可谓屏蔽了种种现代景象和声音的沉思，并唤起其中甜美的部分。诗人萨达基奇·哈特曼这样评论早期的银版摄影术：“它就在那个四周堆着旧文件、书信和古董的盒子里。那是一个用黑色压花纸装饰的薄薄的木盒，我们无法抗拒打开它看一眼的诱惑……那些拿着手杖的绅士和戴着帽子、穿着宽袖衣裳的女士的影像，像幽灵般浮现了出来。”这也许就像是在读一本类似本书的历史书，我们仿佛能看到第一批火车头从眼前驶过。

这一时期还出现了一种新的通信系统，其实用性在 1827 年首次得以展现：一条电报消息在大约 5 分钟内被从霍利黑德传送到利物浦。10 年后，人们沿大西部铁路安装了一套电报系统。1851 年，英国和法国之间的电缆铺设成功。据说有一次房屋起火，房主是用电报向当地的消防公司报了警；电报的即时性这才改变了所有人对于时间和空间的看法。1858 年，一位名叫查尔斯·布赖特的年轻人因铺设第一条横跨大西洋的电缆而被封为爵士；《泰晤士报》将这一技术描述为“自哥伦布以来最伟大的发现”和“人类活动领域的巨大扩张”。狄更斯也认为它是“我们拥有的所有现代奇迹中最美妙的”。这种高度的赞扬在当时并非言过其实。穿过数百英里空间传递信息
86 的技术，被认为加快了人类进化的速度。

# 9

# 猪被杀了

1834年，格雷伯爵的政府受到了威胁。在过去的一年里，他一直在考虑辞职。“我就像个去上学的男孩，几乎无法指望自己能卸下任何责任。”他个人的动摇因所在政党的分裂而变得更为复杂；在下议院，各部的大臣们为政策的细节争吵不休。然而，罗伯特·皮尔并不希望辉格党下台，因为他的政党还没有准备好接收政权。问题是，有大约150名名义上的辉格党人也可以被归为改革派或激进分子；他们的政治态度并不清晰，实际上也是无法预测的。其中有一人是拳击手，另一人曾与其导师决斗，但这些激进的“派别”（如果可以这样说的话）中也有威廉·科贝特这样的老派改革家。因此，在政府陷入尴尬或面临失败时出手相助，是符合托利党的利益的；他们和温和的辉格党一样，并不希望有激烈的政治变革。

维持不稳定局面的压力以及外交政策中的种种危机，是格雷不愿意再 87
干下去的原因。他的儿子抱怨说，格雷“已经没有精力去控制一群人，他们每个人都在以各种方式追逐各自的利益……因此，政府完全没有统一的目标，一点风吹草动都能引起动荡”。风雨飘摇中的政府无法成为一个庇护所，格雷经常承认自己疲惫不堪，但他的同僚不会让他离开。

最后，大臣们的讨论走进了没有结果的死胡同。他们可以各自处理具体的问题，但是不能坐在一起讨论处理问题的原则。这么做太轻率了。爱尔兰问题就暴露出这一特征，有些人建议改革与和解，有些人则建议采取更为严厉的措施。最后的结果，就是一些半吊子或者相互矛盾的政策。例如，1833 年的《强制法案》是议会改革后当局首次颁布的法律。它的初衷是制定一部类似戒严令的法案来加强爱尔兰政府镇压激进活动的权力。但与此同时，政府又试图安抚天主教徒，提出了一项改革爱尔兰教会的法案，其措施包括取消一些主教辖区，以及从虔诚的天主教教区撤走过于热情的新教牧师。总之是给予了一些，又剥夺了一些。

这就是"爱尔兰问题"的一部分，尽管人们根本就没有弄明白这个问题究竟是什么。迪斯雷利也搞不懂这究竟是信仰的问题还是土豆的问题。它暂时被归结为教会什一税（或叫"地方税"）的所有权问题，一些大臣认为，为了国家的利益可以动用这些税款，而另一些大臣坚持认为它们应该仍归爱尔兰教会所有。当内阁在这个问题上产生分歧后，有四位大臣辞职了。爱尔兰成了一个所有英国政府都无法治愈的伤口。为了争取爱尔兰议员的支持，有人向丹尼尔·奥康奈尔提出了各种方案建议，但格雷和其他人拒绝任何妥协和讨价还价。当奥康奈尔认为遭到了欺骗后，他在下议院起身用激烈而丰富多彩的语言宣布了这一背叛。"看那儿，"阿尔索普勋爵低声对约翰·罗素说，"现在猪被杀了。"阿尔索普勋爵就是误导奥康奈尔的人之一，他现在辞职了。政府中的分歧是如此令人绝望，在爱尔兰问题上它又如此没有定见，于是格雷在几天后也辞职了。"我的政治生涯已经结
88 束了。"他带着些许解脱说道。这是爱尔兰给他的。

墨尔本勋爵对待这事的态度最圆滑。"所有智者承诺的事都没有发生，而所有该死的傻瓜说的话都变成了现实。"这是否意味着整个政府将垮台，而格雷将扮演留在甲板上的船长？当被问到这个问题时，他回答道："从理论上说，是的；但实际上，没有。"国王本人希望能组建一个联合政府，包括威灵顿、皮尔以及一些合适的辉格党人。但这是不可能的。威灵顿礼貌地拒绝了，理由是要想团结"好像在几乎一切原则和政策上都无法达成一致"的人是不可能的。连国王也承认这一点，他不情愿地转而询问墨尔本

勋爵，唯一一个还有意愿答应的辉格党人，当然主要也是因为他被认为对任何人都没有威胁。墨尔本勋爵声称自己在这事上无所谓，他的私人秘书托马斯·杨则说“他认为这是一件可恶的无聊之事”，但他还能怎么做？也许他认为有责任服从君主，也许在内心里他意识到这是个机会。当时，杨告诉他：“为什么这该死的职位没有被任何希腊人或罗马人担任过，如果只干两个月，那么当英国首相是值得的。”“老天爷，的确如此。”墨尔本回答说，“我去吧。”对于在任何时候都喜欢表现荣誉和高贵的贵族政治家来说，引经据典是很有用的。

墨尔本从来不做违心的事；为了保持含蓄，他总是说些无关痛痒的话。国王在不情愿地选择他之前，“曾告诫他不要接纳那些空想家、狂热分子和共和主义者”。这一建议是毫无必要的，狂热分子和空想家就如同罗马僧侣或埃及魔术师，不会招墨尔本的喜欢。他的第一个措施就是放弃《强制法案》，并提出一些更加温和的建议。然而，这让国王感到很不痛快，因为他觉得原来的法案还失之过宽。

与天主教有关的问题并非仅限于爱尔兰。在英格兰，一直存在支持盎格鲁天主教的因素，这是一场高教会派发起的运动，他们希望保留罗马教会的规矩和仪式。他们试图驱除宗教改革的精神和性质，将英国教会重新 89
纳入旧信仰的范畴。当然，大多数新教徒认为这是对圣公宗谦逊和家庭式的作风的威胁，对此感到十分不满。但在圣公会里有不少人已经匍匐在罗马教会的十字架下。

1833 年秋天，一本题为《时代篇章》的小册子发行（后来它陆续出版了 90 期），它表达了高教派圣公主义的基本精神态度。这些支持这一教义的人被称为“单行本派”，又因为其中许多人是牛津大学的，所以这一运动也被称为“牛津运动”。其中之一的丘奇教长形容册子“是对良心和理性短暂而严厉的呼吁，言简意赅，目的明确”。在 1833 年夏天，他们就已在牛津圣母玛利亚教堂举行过一场主题为“举国叛教”的布道会。布道会由约翰·基布尔主持，他当时以《基督周年》（1827）一书而闻名，那是一本关于基督教节日的诗集。他也希望借对教会神父的深切依附和对神圣之美的再次称赞来重振旧日的信仰。

《时代篇章》的第一册是由约翰·亨利·纽曼创作的，他具有崇高的目标和朴素的情感，因而成为新运动的中心。他的简朴和纯洁象征了“单行本派”的坚定决心：这群人肯定使徒传统，反对自18世纪以来的宗教自由主义和自鸣得意的正统圣公宗团体。如果把19世纪社会习俗比作一片荒漠，那纽曼和他的同僚就像是荒漠中的使徒。“我只是你们中的一员，”他在第一句话中写道，“一个牧师，因此我隐去了姓名，以免用个人的名义发声而让自己负累过重。但我必须发声，因为这个时代非常邪恶，却没有人发出反对的声音。”他们完全反对自由主义和淡化道德权威的倾向。他们是19世纪高尚的严肃精神的一部分，可被视为对威尔伯福斯以及克拉珀姆教派所发起的福音复兴运动的补充。所有这些都反映了英国人信仰的虔诚。

90 他们提醒基督徒要注意旧有虔诚仪式的约束，结果引发了贯穿19世纪的争论。他们被扣上罗马天主教分子甚或更为恶劣的帽子。其中一些人被大学开除，并被禁止登上教堂的讲坛。不明就里的人可能会认为他们是国王的敌人，因为他们忠于教皇。事实上他们对王权完全忠诚，毫无威胁；并且因为服从权威的思想根深蒂固，他们比那些思想自由和不信奉国教者要可靠得多。他们与奥康奈尔的天主教协会毫无关系。

这确实是一个志趣相投的人可以组成各色协会、兄弟会和俱乐部的时代。但是，协会是从何时起变成了一个训练有素的团伙？兄弟会又是从何时起变成了一个同业公会甚至联盟？1834年，全国统一大工会成立，这部分应归功于罗伯特·欧文的领导。在此之前，有全联合王国的纺织操作工成立的大总工会，还有全国劳工保护协会。这些组织主要关心的是维护其成员的生活水平，但全国统一大工会有更大的野心。它想反对1832年的《改革法案》，该法案把绝大多数工人都排除在了选举之外。在欧文的鼓励之下，大工会提议在每一个行业和工厂都建立组织，使劳动者能够控制国家的经济运行。这可能是一个激动人心的想法，它吸引了大约50万名支持者。但就像许多乌托邦的理想一样，一旦撞上现实突飞猛进便立刻崩塌。大多数罢工应者寥寥，工人运动被政客和地方法官完全碾碎。工厂主们用所谓“文件提交”来进行反击，即每个来求职的人都必须签署和工会完全撇清关系的声明。

这就是“托尔普德尔蒙难者”出现的时代背景。他们是多塞特郡的六名农业劳工，被判流放澳大利亚服七年劳役。他们的罪名是宣誓遵守某些共同的“秘密誓言”，但实际上那只是一般的工会惯例。墨尔本及其同僚赞赏这一判决，并因而招致大部分劳工及其政治同盟的蔑视。这些人在伦敦 91
组织了一场名为“工会之日”的示威，但似乎没有取得任何成果。墨尔本勋爵从读书时候起就本能地认同纪律和惩罚。他告诉国王，鞭打对于他总是有着“惊人的效果”；这让国王非常高兴，于是他在侍女身上进行了试验。

墨尔本勋爵的第一届政府只持续了 4 个月。他的内阁成员纷纷辞职，他自己也意识到政治前景极为晦暗不明。10 月，威灵顿在给国王的弟弟坎伯兰公爵的一封信里写道：“没有人了解情况，到处都充斥着失望。”墨尔本自己倒是表现得很平静，甚至还有点厌倦。之前，大家都对他出任首相感到惊讶。他似乎毫无进取心，不愿意做任何一点点激进的事。当辉格党的贵族霍兰德一家访问上任后的墨尔本时，“发现他没穿内衣躺在一张长椅上，紧裹着一袭长袍，睡得死死的”。他最喜欢的一句话是“在我看来都一样”，并因为常说类似的话而知名。“我总是发现，”他说，“断言往往是错的，尤其是出自权威之口的那种。”他的历史知识是渊博的，虽然在他看来没什么用；但当他承认自己没读过威廉·华兹华斯的《漫游》时，却遭到了抨击。在那个年代，即便是最傲慢的政治家也必须对当时最好的文学作品有所了解。“我买了那本书的，”他说，“当你把一本书扔在那里，没读过就知道那么多书里的内容，这是很令人吃惊的。”我们可以用一个简短的注释来总结他的政治观念：“如果有疑惑，什么都别做。”

但后来出现了一次清理，至少是象征性的。1834 年 10 月 16 日傍晚，一片红色的光芒照亮了天空。事情很快明了，并让那些急切的关注者又惊又喜：那是威斯敏斯特宫着火了。这是他们所目睹的最难忘的一件事，因为帝国的中心在火焰中灰飞烟灭了。许多人立即认为这是一个阴谋，是天主教徒甚或是爱尔兰天主教徒？是法国人还是俄国人？是激进分子还是 92

工会会员？还有一些人认为这来自上帝之手，是对两年前议会改革的惩罚。但对另一部分人来说，这是一种令人愉快的解脱。古老的议会拥挤不堪，弥漫着老房子潮湿难闻的气味。它那曲折的走廊是立法时拖延和分裂的象征。它甚至会传染它的邻居。威斯敏斯特的红衣主教怀斯曼曾形容那些“迷宫般的小路、院落、巷道和贫民窟，是愚昧、邪恶、堕落和犯罪的巢穴”。“贫民窟”是一个新词，但大家都懂它是什么意思。

这些都被大火一扫而空，火势的蔓延如此猛烈，以至于午夜也恍如白昼。一位目击者回忆说，“这是一个完美的童话场景”；它再次证明了 19 世纪人们心灵深处的神奇梦幻。当一部分建筑坍塌时，人群中不时爆发出掌声，好像他们正在看一场展览。艺术家本杰明·海登写道：“人们的感觉是不寻常的——普遍是在看笑话或采取激烈批评的态度。”在这一狂热的时刻，19 世纪伦敦人的真实情感表露无遗：“烧给上议院的一把火”，“对《济贫法》的审判”，“法律不存在了”。到星期五的早晨，破坏便一目了然：彩绘大厅和下议院图书馆被烧毁，下议院的正门和上议院前面的拱廊消失了；建筑的正面已经倒塌，墙壁成了废墟，屋顶陷了进去。

威斯敏斯特宫上空的烟雾还未散去，国王已经召见了墨尔本勋爵。其实大家都知道结果是什么——国王说，被辞职和分裂所困扰的辉格党内阁已经无法继续维持政府运转，政府在下议院的影响力已经非常薄弱，以至于君主不得不要求威灵顿公爵接任首相。然而，公爵提出了异议，并推荐了罗伯特·皮尔，各党派都认为他是最为足智多谋的。皮尔是托利党人，
93 并非辉格党人，但这一点似乎并不重要。事实上，国王在没有诉诸议会和公众的情况下就让政府下了台，这的确引起了很多争议，之后没有哪位君主还敢再这么干一次。

以罗伯特·皮尔为首的托利党人终于等到了这一刻。无论是辉格党还是托利党，都认为皮尔在原则和政策方面都是天然的接班人。不过，他当时在意大利，威灵顿担起替他看家的职责。公爵接管国家就像接管一支军队的司令部一样，从 11 月中旬到 12 月初，他掌握了这个国家所有的重要岗位。人们称他为独裁者而非临时首相，但他没有克伦威尔那样的野心，他

要的只是纪律和效率。这是一个充满着不确定性的时期，迪斯雷利在他的小说《康宁斯比》（1844）中回忆了1834年的冬天：“多大的希望、恐惧和赌注啊！……每个已经做官或想做官的人，每个已经拥有点什么或想要拥有点什么的人，看上去全都一样。”

皮尔从罗马匆忙回到了这个正在准备举行大选的国家，他感受到了这些情绪。墨尔本对《改革法案》的结论是：“如果不是绝对必要，那它就是有史以来最愚蠢的事。”然而，在皮尔看来，这是创造了一个新选民群体的决定性的一步。他的任务就是要让这些新选民参与到有限的改革项目中来。他意志坚定，思维敏锐，并且如他自己所说，处理起政治问题就像是在处理数学问题。

国家的状况已经适合他施展身手了。在过去20年中，大臣们的责任大大增加，这也培养出了一批政务管理人员，以及外交、经济和帝国事务专家。有一名充分掌握其职务复杂性并了解当代政治要求的首相成为当务之急。政治事务的拓展吸引了公众的注意；报纸和期刊此时也可以掌握相当一部分群众（这样的时期可不多见）。它们的关注和详细报道将会催生一种新的方式，皮尔也许就是第一个。

1834年的最后一周，皮尔解散了议会。这也许是因为他希望增加自己 94
政党的力量，希望在选举中出现奇迹，以赢得议会的控制权。他在塔姆沃思以给选民写一封信的方式发表了今天所说的“宣言”，从而增加了人们对于所谓“公众舆论”的兴趣。他承诺对教会和国家进行彻底的改革，并宣称《改革法案》“一劳永逸地解决了一个重大的根本性问题”。在这份《塔姆沃思宣言》中，皮尔称这封信是写给“那个伟大而智慧的社会阶层”的，为的是向他们“坦陈一些总体的原则和看法，因为它们似乎是大家急切期待的东西”。换言之，他是在和那些《改革法案》的受益者交谈，并许诺要代表他们采取行动。最终他赢得了98个席位，但仍不足以占多数。他还有一个不利因素：他面对的是一个反对党的联盟。辉格党、激进分子和爱尔兰人达成了“利奇菲尔德庄园协定”，其目标就是搞垮皮尔。2月18日，当新议会开幕时，皮尔明白自己的地位依然岌岌可危，这对新首相来说不是个好兆头。但是皮尔应当坚持下去，不然结果就是墨尔本将再一次领导政府。

他又坚持了几周，遭受了六次失败；到1835年春，国王和他都已明白，再坚持下去已没有前途。当皮尔在一份有关爱尔兰什一税的法案上失败时，他终于迎来了谢幕。爱尔兰推翻了不止一届英国政府，这是在艰难岁月中的诸多荒谬事件之一。不过，皮尔在他执政的一百多天里赢得了极佳的公众声誉，他被认为是一位坚强果决的政治家。在此过程中，他推动了保守党，并摆脱了天生反动和因循守旧的形象。《泰晤士报》称他的辞职为“一场令人沉痛的国家灾难”，并指责让他下台的党派“热情过度”。人们抱怨说，那些反对党的协议除了“把首相赶下台”这一条外，几乎没有任何共同原则。

95 皮尔已经成了一位威严的人物，简洁、沉默，对小打小闹不感兴趣，表现出了很强的政治头脑。他也许是一个没有理想的政治家，但理想有什么用呢？这就是为什么迪斯雷利称《塔姆沃思宣言》适合“一个没有原则的政党”（这句嘲弄后来又落到了迪斯雷利自己头上）。丹尼尔·奥康奈尔说皮尔“笑起来就像棺材上的那块银盘”，但这种冷漠和傲慢在某种程度上是羞怯造成的。他的确是一个孤僻的人。后来，迪斯雷利在一幅钢笔画中写道：“他很害羞，但年纪轻轻就被迫身居高位，形成了一种刻意为之的态度，强硬时过于傲慢，温和时又过于热情，他自己也无法摆脱。”罗斯贝利勋爵说皮尔一直就是一个“能干、认真、勤奋、敏感的人”。他足够有钱，但算不上地主，并且干着一份苦差事。他一生都保持着兰开夏口音。最重要的是，他是一个长于行动的人，在下议院比在家里更是如此。人们常常把他比作礁石上的灯塔、暴风雨中的领航员和地平线上的光，其他老套的夸赞也许无须赘言。他不太会对付个别人——有时会闭上眼睛，有时视而不见——但如果给他一个棘手的问题，他几乎肯定会加以解决。皮尔对于疼痛极为敏感，有一次他手指被门夹住，然后立刻就晕倒了。

就这样，在皮尔第一次短暂地进入政府后，他下台了。正如《年鉴》所说，他“不但冠绝众人，而且无人可以望其项背”。此时他的辉格党对手们则全无力量和目标，且因之前国王给予的严苛批评而失魂落魄。他们的主要人物墨尔本和罗素，面对皮尔的巨大优势，几乎没有什么可以拿来安抚党员的，除了仕途上尚有前景。威廉只能让墨尔本复出担任首相，除此之外，几乎没有其他选择。对于几个月前刚刚解除墨尔本职务的国王来说，这的确是个耻辱。事实证明，议会和人民比君主拥有更多的权力。

大火之后，旧议会只剩一个漆黑的空壳，新议员们聚集在外部烧焦
但仍能使用的上议院里，而上议院那些贵族则被安置在大部分尚未烧毁的 96
绘厅里。墨尔本领导上议院，罗素则是下议院的主导人物。所有的自由主义者、温和派、极端激进派、激进派和哲学激进派都汇聚一堂，为墨尔本效劳。作为“利奇菲尔德庄园协定”的结果，辉格党获得多数也有丹尼尔·奥康奈尔等爱尔兰议员的功劳，他们是关键人物。议会中的激进分子无论用什么名字其实都无足轻重，他们很快就沦为少数派。他们热切希望能对《改革法案》做进一步的修改，但软弱使他们无法对抗反对修改《改革法案》的罗素，他也因此得到“终极杰克”的绰号。

托利党也有一堆名字，有高托利党、极端托利党和自由派托利党，但他们都可以集合在保守党的大旗下。他们有自己的俱乐部——卡尔顿俱乐部，也有自己的协会和代理人。但是，有一个关键的问题，最终使皮尔付出了代价。他希望并确信自己有能力建立一个现代化的保守党，为迎接 19 世纪 30 年代的挑战做好准备；但事实上，这个党主要成员是农民、地主和佃户，他们最为关注的是谷物价格和农业收益。这个党和皮尔所关心的东西并不总是一致的。

墨尔本的第二任政府把主要精力放在《市议会组织法案》的制定上，议会的一个专门委员会正在讨论此事。一份皇家委员会的报告称：“在绝大多数的联合城镇里，普遍存在我们认为合理的对市政机构的不满；对自行任命的市政委员会的不信任……对地方执政官的不信任，以及对地方税收负担的抱怨。”没有比这更全面的受害情况报告了。诸市和诸郡由一群自行任命的寡头统治，市长和市政委员会都为中饱私囊和维持家族势力而敛财。1835 年，在经过反复讨论后，该法案成为法律，从而摧毁了城市行会，以

97 及所有控制城镇财富的利己商人和手工业者的权力。

与之相对，市政选举权将被赋予所有永久纳税人或住户，由他们选出任期三年的代表。市长及其僚属将接受选举产生的市议会的指导。这是《改革法案》在城镇的翻版。这件事肯定经过作为当时首相的墨尔本之手，但他是否主导此事则是需要存疑的。虽然该法案只适用于较大的城镇，但多年来笼罩着乡村自治市镇的死气沉沉也被打破了。可以说，在群众健康、公共卫生设施等事务中，新的市议会议员比国会议员实际上更有发言权。在市议会中，非执政党和不信奉国教者有时占多数，这可能使政策更为开明。一位评论者写道：“它把英格兰所有城镇的全体中间阶层都集合起来了，并赋予了他们可怕的力量。”

墨尔本很清楚这种力量，他也鼓励自己提升不信奉国教者的权益。1836 年，他的政府建立了一套包括出生、婚姻和死亡的民事登记制度，从而打破了圣公会的垄断，并通过了《不信奉国教者婚姻法案》，第一次承认了不采用宗教仪式的世俗婚姻。同年，伦敦大学获得了许可，允许原先被禁止进入古老大学的不信奉国教者入学。人们可以认为墨尔本具有良好的意图，但实际上他希望让议会中的不信奉国教者站在他这一边，这些人是他最坚定的支持者。

在这一届议会任期内，报纸的印花税从 4 便士降到 1 便士。比如《晨报》，就很快成了一份颇具影响力的报纸；约翰 · 斯图尔特 · 密尔就形容它“超过以往报社所有日常宣传的舆论机关”，他的意思是这是第一份将边沁的功利主义理论引入新闻讨论的报纸。

墨尔本的托利党对手在思想上受到了国王甚至是一些辉格党人的影响。墨尔本仿佛站在了一个被旋转的水流包围的小岛上，但时间和潮汐对他有利。爱尔兰人和激进分子不希望看到他下台，因为他们担心托利党人会取
98 代他。皮尔已经开拓了一条温和的道路，可以持续到他能够依靠选举获得坚实的胜利的时候。那一天终归是要来的。从本质上讲，墨尔本政府一直是在皮尔的间接支持下执政的。他们两个都是性情保守的人，可以进行合作而不留痕迹。然而墨尔本并不能完全掌控自己的命运，他一直工作在被

国王厌恶的阴影下，威廉四世从来就不想让他回来。

不过，墨尔本本人是这种情况下最好的领导者。他流露出亲切的态度，他也没有什么原则需要不惜一切代价去坚持。因此，他的可塑性和灵活性是无限的。政府提交的一项措施可能在下议院获得通过，却在上议院被否决；然后是一段时间的讨价还价，最后提交的措施与先前的大相径庭。墨尔本对此根本无所谓，只要他的内阁听话就行。一位大臣对他说："只要你是对的，我就会支持你。""那根本没用，"他回答道，"我想要的是在我犯错的时候支持我的人。"他在任何意义上都不是一名改革者，拖延、推迟和模棱两可是他的惯用手段。即便他的《市议会组织法案》第一次被上议院否决，他似乎也毫不在乎。"这有什么关系？"他问道，"500 年来我们和那些市政委员会相处得还算不错。"这项法案最终在上议院获得通过，成为法律。"我们必须看看效果如何。"墨尔本这样说道。这是他处理所有事情时都会保持的距离。不管怎样，他把大部分细节都交给罗素去处理；罗素有主政的野心，今后也注定要因此而失望。

墨尔本在内阁中也有一个不可或缺的盟友，那就是担任外交大臣的帕麦斯顿子爵；他很快就会和墨尔本的妹妹艾米莉·兰姆结婚，从而强化这一同盟。帕麦斯顿从 1830 年起就一直担任这一职务，除了皮尔的短暂执政时期。在此之前，他先后担任过海军部的次官和军务大臣。所以他惯于外交游戏，擅长狡诈和虚张声势。和墨尔本一样，帕麦斯顿没有什么自己一
贯的政治主张，只要能使英国领先于它的对手就可以。他在工作中出色而 99
英明，但那些为他工作的人却对他深恶痛绝。这主要是他驭下极严，要求他们必须努力认真地工作。

当国家的重大利益受到威胁时，帕麦斯顿就会变得十分顽强和难缠。他在比利时、葡萄牙、西班牙和叙利亚都进行过干预活动。帕麦斯顿认为英国的声誉受到了威胁，外交大臣必须确保其受到尊重和敬畏，就像是西方世界的一名警察一样。从某种意义上说，他是墨尔本执政的黯淡时期唯一的亮点。帕麦斯顿似乎十分坦率。例如，他曾说："像葡萄牙、南美洲那些半开化的政府，每 8 到 10 年就要收拾他们一次，以使其遵守秩序……他

们的头脑过于肤浅，无法记住这些教训更长的时间，而警告几乎是没有用的。他们对言辞满不在乎，而且光看到棍子是不够的，只有打到身上以后他们才会屈服。”他挑起了一股仇外和妄自尊大的思潮，也就是后来人们所说的极端爱国主义。

很快，在证券交易所，在陆军和海军中，在名流云集的时尚街道，在职员、码头工人和店主中，极端爱国主义者涌现出来了。人们相信帕麦斯顿已经领悟到了民族精神，他称奥地利为“老妇人”“欧洲的中国”。他可以蛮不讲理，也会装腔作势，人称“浮石勋爵”，因为他有本事用不当的方法来激怒盟友。平时他也常被人用亲切一些的“帕姆”或更为神秘的“猫鼬”称呼，也许是因为人们觉得他有能力除掉外国的蛇。布尔沃-利顿说：“帕麦斯顿勋爵在谈论外交时总是会扯上炮舰。”他直接从伍尔维奇军火库向西西里的叛军运送武器，因为他对那不勒斯国王斐迪南的行为感到厌恶。他对所有统治者都没有好感，无论是世袭的还是靠其他方式的。路易·菲力浦称他为“我家族的敌人”。维多利亚后来也不断抱怨帕麦斯顿没有征求她和她丈夫的意见就做了重要的决定。对此他也只是耸耸肩。他总是掌握实情，总是非常自信。他把这个世界当成一场宏大的游戏，他可以在任何需要的地方来个即兴发挥或是韬光养晦。

100 帕麦斯顿是所谓“不间断干涉”活动的支持者：他向各国君主和首相发出警告与威胁，时常在国际政治这口大锅里翻来搅去。墨尔本对女王声称：“他的原则和经验就是，摒弃软弱和胆怯就可以无往不胜，他的这一信条大致是正确的。”这里有一个关于北非的例子，埃及的帕夏穆罕默德·阿里决定反抗他名义上的宗主土耳其苏丹。这并非帕麦斯顿所乐见的，因为如果苏丹统治下的奥斯曼帝国衰落或解体，将给法国和俄国在埃及攫取利益的机会。法国尤其被视为重大威胁，两国之间一直明争暗斗。帕麦斯顿通过谈判和秘密交易达到了自己的目的，没有让任何可以发挥作用的同僚参与此事。

法国很快就要面对英国、俄国、奥地利和普鲁士的四国联盟，或许也可以叫它北方联盟。但与法国的战争前景使英国内阁感到不安。当帕麦斯顿提议与那三个国家签订条约时，内阁的两名成员威胁要辞职。墨尔本受到了严重的惊吓；任何分裂或分裂的暗示都会对他造成惊吓。“看在上帝的分上，”他说，“不要让任何人辞职，否则我们会让所有人都辞职。”帕麦斯顿不为所动，表示完全不屑于法国的威胁。他说他们只是虚张声势。他顶住了压力，但墨尔本却在压力之下病倒了。这种在危机时刻暴露出来的，因紧张而导致的歇斯底里，是维多利亚时代敏感情绪最显著的特征之一。几年以后，墨尔本会写信给罗素谈论女王，称“如果让她处于激动和兴奋的状态，可能会使她得重病”。作家兼社会评论家亚瑟·杨格曾公开探讨过电报，但当提到“情报的广泛流通”时，他提出了一个更为普遍的观点：“在英国，可以将感触或警报引起的极小振动，以电流的灵敏度从王国的一端传递到另一端。”

这可能会被形容为一种对世界末日的想象。根据一些语焉不详、半真半假的消息，1842 年 3 月 17 日伦敦将被大火吞没。这个谣言到处流传。那一天的《泰晤士报》报道说：“这一整天里到处都能听到疯狂的呼喊、不停 101
向上天祈祷以及令人心碎的求救声，都足以证明这些流传的妄想已经占据迷信人士的头脑。”码头上挤满了人，等待着一艘汽船把他们从市区接走。从伦敦出发的火车也很拥挤，还有人去乡野避难。但什么也没发生。

帕麦斯顿一直都是对的。他用战争来威胁法国国王路易·菲力浦。菲力浦也退缩了，并且很快穆罕默德·阿里的军事恫吓也收场了。这场对法国的不流血的胜利，让英国喜出望外，而且它也许是墨尔本政府唯一可以宣称的对外胜利了。

帕麦斯顿采取的是一项非常措施，但效果一点也不差。他对国家事务的方向是完全清醒的，即便在他罕见地谈论起某个哲学问题时，他的分析仍然是切合实际的。例如，人们总是在说奥斯曼帝国的“衰落”，但帕麦斯顿说：“人类得出错误结论，多半是因为滥用比喻，以及用一些表面的或臆想出来的相似之处去代替真实事物。因此，人们会把古老的君主制和一栋旧房子、一棵老树或一位老人进行比较。”但这种相似之处是不存在的。

帕麦斯顿曾经说过："把某个国家标记为英国永远的盟友或敌人，是一种狭隘的政策。我们没有永远的朋友，也没有永远的敌人，只有利益是永恒的，而这些利益才是我们的责任所在。"可能帕麦斯顿还会说，党内没有永远的亲密关系，因为他总是和名义上的领导者保持距离。他喜欢走自己的路。正如我们将看到的那样，他偶尔也会跌倒，但总是能站起来，拍拍
102 身上的灰，继续向前走。

# 10

# 年轻的希望

19 世纪 30 年代，农业和工业仍在动荡之中，价格、利润和租金的波动影响着每个人。《创世记》第 41 章中法老梦见的那七个丰年和七个荒年，大概就是当时的写照。除了天然的周期循环，没人能解释这些变化的原因；人们也完全无法应对需求的突然扩大和萧条。《新济贫法》和更高的税收加剧了社会的动荡和骚乱，托尔普德尔骚乱这样的事件对墨尔本政府来说不是个好兆头。

1836 年，一群伦敦和约克郡的激进分子，包括威廉·洛维特、弗朗西斯·普雷斯等社会改革者，决定成立伦敦工人协会。1837 年 5 月，协会在科克斯普尔大街的英国咖啡屋举行了一次大会，提出了著名的“六点纲领”，包括：议会每年选举；男子拥有普选权（女子普选权在当时被认为过于超前）；各选区平等；取消议员的财产资格限制以便年轻的改革家有机会
实现抱负；实行无记名投票以杜绝贿赂与恐吓；议员当选后可以领取薪金， 103
这是对没有其他资金来源的工人阶级议员的帮助。这些纲领不久就被称为《人民宪章》，其支持者被称为宪章派。

《人民宪章》替穷人发了声，而之前的《改革法案》并没有给他们什么帮助，《新济贫法》的内容更是加剧了他们所受到的伤害。当权者给了中间

阶层好处，而他们却对其他所有人冷酷无情。

当年秋天，爱尔兰激进分子费尔格斯·奥康纳在利兹的《北方之星》上发表了一篇文章，呼应宪章派的一切谴责和抗议，他称那里的工厂是“巴士底狱”，吃的东西就像巫师调的“地狱羹”。即便一份要卖 4.5 个便士，《北方之星》仍然是伦敦以外发行量最大的报纸。它的经济、社会和政治新闻都是站在被压迫者的立场上的。

托马斯·阿特伍德在伯明翰政治联盟被解散后加入了宪章派，以期实现推动社会变革的伟大理想。把这些早期宪章派贬斥为脱离时代的空想家或叛乱分子是错误的。例如，他们非常了解爱尔兰民族主义的力量，明白殖民地的起义可以帮助他们和英国政府当局做斗争。然而，宪章派的目标一直是不明确的，他们的支持者来自五湖四海，城市和农村，各有各的诉求，几乎任何有组织有形式的领导都注定要失败。这是一场大规模的群众运动，但人们无法通过它的规模来给它定性。它的阶级意识是建立在群众集会的基础上的，而这类集会也仅仅是让演讲者和听众都热情高涨而已。它也是一种新型的组织，因为它除了演讲和集会，还有小册子、海报和报纸的协助。军事组织都不见得能协调得这么好的。

宪章派又区分为依靠“道德力量”和依靠暴力两派。这种区分听起来很明确，但实际界限仍然是很模糊的。手摇纺织机工人是受经济变化冲击
104 最猛烈的群体之一，他们通常支持暴力行为。这一运动又因宪章派和卫斯理宗的联系而更为含混，他们常常出现在同一场合，唱着同样的赞美诗。在接下来的 3 年里，这场运动一直被大众所关注。当局总是对暴力十分忧惧，但实际上暴力事件很少发生。

对于辉格党在每一项立法议程上的拖延和犹豫，议会中的激进分子深感沮丧。一位激进派议员约翰·亚瑟·罗巴克（被称为“咬人狗”）抱怨说，通常前一天气氛还是有利于辉格党的，第二天就完全反过来了。“辉格党一直是个高傲的贵族党派，虽然有时也会使用民主的原则和词句来攻击对手……在野的时候，他们是煽动者；一旦当权，他们又成为排他的寡头。”他们在骨子里是贵族，民主则是他们的伪装；他们许下了大量空头支

票，在行动上却是个矮子；他们的表态含糊不清，措施基本上都是无效的。

然而，作为这波愤怒的对象，墨尔本有一个巨大的优势：他知道国王快要死了，而继任者是一个 18 岁的年轻女孩，而且对他没有偏见。她没有经历之前的一切。国王大限的日子很快来临。1837 年 5 月和 6 月，国王威廉病情恶化；6 月 20 日，他死于心脏病发作。威廉是在凌晨去世的，墨尔本几乎没等到天亮，就通知了维多利亚她在这个世界上将迎来的新位置。事实上，这位老人的去世和年轻新君的神圣化使政府得到了不可估量的巩固。为什么世界要悼念这位老人的去世？在他手上通过了《改革法案》，仅就这一点而言，他就足以被人纪念。然而，在他在位的七年里，他还通过（或者说是允许通过）了《市议会改革法》《新济贫法》，并且废除了奴隶制。“他很古怪，”维多利亚女王在日记中写道，“极其古怪，非比常人，但他也常常遭人误解。”

国王去世时恰逢维多利亚成年满一个月。年轻的女王可以甩开所有的朝臣、侍从、亲戚和政客，不必再由这些人来摄政。这位年轻女子可以充 105
分享受她新找到的自由。“既然老天把我放在这个位置上，”她写道，“我将尽我最大的努力履行我对国家的责任。我很年轻，也许在许多（但不是所有）方面缺乏经验，但我相信，很少有人会怀着比我更真切的善意和更诚挚的愿望去做适当和正确的事。”

她没想到墨尔本子爵竟然成了自己的同伴，他扮演了年轻女王的家长的角色。他的智慧和冷静帮助她了解了周围的政治世界；他的建议是实用的，而不是理想主义的。据说他待她如女，她待他如父，当然女王身上的那道神性的藩篱依然存在。不过，他确实教会女王终其一生都表现出来的冷静自若。他告诉女王，他自己不去教堂，因为不想听讲坛上那些“非凡”的事迹；他劝她不要读查尔斯·狄更斯，因为这位小说家的作品会让人倍感压抑。鉴于当时的情况，这些建议也许不算太好。《匹克威克外传》（1836）中的弗利特监狱和《雾都孤儿》（1838）中的雅各布岛，实际情况比这位作家的描绘还要糟糕。事实上，直到 1870 年，也就是狄更斯去世的那一年，这个大都市的健康程度才有了实质性的改善。

老国王去世后随即举行了大选，墨尔本和辉格党继续掌权，但皮尔和托利党也没有落后太多。以皮尔为首的议员中，有5年前进入议会的威廉·埃沃特·格拉德斯通，还有一位新议员本杰明·迪斯雷利，但新女王显然站在墨尔本一边。她反复无常，脾气很坏，但她喜欢找乐子和跳舞。墨尔本喜欢这位新老板，甚至因此开始忽视议会工作。他从来就没喜欢过议会的烦琐事务，但现在有个更好的理由可以让他撂挑子了。他已全神贯注于女王。女王已经受够了那些想利用她的人，但墨尔本没有那样的野心。
106 “她是我见过的最诚实的人，”他曾说，“唯一的困难在于，得让她明白一个人不可能永远都直截了当，有时你必须拐弯抹角。”他是在暗指女王天性直率，眼里容不下任何沙子。“当他和她在一起时，”俄国大使夫人德利文公主说，“他看起来很体贴，很满足，有点自得其乐……一切都梦幻而欢乐，一切都混合在一起。”

1837年11月5日，维多利亚召开了她的第一届议会。托利党对新一届议会抱有很高的希望，但一大票坚定的爱尔兰议员只得忍气吞声。一切如常，只有街角的宪章运动带来了一些麻烦。因此，也许现在正好是时候介绍下那群被笼统冠以“早期维多利亚人”之名的男男女女了。他们声音洪亮，举止粗鲁，衣着鲜艳，是那些更为严肃和勤劳的中期维多利亚人的先人；后者与他们的生气勃勃的前辈不同，不会再穿蓝色领圈和丝绒长裤，也不会戴平帽和穿工靴。我们在狄更斯的书里可以看到这些早期维多利亚人，他笔下的铁路大亨、清道夫、孤儿院男孩、纺纱工、校长、退休船员、私人侦探、咖啡店经理、二手服装贩子、抄写员、女仆……共同构成了一个不知何方是尽头的广阔世界。

如果用尽可能宽泛和具有对比性的措辞来形容，这是一个充满喧闹和惊奇、兴奋和热情、速度和刺激、气魄强健并且充满冒险精神的世界。接踵而来的社会改革运动，其核心往往是同一批积极分子。工匠、商人和店主似乎常常是新兴社会的骨干，他们在思想和宗教上是独立的，信奉个人主义和蔑视权威。他们是《改革法案》认可的选民。1872年，乔治·艾略特回顾了改革开始时的那些时光，“备受压抑的我们充满了年轻的憧憬”。

在《庞贝城的末日》(1834)里，布尔沃-利顿插入性地写过一段话：“我们现代人是一团火，充满激情，充满活力——我们不会静止，我们追寻绘画的色彩，它的生命，它的灵动。”当时的作家都喜欢写长篇大论——三卷本小说可以写到天荒地老——但这种冗长是不必要的。罗斯金、卡莱尔、司 107
各特和狄更斯的作品都没法很好地缩写。这也许算是一种创新，它让当时的著名作家能以一种蔑视的眼光看待18世纪。狄更斯还在自己的图书馆里做了一些假的书架和书，书背上写着“我们祖先的智慧”，但下面各卷的题名是“无知”“迷信”……

然而，有光就会有阴影，19世纪30年代的另一面更是极为发人深省。1838年是爆发宪章运动的伟大一年，政府已经准备好迎接随之而来的集会、演讲、示威和暴乱。一名宪章主义者在19世纪末写过一本《社会一分子的回忆录》，说道：“如果一个人不同情宪章运动的理想，对激发运动参与者的深刻而强烈的情感一无所知，那么他对自己的时代与五六十年前的时代的区别，几乎是毫无概念的。整个统治阶层——其中辉格党甚至多于托利党——已经不只是不受欢迎了，他们受到工人群众强烈的憎恨。”在各种运动和团体中都充满了尖锐的政治对立；在1838年，工人们举行了很多大规模的火炬集会以抗议命运的不公。在博尔顿和斯托克波特，在阿什顿和利，成千上万的人汇聚到一起，“组成游行队伍穿过主要街道，上天用雷声来响应他们的欢呼……他们的旗帜上有一些更可怕的东西，在火把耀眼的红光下，呈现出壮丽的景象”。现场看上去就好像城镇本身着了火一样。

工会和较为激进的辉格党却都对此保持冷淡。当时甚至更为激烈的反《谷物法》运动的领袖也不是宪章派。宪章运动是一场政治而非经济的运动，在很大程度上是工人阶级的力量宣示。这场运动的根源在于几个世纪以来民间的不安定，而这种不安定是英国一整段历史时期的标志：从瓦特·泰勒到约翰·鲍尔和杰克·凯德的延续，以及后来的激进协会、政治联盟和民主协会。政府对抗议活动的规模和蔓延越来越恐惧；但有位评论家比大多数人更一针见血。查尔斯·卡文迪许·富尔克·格雷维尔在1837
年6月的日记中写道：“托利党预言了各种令人沮丧的后果，当然这些都不 108

会发生。什么也不会发生，因为在这个国家什么也做不了。”

但这也不全对，1838 年秋天确实发生了一些事。在曼彻斯特出现了一个反《谷物法》联盟，其唯一目标就是“立即彻底废除《谷物法》”。在该联盟所处的这座城市，棉纺织业已经宣布了现代工业机器的胜利，明确了自由贸易对于英国商业的重要性。自由贸易已成为当务之急。是应当允许农民按照市场需求贱买贵卖，还是应当保持对进口谷物的限制和关税，以维持对农民有利的高价？保守党似乎是个地主和庄园掌管者的政党，他们自然赞成这些法律；而他们的反对党，辉格党和激进派，都想废除这些法律，这样谷物就可以更便宜。

有许多非国教派的大臣已经准备宣称《谷物法》“违背上帝的法则，是反《圣经》和反宗教的”。联盟在理查德·科布登和约翰·布莱特的领导下发起了一场运动，实际上这是一场宗教运动，其基础是反对奴隶制的事业的胜利（而在该事业中，政治和宗教总是难舍难分）。自由贸易本身就是有宗教色彩的良策，它包括更便宜的食品、更多的出口和就业，以及更大的繁荣。由于国家间的接触越来越多，它也像追求富足一样追求和平。约翰·布莱特宣布，这是一场“工商业阶层反对贵族和大地主”的运动。布莱特是一位贵格会信徒，他宣称“在解决政治问题时，我们应该坚持公正和道德的底线，以对得起我们的良心”。人们坚定地认为，贸易平衡有利于英国，自由贸易是“改善世界”。因此，物质上的进步与道德的提高密切相关，这成就了 19 世纪伟大的原则之一。帕麦斯顿写道：“商业是文明最好的先驱。”

于是，反《谷物法》联盟发起了一场全国性的运动，他们发行了各种
109 期刊和小册子，举行了各类演讲、会议和示威，谴责“那些收面包税的寡头、一小撮骗子、贪婪的妖女、劳动剥削者、不虔诚的怪胎、腐化而放荡的匪徒……”而农民则把赞成废除《谷物法》的人称为“畜牲、苦力、笨蛋、蠢蛙、乡巴佬、呆子”。在整个 1838 年，面包价格稳步上涨，形势变得更加动荡。1 月，每 1/4 磅面包卖 55 先令；9 月，涨到了 72 先令；12 月，则要 74 先令；到了次年 1 月，已达到 80 先令。墨尔本听到了那些关于自由贸易的呼吁，但他充耳不闻。他说：“我怀疑国家的财力或者部门是

否承受得起。”也许是他没有准备好承受伴随《改革法案》而来的令人厌烦的争端和危机。“我无精打采，病得很重，什么事也做不了，也不能思考，”他说，“我无法应对时局了。”

是皮尔和保守党最后领头废除了《谷物法》。他是一位务实的管理者，而不是政治哲学家。他意识到小麦的价格已经高到令人无法容忍的程度，爱尔兰的歉收使情况变得更加糟糕。报纸上说，英格兰和苏格兰已经饿殍遍野，而爱尔兰每天都积尸成堆。皮尔是那类抱定了原则就绝不轻易放弃的政治家，他决不会被保守党内大量主张保留《谷物法》的声音所左右。对于那些人来说，它只是一个执念，但对于皮尔来说，它关乎理性和正义。在爱尔兰，劣种小麦在几轮收获之后已经把良种小麦驱逐殆尽，那里的危险局面也是不能忽视的。如果皮尔不能依靠他的保守党，他仍然可以在其他地方找到足够的盟友。

宪章派的热情不亚于反《谷物法》联盟。1839 年 2 月初，一场工人阶级大会在伦敦举行，宣布接受《宪章》各条内容，并起草了一份请愿书，在全国各地散发。这实质上是宪章派的一次全国大会，其中一名成员可代表数个地区，另外，如其名称所示，它鼓励改革而不是革命。它和工会的运动无关；正如一位砖匠所说：“工会是在旧的制度上修修补补，宪章
派则是为了建设一个新的制度；工会是在委曲求全，宪章派则是要另起炉 110
灶……”大会有点像是“人民议会”，可以弥补在威斯敏斯特的激进分子的不足，那些人似乎已经不能再取得任何进展了。盖斯凯尔夫人称这些年为“可怕的年份”，她在《玛丽·巴顿》（1848）中写道：“工人阶级的收入水平和食品价格相差悬殊，所引起的疾病和死亡远远超过想象。所有家庭都经历了普遍的饥荒，他们只希望有个但丁能够记录他们的苦难。”

大会的呼吁引起了一些人的恐慌；有人议论起武装来。有组织的警察部队进入更多的城镇，军队扩充，一些宪章派被逮捕。但是，正如当时的历史学家所说：“我们已经成为一个冷静的民族。”事实上不可能发生任何武装冲突，激进分子内部的争吵往往比对外的还要激烈。应该采用什么样的方式呢？依靠道德的力量、恐吓还是武力？或是三者兼用？一切都已计

划妥当：会有一场针对议会的游行示威，群众将呈上关于《六点纲领》的全国请愿书。盖斯凯尔夫人说："人们不相信政府了解他们的苦难……但他们仍然认为有必要去深刻地揭示苦难的根源，这样才能找到一些补救办法，以安抚他们疼痛的心，平息不断高涨的怒火。"

全国请愿书将在1839年的群众大会上公布，然后在各改革派俱乐部发起的向威斯敏斯特宫的大游行中呈交。该请愿书长达3英里，有128万个签名。但是，就算再来100万个签名也没用。7月12日，议会投票拒绝对此进行讨论。有传言说要举行全国大罢工，但工人们并未做好准备。各地的积极分子转而策动全国性的起义，但英国人对此更没兴趣。骚乱和罢工已经令人厌倦，更不用说要发动一场没人能正确领导的武装起义。原来计划献给这项事业的"神圣月"被缩短成了三天的罢工，在此期间，激进的
111 宪章派还遭到了逮捕。一些人被要求签下保守行为，另一些人被判处几个月监禁。并没有出现大规模的镇压。然而总有一些地方不对劲，北方的苦难和饥饿是众所周知的，但是没人知道原因。有些人称之为"英格兰的状况问题"，这也许是一个没有答案的问题。托马斯·卡莱尔在《宪章运动》（1839）开篇写道："工人阶级目前的状况和情绪已经普遍令人感觉不太乐观。关于这一点，应当有人说点什么，做点什么。"

充满激情的宪章派和反《谷物法》联盟之间几乎毫无联系，前者称后者为"一个由贪婪的高利贷者、大资本家和富有的工厂主组成的党派"。这个充满金融和政治心机的网络利用大众的事业来为自己谋利益，没有什么比这更能激怒下层阶级了。宪章派把反《谷物法》联盟看作另一个特殊的利益集团，认为他们的目的是降低面包的价格，以使工厂主能使用廉价劳动力。不应忘记正是在这一时期，恩格斯开始思考工人阶级革命的动力。历史学家、学者J. A. 弗鲁德说："在我们周围，所有智慧的航标船都脱了锚……灯光在飘移，罗盘都失灵了，除了满天星斗，没有什么能倚为指引。"反《谷物法》联盟的成员每年要缴纳5先令会费，尽管新兴的中间阶层可以承担，但普通工人是付不起的。

因此，这两个分别就政治原因和经济原因反对政府的主要团体几乎没

有什么共同立场。到底应该先实现普选还是先废除《谷物法》，这是一个很好的问题。但这一鸿沟确保了工人阶级不会起来闹革命，墨尔本政府的敌人始终是分裂的。正统意义上的阶级斗争没有出现。有时，宪章派和反《谷物法》联盟会聚集在一起进行抗议示威，但他们之间的联系是暂时和有限的。 112

不管外界如何混乱，墨尔本都忙于指导和教育年轻女王，对公共事务的关注甚少。他可能会说，这就是他的公务。不过，他的确还干了别的事。1839年的《警察法》大概是在一个平静的时代起草的，它禁止在集市和咖啡馆喝酒，禁止“在人行道上携带任何木桶、澡盆、铁环或轮子，以及任何梯子、厚木板、杆子、展示板或标语牌”。另一项罪行是“在建筑物外墙、房门和栅栏等处涂写淫秽文字”。警察“面对这类情形，将在方便的时候趁夜色悄悄擦去这些文字”。这些文字不时会包含激进煽动者的口号，这些人一直在这座伟大的城市中忙个不停。

然而，当年春天发生了一场政治风波，墨尔本在一项关于牙买加的法案上栽了跟头。糖贩子们不想解放当地的奴隶，但暂停牙买加立宪的法案仅以5票的微弱优势通过。这多少是一种失败，一种因缺乏信心和权威而可能在今后不断重演的耻辱。首相除了辞职，别无选择，不然就会接受更多的打击。他写信给维多利亚，希望她“以属于自己的坚定性格来迎接这场危机”。她钟爱的首相离职了，她感觉像是自己被议会赶下台了一样。她不吃不睡，整日以泪洗面。她写信给威灵顿公爵，请他接替墨尔本，但遭到婉拒。罗伯特·皮尔爵士是下一个人选，但女王发现他“古怪”而“冷漠”。他们讨论了新政府的方方面面，有一次，他提出女王的侍女们都出自辉格党，应当允许一些托利党人加入。次日，女王断然拒绝了他，她的亲密圈子不能被打破。她不顾王室的礼仪写信给墨尔本：“我想你看到我的沉着和坚定会很高兴，英国女王不会屈从于这类诡计。请你做好准备，也许很快就会被召见。”这就是著名的“寝宫危机”，尽管女王自己也为此增添了不少戏剧性的元素。 113

皮尔不情愿地退出了这场争斗。当时许多人认为，维多利亚实际上推翻了不成文的王室规矩。其他人（主要是辉格党人）则赞扬她在事关王室的问题上表现出的独立。墨尔本接受了劝说，收回了辞呈，又继续干了两年首相。阿盖尔公爵认为他是一个“正死于惰性的政党的杰出领袖”。剩下的仅仅是如何渡过难关的问题了。1840 年春的一场不信任投票仅以十票之差未获通过，而辉格党也很快失去了三个不同地区的席位——一个乡村市镇、一个教区城镇和一个工业城镇。罗伯特·皮尔在等待着这一时刻。

1839 年夏天的主要事件是宪章运动全国大会的失败，以及议会对请愿的轻蔑拒绝；这两件事也为初冬的暴动埋下了种子。许多最杰出的宪章派被逮捕或保释，但宪章主义的力量并不在于其领导者，而在于孕育它的社区。乡村里的裁缝和鞋匠、客栈老板、手工织工，都是运动的一部分，正如他们都是社区的一部分。那是运动的力量所在，也是它的弱点所在。正因如此，他们还没有准备好和警察、治安法官或威斯敏斯特那帮家伙做斗争。墨尔本再一次掌握了权力，温思罗普·麦克沃思·普拉德写了首诗内涵他：

> 承诺，暂缓，准备，推迟，
> 最后不了了之。
> 简而言之，无所事事，
> 尸位素餐。

11 月 4 日，南威尔士的矿工和铁匠在宪章派的领导下，于纽波特发起了游行。这个季节曾经发生过盖伊·福克斯的阴谋，暴动和骚乱是司空见惯的。目前还不清楚 1839 年的人们希望达成什么目标，但一群示威者包围
114 了“西门”酒店，他们的宪章派同志被一小队士兵看守在这里。在紧张的气氛中，只消有一个人熬不住，枪声就会响起。军队向人群开火了。示威者四散逃离，有 20 余人死亡。3 名宪章派领袖被指认、逮捕并判处死刑。但是，在大法官的紧急授意下，他们最终得到缓刑。如果绞死他们，很可能会引发进一步的暴乱。尽管如此，宪章运动的怒火似乎已经被鲜血扑灭

了。这一运动暂时停止，人们转而讨论斗争策略和内部改革的问题。宪章运动的第一阶段结束了，辉格党政府庆幸自己渡过了最糟糕的时期。

与此同时，在一个遥远的名叫肯辛顿宫的地方，维多利亚遇到了她未来的丈夫，并被他迷住了。她天生多情，渴望遇到一位如意郎君。阿尔伯特就是她全部的希望。“哦，被一个像阿尔伯特那样的**天使**所爱，**是多么的愉悦，令人无法描述**！他是**完美无缺**的……”她对黑体字的自由运用很有特点，对感叹号的使用也充满热情。当议会投票削减阿尔伯特的婚礼津贴时，她大发雷霆：“我愤怒地哭了……可怜的阿尔伯特，他们是在多么残忍地虐待那个最亲爱的天使啊！怪物！你们托利党将受到惩罚。报仇！报仇！”他们的婚礼并没有莎士比亚那种戏剧色彩。仪式结束后，这对夫妻在1840年2月10日圆了房。阿尔伯特亲王向他的新婚妻子建议，将他们在温莎的蜜月期延长。这引发了更多的黑体和感叹号。“你忘了，我最亲爱的爱人，”她说，“我是君主，那些事情可以停下来，不必管它。”如果阿尔伯特想过要和他的妻子并驾齐驱统治国家，那他很快就会改变想法。如果女王让他吸干纸上的墨迹，那已经是很幸运的了。只在女王分娩期间，以及第一个孩子出生时，阿尔伯特亲王才找回了自我。他开始充当她的私人秘书，掌管所有官方的钥匙。他不再仅仅是吸干墨迹，而是握住了笔。

也许这可以被称为钢笔和墨水的伟大时代，因为1便士邮政和人们所熟知的“立柱邮筒”便是从这时开始的。罗兰·希尔是一位发明家和改革家，他做过计算，认为最好的邮政体系就是使用1便士起步的预付邮资。 115
他还建议使用一种“叫作信封的小口袋”。1840年5月，第一枚黑便士邮票开始销售。这项创举引发了一场社会革命，可与电报所引发的那场相提并论；它也增强了社会凝聚力，催生了民族意识。英国最聪明的政府官员之一亨利·科尔写道：“在我职业生涯内发生的所有事情中，没有一件事对于世界的意义可以和统一的1便士邮资相媲美……这是英国永恒的光荣。”关于邮政系统的第一份正式报告指出，邮资制度标志着“激动人心的工业化和充沛的活力，这是印上一切事物的民族特色”。邮票作为民族自豪感的象征，其上除了君主的头像外没有其他装饰。它被“无数信仰公民自由和宗教自由的人”视为“思想的传递”，促进了民族自决和民族意识的觉醒。在许多非正式的场合，相互邮寄照片就是友谊的重要象征。

在墨尔本掌权的最后一段时间里发生了一些小插曲。在一次冗长的内阁会议之后，大臣们起身走向门口，这时墨尔本叫住了他们。“稍等一下，”他说，“我们决定了什么？是降低面包的价格，还是不降？也许这并不重要，可我们每次都在讨论同样的话题。”墨尔本对阿尔伯特亲王的评价并不高，他自然嫉妒亲王，因为在女王的脑海中一个年轻英俊的外国男子已经取代了他。但他对阿尔伯特的诚意深表怀疑，认为这只是一种政治工具。“这该死的德行，”他曾经说过，“会毁掉一切的！”在1840年秋季的一次内阁会议上，他们讨论了英国和法国之间发生战争的可能，不过没有讨论出任何结果来。枢密院秘书查尔斯·格雷维尔记录了罗素的插话。当时罗素转向墨尔本，说道：“我想知道你对这个问题有什么看法？”然而他从墨尔本那里什么也没有听到；会议陷入了长长的沉默，直到有人问帕麦斯顿：“你刚才说的那些报告是什么？”帕麦斯顿从口袋里掏出一包庞森比、霍奇
116 斯等人的信件和报告，开始读起来。在此期间有人偶尔抬头看了看，发现墨尔本已经在扶手椅上睡着了。

1841年议会重新开幕，不过首相实际上还没醒。议会已经变成了处理请愿书的辩论院。未经翻新的房间更像是一个埃德蒙·柏克等人用来练习演说技巧的剧场。不过那些日子很快就会过去，1834年的威斯敏斯特大火预示了这一转变。议会成了一个更为认真、党派性更强的集会，并且受到极为敬业的媒体的关注。政党尚未受到任何现代意义上的党纪的控制，基本上只是志同道合的议员组成的联盟，他们可以随时自行其是。他们是按各自领袖的不同倾向而被区分开来的，但他们并没有党纲之类的东西。“一切都很混乱，”格雷维尔在这个时期写道，“原则和观点、政治对抗和个人意气都掺和在一起。”墨尔本仍然活在18世纪，但罗伯特·皮尔的时代已经来临。

1841年初，墨尔本在连续四场补缺选举中失利，他明白自己气数将尽。1841年6月，对墨尔本政府的不信任动议以一票之多得以通过。随后

的大选证明了人们普遍的看法，即皮尔领导下的保守党会成为执政党，当年夏天重返威斯敏斯特，他们在议会中占的多数有 90 多席。皮尔在“寝宫危机”中受到了愚弄，而现在他已经拥有一个足够大的党，让他大展宏图，或是为所欲为。他成为第一位真正意义上的保守党首相，“托利党”这一称呼已经有些过时了。

这次大选也没少得了动乱和恐慌。即便对于一个有着民众抗议传统的国家来说也有些过火了。在议会之外还有一个大“党”，他们惯于用手中的石头和砖块来表达对政治永恒的不满，公众所称的“暴徒”就在这群人之中。但英格兰的新主人——与旧的统治阶级结盟的中间阶层——仍然对大 117
选感到满意。《泰晤士报》7 月 29 日的社论称：“一个政党明确地通过伟大人民的投票执掌权力，迄今为止世界上还没有这样的先例。”维多利亚的立场对于选举没有影响力，但大家都知道她喜欢辉格党。阿什利勋爵写道：“我非常担心，由于她对国家和宪法的懵懂无知，加上天生的坏脾气、造作的勇敢以及极端而难以约束的任性，她表现出的立场和行动虽然对我们［保守党］并无大碍，但会损害她自己以及王权本身。”维多利亚并没有受到普遍的尊重，就连她的丈夫也对她有所保留。阿尔伯特告诉他的德国顾问斯托克马：“维多利亚太过草率和易怒，让我无法倾吐自己的困难。她不会听我说完，而是会大发雷霆，用责备、怀疑、依赖、野心、嫉妒等手段来压倒我。”新女王没有给人留下好印象。

这是一场政治革命，但它是一场相对平和的革命。根据克拉伦登勋爵的说法，辉格党人“在一种无动于衷的沉默中”从困境中得到了解脱，“似乎已经丧失了所有活力和目标”。他们曾经是国家的执政党、自封的统治者，来自寄生于权力的大家族；现在，他们彻底无能为力，似乎注定要迅速衰落，并最终消亡。

1842 年 2 月 3 日，新议会举行了第二次会议，所有按部就班的会议都因国家的财政状况而变得激烈起来。支出费用仍然过高，但皮尔应该如何处理谷物税呢？这是问题的核心。辉格党在选举中打出了“廉价面包”的旗号，但是没人相信他们。皮尔的想法不甚明了，他自己大概也不清楚。

1842 年粮食获得丰收，之后三年的收成还要更高，这为皮尔的工作打下了极好的基础。他立即降低了谷物和其他多种商品的关税，为了平衡预算，他决定重新征收所得税。拿破仑战争之后，所得税被废止，但鉴于国家的
118 收入状况，有必要重新加以考量。皮尔可能还没有下决心完全废除《谷物法》，但离这一目标的实现也不会太远了。

皮尔希望简化税收制度，修订那些晦涩不清的商品税和关税则例，并从整体上规范国家的财政体系。为了降低赤字，他说："我提议，在一个时期内，应当呼吁这个国家的人们捐献一定数额的收入。"对于年收入超过 150 英镑的人，每镑应交 7 便士的税。用皮尔自己的话说，"我们不能退缩"。他的对手大为震惊，过了两三天才反应过来。皮尔成功地发动了一场金融革命，改变了整个国家的财政收入体系，这将是他执政的主基调。

不过，皮尔有一个强大的内阁来支持他。在外交部，阿伯丁取代了帕麦斯顿，改变了后者的无礼态度，立即提升了和英国主要盟友的亲密关系。威灵顿公爵成为上议院的领袖，但不掌控具体的部门。格拉斯顿被提拔为贸易委员会副主席，次年成为主席，从而获得一个强有力的地位来发挥自己在统计和数据方面的才能。托马斯·卡莱尔将他形容为一个"极有条理、善于言辞、纯粹、聪明且诚恳的人"，对卡莱尔来说，这的确是难得的赞扬了。爱德华·斯坦利（即后来的斯坦利勋爵）曾是爱尔兰总督的首席秘书，现在则出任殖民地事务大臣。身为德比伯爵，他在日后的数次重生中还会爬得很高。本杰明·迪斯雷利仍然坐在冷板凳上，这令他懊恼不已，他觉得别人应该像他一样懂得自己的卓越之处，但皮尔没有职位给他了。

皮尔就任之初就像一位刚刚收治了病人的医生，刚开始他没有做太多事情，而只是忙于观察症状再对症下药。这是最不适合施行新政的一年。新内政大臣詹姆斯·格雷厄姆爵士向下议院报告说，1600 万人口中有 100
119 万人正在接受贫困救济。棉纺厂开工不足，食物成本上升。银行自身难保，投资也在减少。这一年也许是本世纪最困难的一年。博尔顿的纺织工人提出了种种抗议："减少我们的工资，不公正、不合理地降低我们的待遇，强迫我们住进不健康和不舒适的房子，向我们收取高得离谱的租金……这些

罪恶都来源于阶级立法。我们还认为，除非《人民宪章》能成为国家的法律，不然苦难、无知、贫穷和犯罪还将继续存在。”

这些状况又一次激发了宪章运动，他们开始大量散发小册子、发表演讲、招贴标语牌和游行示威。约翰·布莱特写道：“法律造成的痛苦使所有人都成了干柴堆，现在点燃的火焰可能不会轻易熄灭。”反《谷物法》联盟和宪章派争夺着工人的支持，但后者更直接地站在了工人一边。在一些地区，联盟成员仍然因为被认为是站在雇主一边支持自由放任主义的人，被排除在这场伟大斗争之外。在中部和西部，在兰开夏郡和约克郡西区，矿工们开始罢工。1841 年 5 月，又一次全国大会举行，促成了一份有 130 多万人签名的请愿书，它要求赦免某些宪章派囚犯。“成千上万的人拥上宽阔的马路，”W. M. 库德沃思在《霍顿漫游记》（1886）中写道，“那是一群面色憔悴、饥肠辘辘的绝望群众，他们手里拿着长长的棍棒、连枷、干草叉和长矛。其中许多人没有外套和帽子，数百人穿着破烂的衣服。”

一位激进的记者记下了当时的情形：

> 这一壮观的场面吸引了很多人的注意，从衣衫褴褛的街道清洁工到戴着金色眼镜的公爵夫人，莫不如此。伦敦市警察非常友善，但蓝衣的大都会警察显得十分冷淡。公共马车夫横冲直撞，极为粗鲁。我们沿着弗利特街和斯特兰德大街缓慢地前进，穿过查令十字街、骑兵卫队驻地，向议会大厦走去。很多人好奇地挤在街边办公室的窗口看着我们。

议会没能做出改变，请愿被议长一票否决。这点燃了群众前所未有的
怒火。罢工四起，人们再次感到大起义迫在眉睫。警察局遭到捣毁，犯人 120
被放出，重要的治安法官或矿场主的房屋被焚烧。春天已然变成炙热的夏天。次年，群众又向议会递交了一份请愿书，他们就像是海浪，永远拍打着岩石。这份请愿书据说有 300 万人的签名，但下议院以压倒性的多数予以拒绝。

这是1842年“堵头暴动”的催化剂，在那一轮暴动中，工人们拔掉锅炉上的堵头，让生产无法进行。它开始于斯塔福德郡煤矿，并很快蔓延开来。随着煤矿的关闭，整个英国工业陷入了停顿。伦敦也感受到了贫穷和失业的压力。在克莱肯威尔格林和帕丁顿这两个激进分子较多的地方，大量的群众聚集到了一起。8月23日的《太阳报》报道说，当群众领袖“正在谴责警察的时候，突然响起了凄厉的喊声：‘巡警！巡警来了！’他们转过身来，发现有大概十几个佩重剑的骑警，向人群迅速冲来，后面还有大批的警察”。现场满是断首残肢，一片狼藉。

如卡莱尔所说的机器背后有“时代精神”，那些停下来的机器受到了加倍的诅咒。机械的制造和运行仍然萦绕着神秘的气氛。它在某种意义上被认为是人类无法控制的。一位自称“惆怅激进派”的人写道：“很少有人敢于坦率地处理机器的问题，它似乎被赋予了某种恐怖。每个人都看到，机器正在孕育阶级之间最伟大的革命，但不知何故，没有人敢于问津。”

这个时代的人不想面对这个问题，他们企图将其完全忽略。这可能有助于解释年轻的迪斯雷利为何要发起“青年英格兰运动”，他显然对自己的天才没有得到皮尔等保守党领袖的重视感到不满。还有什么比举办一个自己的党更好的办法？这一运动背弃了工业和工业主义，转而向往生活在一
121 个想象中的封建、等级制和前工业时代，那时的穷人和贵族都有着爱国情操和宗教情怀。它拒绝功利主义、政治经济学、理性主义、马尔萨斯理论和对维多利亚时代早期社会弊病的所有其他补救办法。1842年，丁尼生的《亚瑟王之死》出版，并启发了一系列颂扬兰斯洛特、亚瑟、桂妮维亚和其他庄严的民族神话人物的短叙事诗。在“时代精神”的赞歌中，卡莱尔称赞文学家是英雄，“依我看，世上所有的牧师、贵族和统治阶级中，没有一个阶级的重要性可以和作家的布道相媲美”。

就这样，圆桌会议再次成为英格兰的象征。“青年英格兰”是年轻人的信念，是理想主义的信念，但它同样也是复仇的信条，敌视着之前的一切。1845年春，迪斯雷利宣称：“保守党政府是一场有组织的伪善。”内政大臣詹姆斯·格雷厄姆爵士在给同僚的信中写道：“‘青年英格兰’不过是迪斯

雷利操纵的木偶，他是其中最能干的一个……我认为他没有原则，不够诚实，在［没有职务］的绝望中他只能试试恫吓的效果。”

在重大利益受到威胁时，皮尔是一个坚定的改革者，但他仍然需要团结他的党。当面包已经很便宜，但人们仍然在挨饿的时候，《谷物法》就成了一个问题。保守党估计会继续支持农民和大地主。不再保护谷价，甘冒农业收入下降的风险，这显然不符合托利主义。但是，皮尔已经下定决心要遵循自己的信念去解决这个问题，不管前路将走向何方。他现在确信，抬高了进口谷物价格的《谷物法》必须有所改变。

皮尔是一位崇尚改革的首相，和他的前任大相径庭。他熟悉国家每个地方的情况，对统计数据和政策细节很有兴趣。他以对政治的热心和强硬的态度掌控了他的同僚。1843 年，阿什利勋爵写道：“皮尔犯了巨大而令人 122
难过的错误：他很少召集朋友们来述说他的愿望，激发他们的热情……男人们应当觉得他们是战友，而现在他们觉得自己不过是演习中的跟班。”

迪斯雷利可能是个异数，但在反对皮尔这一点上，他不是在孤军奋战。他和乔治·本廷克联手，为保护主义而战，还建立了一个“反抗联盟”，专门和反《谷物法》联盟作对。这个联盟模仿其成功的对手，组织集会和抗议，还招募同情地主的议员。它与那些温和的保守派保持一致，后者希望在不同的阶级和利益之间进行斡旋，以形成一套稳固和公正的解决方案。他们将“旧贸易体制下的繁荣、不断增长的财富和充分就业”与“获胜的自由贸易体制”下的恶性预算削减进行了比较。

然而，反《谷物法》联盟拥有最伟大的演说家和最有说服力的建议。人们普遍认为，那些反对《谷物法》的人站在科学的一边。就像出于维多利亚时代对进步和效率的崇拜，人们便认为自由贸易更具智慧一样，这些看法差不多就是时代特有的观念。联盟的拥护者向那些对政治科学一无所知的人传授相关的知识，向商人、工匠和职员解释利润与工资。他们通过一个代理人网络分发了 900 万份小册子。1843 年，在特鲁里街剧院召开了一次伟大的会议，科布登使用了最时髦的意象来描述自由贸易的力量：“这是一整圈链条，任何一处都不能缺损，但它想让电光弥漫整个链圈［巨大的欢呼]。”

要理顺皮尔不得不去考虑的托利党固有方针是很困难的。大臣们讨论过“青年英格兰”，但这没有产生什么影响。那些老派的托利党可以说是回到了詹姆士二世和“排斥危机”的时代，对他们来说，哪怕一点点的改革都是没必要和令人讨厌的。正统的托利党没有那么偏激，但他们也坚信劳
123 动阶层应当地位卑微，贵族官僚是天生的统治者。自由派的托利党强调个人责任的重要性，将“市场”作为平衡人类价值观的中心，他们总体上赞成议会改革。激进托利党则是一种家长式作风，其目的是要维持道德观念和社会各阶层的福祉。这个国家仍被认为是一个基督教国家。

不管议员们信奉什么样的基督教，他们中很少有人会否定基督教教义。一个激进的辉格党和一个正统的托利党可能会选择同一个教堂或礼拜堂。人们普遍认为，到19世纪40年代初，国民的道德素养和身体健康都得到了改善。贫穷和犯罪现象到1842年出现了转折点，此后其规模和程度都在逐步缩小。通过对税收的研究可以看到，从1840年起，烈酒因立法而变得更为昂贵，其消费也因此而减少。这可能部分是福音派和非国教派在伦敦东部等贫穷地区长期布道的结果。比如1865年成立并获得成功的“救世军”就是一个例子。

社会的复兴延续了50年时间。弓街治安法官办公室秘书所言不虚。早在1816年，他对一个调查委员会说：“我可以肯定，社会最底层的行为举止要比十年前更好，以前经常看到的酗酒如今已不多见。”他的看法得到了圣吉尔斯教堂牧师的印证（这个教堂原先建在霍尔本一处被称为“老鼠城堡”的垃圾堆边上）：“我认为那时教区的面貌已经有所改善，没有以前那么丑陋了。”一位德国游客在1835年写道：“昨天，我到摄政公园闲逛。人们走来走去，或者躺在黄黄的变秃的草地上，什么吃喝、音乐、唱歌、跳舞，全都不见了。”这是一种显著的变化：没有了跳舞，没有了饮酒，没有了大庭广众之下的性，没有了下流和亵渎。

通过威尔伯福斯等改革者和皮尔这样的开明政治家坚持不懈的努力，
124 早年许多残酷的事情有所改变。重罪犯和流放犯的惩罚上限降低了；债务

监禁被废止；之前的《工厂法》获得了通过；政府禁止让儿童清扫烟囱，还禁止让狗拉马车。1845 年建立的第一批公共浴室和洗衣房在一年内接待了近 8 万人。该区的维多利亚公园成为“伦敦之肺”。詹姆斯·格雷厄姆爵士的 1843 年《工厂教育法案》经历了一段暴风骤雨，各教派为了争夺对工人阶级进行道德和宗教教育的权力进行了激烈的战斗，然后那些不喜欢妥协的人达成了一项烦琐的协议。单独的教室被另辟出来用于圣公会教育，而不信奉国教的大臣们每周被邀请去一次学校。然而，对于不信奉国教者来说，这是远远不够的；他们反对让圣公会把持校长职位，反对让圣公会在校董会中占多数。最终，分歧无法调和，这项法案被完全抛弃了。阿什利勋爵写信给罗伯特·皮尔说：“最后的判决充分证明了‘联合教育’是不可能的，不用再试了。不信奉国教者和国教会各自画地为牢，没有任何办法可以强迫、说服或者哄骗他们。”

在这一时期，随着致力于社会改革的各类政治团体的发展，自发的组织也开始具有政治性质。工会主义、宪章主义和工厂改革，与福利社团、宗教社团和节欲社团相竞争，在人们面临压力时维护社会团结。“保护人权警示协会”设在“全国妇女选举权联合会”旁边，“道德改革联盟”就在“伦敦废除强制疫苗接种协会”旁边，“皇家防止虐待动物协会”和“主日安息协会”比邻。宪章主义可能是已经熄灭的光，但它照亮了劳工协会发展的道路，并最终导致了工党的诞生。

身体健康和道德素养得到了同样多的重视。的确，英格兰人的体格似
乎是受到羡慕的。拉尔夫·沃尔多·爱默生在 1847 年的《英国人的特质》 125
中写道：“他们比美国人更高大，我想随便从街上找 100 个英国人，会比同
样多的美国人重四分之一。虽然有人告诉我，英国人的骨架并不大，但他们
都很壮实、红润、英俊，至少上半身体态都很好。他们都希望自己长得强壮
有力。”就在这一时期，“男子气概”一词被引入对“绅士”的新定义中。 126

# 11

# 城市之光

根据当年官方的一份报告，如果一名旅客在1841年进入王国中心的圣保罗大教堂，他就会发现：“大教堂不断地被无耻的行为污染。长凳有时会被当成厕所，祈祷书被撕成了厕纸；纪念碑上到处都是涂鸦，而且极其下流。”这可是在英格兰权力和财富的巅峰时期的情况。还有其他令人沮丧的事情。1841年11月，伦敦在浓雾中越来越黑暗，“出租马车撞上了教堂的窗户，老人滚下了地窖；老妇人和孩子们站在灯柱边哭泣，因为他们在自家门前的街道上迷了路……”。当时伦敦的大雾很出名。白色、黄色和绿色的烟雾来自燃煤、汽船、工厂和啤酒厂。人们点起火把来照亮道路。雾的气味尤其令人忧心忡忡，它被称为“矿工的痰”。

这是伦敦的日常一幕：在伦敦桥的雾中，两列交织在一起的出租马车被黑暗笼罩着。公共马车上，魁梧车夫的轮廓和售票员的红脸依稀可辨，售票员似乎已经喊哑了；他们在出租马车、运煤车和运啤酒车的空隙中夺路而行。伦敦满天烟尘，一片嘈杂——鞭子的抽打、马的嘶鸣、孩子们的
127 哭声，还有乘客们大声喊出的目的地。

这可能是维多利亚时代伦敦特有的焦虑和压力的前奏，人们相信整个社会无论贫富、有无特权，都在罹患某种由紧张引起的疾病。《爱丁堡评

论》说："我们所有人都被过早要求劳动、被迫过度和长期劳动。"对于那些有宗教信仰的人来说，良心上的压力比身体所受的痛苦还要大；有很多人感觉自己注定要下地狱，枯坐在小房间内，随之而来的常常是发疯。

随后，沃尔特·帕特又写下："无尽的不安、倦怠和思乡之情，无尽的遗憾，这些和弦响彻了我们的现代文学。"这也是一种维多利亚时代的真性情，在这个时代，所有的信仰支柱都开始崩塌。当不安、怀疑甚至惧怕开始施展阴暗的身手时，恰如英国神甫弗雷德里克·罗伯逊所说，"还有什么值得信任呢"。维多利亚时代的人们尽了最大的努力去驱除对虚无的恐惧，就像查尔斯·金斯利所担心的那样，我们是否只是"巨大机器上的齿轮"？

随后的一年则与此形成了对比。1842 年 5 月 26 日晚上，维多利亚和阿尔伯特乘坐马车前往草市的女王剧院参加皇家舞会。两周前，这对夫妇在白金汉宫举行了一场化装舞会，他们在那里打扮成了爱德华三世和他的王后菲利帕。就在这个月，宪章运动的游行者向议会提交了第二份壮观的请愿书，却遭到了轻蔑的拒绝。正是这一时刻，后来因其学识而受到尊敬的议员托马斯·巴宾顿·马考莱宣称："普选权不是与这样或那样的政府不相容，而是与所有的政府都不相容，与所有形式的政府存在的缘由都不相容。"

这一年，埃德温·查德威克出版了《英国劳动阶级卫生状况报告》，这份报告是他亲自出资和筹备的。据这份报告披露，大多数城镇都没有建过 128
卫生设施，没有排水系统，垃圾被直接扔在街上，任由其腐烂。院落和小巷被排泄物和其他污秽堵塞，而穷人找不到公共的水泵。热病在大城市的各个教区肆虐，最贫困的人在被送到济贫院之前就因病情加重而死去。

同年，曾因工厂改革而声名鹊起的阿什利勋爵，说服议会成立了一个皇家委员会来调查矿井的劳工状况。让从前都不知国内奴隶买卖为何物的国民，了解到了那些妇女和儿童，以及井下世界的详情。报告中含有插图和版画——妇女们半裸着，孩子们则几乎全裸，像牲畜那样拉着煤车。他们受尽打骂，发育迟缓，营养不良，疾病缠身。这是维多利亚时代——维多利亚文明的另一面，而公众对此却毫不关心。下议院很快通过了《矿井和煤矿法》，禁止妇女在矿井劳动，并将童工的年龄限制在 10 岁以上。虽然这份报告很严厉也很有效，但要知道，英国的妇女和儿童已经差不多沦为牲口：他们要在肮脏的环境中工作很长时间，并且随时面临性剥削和被原始的机器伤害的危险。这一切对于广大人民来说是无法容忍的。该法案在 1842 年夏天获得通过，但它之前已经被委员会阉割过了。这种阉割行为可以有 1000 个理由，但就是不会提背后的利润。煤炭工业有钱而强势，而全国煤矿数量有 2000 个之多，也无法一一调查。得要多少人才干得来这件事啊？

每个矿井的情况都不一样。如何采用标准的通风设施呢？许多问题都没有答案。但在这一波抗议风潮中，为什么其他行业没有被提起呢？在制针厂、制鞋厂或者酿酒厂工作的情况又是如何呢？对此政府并没有什么真
129 正的回应，因此许多人对整个英国的工业体系都感到失望。而正是这种失望，鼓舞了人们去提供更好的教育和卫生服务。有些立法倡导者似乎得从头干起。

关于城镇卫生的那篇报告没有引起迅速的改观。1842 年初，埃德温·查德威克有无数的敌人在尽力阻止报告的出版。《济贫法》专员拒绝签署报告，因为他对此负有责任。因此查德威克以自己的名义出版了这份报告。不过，这一低调的出版并未降低它的影响，它很快就有了数以万计的读者。每年有 25 万人住在贫民窟和下水道，2850 个人挤在 93 间小公寓里，排泄物“散落在房间、地下室、地窖、场地和院子里，令人难以下足”。活人和死人躺在一起，被寄生虫叮咬。他们已经不能被称为人类，而只是这个岛国海滩边的碎石。首都人民的平均寿命是 27 岁。有一半的葬礼是为 10 岁以下的孩子举行的。

因此，这份报告读起来并不轻松。在最开始几页，查德威克研究了蒂弗顿一个区的情况：

> 水面几乎和地面齐平，地上成了沼泽，下水道都漫了出来。到达这里之前，我就闻到一种非常令人讨厌的气味；很明显，空气中到处

1. 第二世利物浦伯爵罗伯特·班克斯·詹金森的画像

2. 乔治四世的画像

3. 描绘 1815 年在伦敦威斯敏斯特下议院入口“面包暴动”的版画

4. 1819 年曼彻斯特圣彼得广场“彼得卢”大屠杀的漫画

5. 卡斯尔雷子爵罗伯特·斯图尔特的画像

6. 乔治四世夫人，布伦瑞克的卡罗琳的画像

7. 1820 年 2 月 23 日，逮捕“卡托街阴谋者”，出自阿盖尔公爵的《维多利亚女王：她的生活和帝国》

8. 一台 1837 年由查尔斯 · 巴贝奇发明的“差分机”的模型

9. 化石发掘先驱玛丽·安宁的画像

10. 乔治·坎宁议员阁下的画像

11. 威灵顿公爵亚瑟·韦尔斯利的画像

12. 威廉四世的画像

13. 格雷伯爵阁下画像

14. 丹尼尔·奥康奈尔的画像

15.《肯特郡焚谷者“斯温”的生平和历史》一书的封面

16. 英国女王维多利亚一世的画像

17. 阿尔伯特亲王画像

18. 第二代墨尔本子爵威廉·兰姆的画像

19. 罗伯特·皮尔的画像

20. 约翰·罗素勋爵的照片

21. 帕麦斯顿勋爵的画像

22. W. E. 格莱斯顿的照片

23. 本杰明·迪斯雷利的漫画形象，出自《名利场》杂志

24. 乔治 · 史蒂芬逊于 1829 年设计的“火箭”机车，伦敦科学博物馆藏品

25.《从朱代卡岛遥望威尼斯》，透纳绘

> 是有害的瘴气。这里的居民很容易和镇上其他居民区别开来，因为他们都是一副病态的悲惨模样。有些地方，敞开的排水沟就在房子的前面，有的房子被这样的排水沟环绕，里面填满了菜叶垃圾和动物尸体。不光这里如此，整个蒂弗顿的房子都是这样。住在那里的人们常常受到发热和其他疾病的困扰，所有与我交谈的人不是在病中就是刚刚痊愈。整个社区都呈现出疾病和忧郁的景象。 130

应该说，英国社会还没有到濒临崩溃的地步，但在当时许多人看来并非如此。“肯定地说，在我的一生中，从来没有见过，”查尔斯·格雷维尔写道，“在经历了30年不间断的和平，以及所有资源都得到了最充分的利用后，竟出现了如此迫在眉睫的危险局面。而且目前各种事务的状况有一个显著的特点，那就是没有人能解释它们，也没有人哪怕是假装能解决。”谁也不用为此担责。

但肯定得有人来担责。教区的牧师和建筑投机商立刻受到人们的挞伐，是他们放任情况恶化和蔓延。工程师们负有维修不当之责，医生要负疏于报告之责。这些批评极为激烈，以至于内政大臣詹姆斯·格雷厄姆爵士成立了一个“城镇健康皇家委员会”来应付此事，但它在随后两年内几乎无所作为。作为反对党的辉格党并没有像以前一样攻击有关的大臣，他们似乎还没有从选举失利的打击中苏醒过来。皮尔和他的追随者认为，自由贸易和普遍的商业自由是解决社会弊病的最佳途径，而“蓝皮书”或查德威克的报告只不过是揭露了巨大社会丑恶的冰山一角。一些可以在议会反应不及时的情况下起补充作用的组织和协会纷纷成立，比如希望通过盈利来维持运营的市政改良公司和慈善社团“劳动阶级条件改善协会”。

然而，大部分维多利亚时代的城市仍然处在可怕的暗夜之中。在参观了一处群租房（男女老少混住在一起）之后，阿什利勋爵告诉下议院：“这些房子从来没有得到打扫或通过风，人们是真的和虫子群居在一起。那儿的空气简直没法呼吸，传教士们走进去的时候都呕吐或者晕厥了。”另一个人说：“我感觉到虫子像豌豆一样落在我的帽子上。”城市各不相同，每座城市都有自己的弊病和恶习。“城市”在当时并非一个流行的词语，维多利亚时代的人们更喜欢采用“大城镇和人口稠密区”这样拗口的称谓。谢菲
131 尔德基本上是小型工厂的聚集区；伯明翰有一种更为整齐划一的感觉，而它最终在约瑟夫·张伯伦的手中实现了新生。伯明翰的特色是小作坊，而曼彻斯特则是工厂。伯明翰的劳动力比曼彻斯特更熟练，住房和卫生设施也更好。有人说伯明翰实际上是英国管理最好的城市。

一些城市的领导人喜欢把哥特式、希腊式或意大利式的建筑风格引入他们的公共建筑。由于每座城市各不相同，没有什么统一的风格。大城市的市政厅、机械研究所、教堂、广场和公园还得益于建筑结构质量的提高。《建造者》上曾写道：“在曼彻斯特漫步，人们肯定会经常遇上宏伟的建筑，只有威尼斯可堪与之媲美。”据《艺术杂志》的说法，伯明翰可能是“英国最具艺术特色的城市”。利兹则自诩“所有的街道都与色彩共舞”。这些建筑有意为之的雄伟气象，是新城市时代的标志，也因此而格外引人注目。

尽管如此，还是有一些城镇像一缕煤烟一样散发出维多利亚时代的气息。一位景观历史学家 W. G. 霍斯金斯后来这样描写莱斯特的威格斯顿：“在 11 月一个潮湿多雾的星期天下午欣赏南威格斯顿，是一次愉快的经历。它体现了英国乡村生活最原始的面貌，令人有一种深切的感动。”那里有许多相同的砖砌房屋和一座铁黑色教堂。它就像一块胎记那样保持着 19 世纪最初的样子。它所有的单调和整齐划一都是对许多维多利亚时代的人所特有的肤浅乐观的永恒批判。

1830 年，亨利·布鲁厄姆（他本人是一位男爵）在利兹的布厅交易场发表讲话：“我们现在没有生活在男爵的时代，感谢上帝，我们生活在利兹、布拉德福德、哈利法克斯和哈德斯菲尔德的时代。”这些带着 19 世纪印记的城市好像是用蒸汽制造出来的魔法一样。在利兹，100 家羊毛厂雇佣了 10000 人，30 家亚麻纺织厂雇佣了 5000 人。布拉德福德也是一个纺织业城镇，但利兹的工业产业蓬勃发展，遥遥领先。关于谢菲尔德，一份官
132 方报告称：“就这么大一座城镇而言，那里的居民是很有特点的，事实上他们更像一个村庄的村民：因为在这样广阔的地区，每个人似乎还彼此熟悉，

还对对方关心的事情感兴趣。”

在曼彻斯特就没有这样的和谐，在上层与下层之间，在不同的劳动群众之间，都存在着巨大的鸿沟。这座城市有着不安分的居民，社会存在分裂和差异，所以常常会成为虚构故事的温床。在曼彻斯特题材小说中最出名的是伊丽莎白·盖斯凯尔的《玛丽·巴顿》(1848)，其副标题是“一个关于曼彻斯特生活的故事”，她的作品还有《南方与北方》(1855)，其中虚构的城市米尔顿就是以曼彻斯特为原型的。一位法国观察家看到：“艾尔韦尔河形成了一个半岛，如果你沿着河流旅行，会看到整个街区就像一个无色发灰的威尼斯，只不过黑色的‘贡多拉’换成了往来穿梭的运煤船……”

然而，在它的苦难中有一种壮丽。迪斯雷利在《康宁斯比》中说，只有哲学家才能理解“曼彻斯特的壮丽”。而托马斯·卡莱尔正是这样一位哲学家，他认为早晨五点半上工的棉纺织厂“甚至比尼亚加拉河还要壮观”。郊区沿着无尽的道路有气无力地伸展，而中心城区却被各种夸张的公共建筑和场所装点。事实上，无论是从金融还是社会的角度来看，实际上都存在一个统一的“曼彻斯特学派”来支持自由贸易，其中包括贵格会、哲学激进分子、商人、政治激进分子和制造商。积极的行动正在酝酿之中，而皮尔是最大的受益者，这与伊丽莎白·盖斯凯尔对曼彻斯特人的评价不无相关：“唯一给人以深刻印象的就是那种激动而敏锐的表情，这在从事制造业的人身上很常见。”然而，社会分裂的结果不是冲突而是兴奋，人们普遍认为曼彻斯特是未来城市的典范。反《谷物法》联盟就是在曼彻斯特成立的。1856年，人们在彼得卢屠杀的遗址上兴建了自由贸易厅，它成为这一观念首次自我宣示的纪念碑。

在19世纪后期的几十年里，伯明翰成为被称为“公民福音”的灯塔， 133
并以“世界上管理最好的城市”的名声而自豪。在伯明翰，商业的多样性要比利兹这样的城市丰富得多。一位当地的宪章派评论说：“大工厂主不能像在曼彻斯特一样控制他们的工人……众所周知，[在曼彻斯特]工人完全受工厂主的摆布。”伯明翰的劳动力更有技术，这进一步加强了社会的流动性。理查德·科布登写道：“无论从道德还是政治的意义上来说，该市社会的状态都更为健康和自然……所有阶层之间的交流都比兰开夏的城市更为自由。在兰开夏郡，工人与其雇主之间存在一条巨大而不可逾越的鸿沟。”

这可能是阿尔伯特亲王决定在1843年视察伯明翰的原因之一，这令大臣们感到头疼。某些令人记忆犹新的最为激烈的抗议才过去一年。罗伯特·皮尔说：“麻烦在于，伯明翰的市长是一名宪章派，而市议会也有同样暴力和危险的态度……这有可能会在这个全国第二大城市引发训练有素的群众的大游行。”就在前一年，骚乱的谣言到处流传；当时反《谷物法》联盟起草了一份声明，称“国家正处于革命的前夜，政府的走狗应该被逮捕”。宪章派要求举行全国总罢工。

然而什么都没有发生。宪制历史学家瓦尔特·巴乔特一直认为，英国是一个天性恭敬的民族。他们是如何在没有常备军、特务组织和任何政府附属机构而只依靠少量官员和一些业余志愿者协助的情况下生存那么久的呢？警察也是近几年才出现的事物。

事实证明伯明翰也没有什么不同。亲王的私人秘书乔治·安森说：“28万人似乎在这个场合一齐出现，街道几乎完全堵塞了。然而整个人群表现
134 出了极大的善意和幽默，以及异乎寻常的忠诚。”在革命的可怕警告和威胁之后接踵而至的，竟是忠诚和美好情感的大爆发。我们可以考虑到乌合之众变化无常的因素，但这似乎不能解释革命口号和忠诚群众之间的巨大差异。也许我们应该重温埃德蒙·柏克关于蚂蚱和牛的对比：蚂蚱的数量很少，但它们发出了最糟糕的叫声；牛只是低声咕哝，但它们才是这个国家最坚实的生命。一份来自曼彻斯特的报告以一种更可悲的语气描绘了一幅更为稳定的景象：“然而，这些穷人有着非常平和的习性；如果有工作可做，他们会觉得十分愉快的。”

前一年发生的事件可被视为城市革命失败的一个例子。1842年7月3日是星期天，16岁的男孩约翰·威廉·比恩穿着一件深色外套，站在摩尔大街上的人群边缘，他们等待着女王及其侍从从白金汉宫前往圣詹姆斯宫皇家礼拜堂。后来，他被描述为一个脊柱弯曲的“驼背”，同时还是个瘸子。维多利亚时代较文雅的人们认为他是一个不幸命运的受害者，而对大

多数人来说，他只是一个被小男孩们吹口哨、吐口水、扔石头的怪胎。他卖掉了自己的一点点书，其中一本是《圣经》，花了3便士买了一把便宜的手枪。那天，他在街上等着女王的马车驶过，然后瞄准马车，扣动扳机。但什么动静也没有，手枪没有击发。人群中的另一个男孩查尔斯·爱德华·达塞特看到了这一切，把枪从比恩手上夺过来，但他的动作太慢了。人群很快聚集起来，谣传“女王被枪杀了”的谣言四下传开。在混乱中，比恩溜走了，而拿着枪的达塞特被抓住了。消除混乱和查明真相需要一段时间。最后，一张海报贴了出来，上面描述这个男人“瘦削、脖子短、背驼，走起路来有点瘸，长着病态的苍白的脸……”警察闻风而动，把他们能找到的任何驼背的年轻人都抓了起来。根据报道，“被拘留的年轻残疾人”的数量是“惊人”的。不过比恩最终还是被找了出来，被判处18个月 135
的苦役。“被开一枪是值得的，”维多利亚女王后来说，“我看到了人们有多爱戴我。”

北部和中部的城市有一个明显相似之处，穷人的贫民窟仍然是见不得人的地方，简陋残破的房屋趴在狭窄肮脏的街道上。尽管有“羊毛城”之称的布拉德福德有宽敞的街道和体面的房屋，但悲惨、痛苦和疾病还是居住在某些地方。英国城镇的底层地区没有排水沟和下水道，没有厕所和水源。令北方城市引以为傲的工厂车间将有毒的烟雾和腐臭的废水直接排到附近的街道上。一位卫生监督员写道：“大多数英国的工业城镇已经以很快的速度扩张，但扩建的这些部分既没有考虑居民的个人舒适，也没有考虑到集体活动的需要。”然后就是烟雾，有布拉德福德烟雾、利兹烟雾、曼彻斯特烟雾，每一种都有不一样的颜色、浓度和气味，有时烟雾会凝结，变成黑色的雨或是“黑色颜料”。米德尔斯堡的市长断言：“烟是开工充足的标志——也就是繁荣时代的标志——所有阶层的劳动者都得到了工作，慈善已经没有必要，即使是最卑微的人也无匮乏之苦。因此，我为我们的烟雾感到骄傲。”如果加上节奏和旋律，这可以是一首很有意义的维多利亚时代的赞歌。

这首赞歌也可能是出于所谓的“关联原则”而形成的，这一原则是作为城市中某种共同利益和依存关系的一部分而生长起来的。这种共同利益的“原则”也涵盖了构成城市文化和精神生活的各种志愿组织和社会团体。合唱协会、辩论俱乐部、联谊会、体育协会等，都形成了组织严密的团体。一个受人尊敬的公民或他的妻子可能会参加“伦敦冬季为穷人捐助面包煤炭博爱会”，或是“全国家庭佣工慈善机构”等。

但是另一种形式的企业也参与了进来。1844 年，28 名法兰绒编织者组成了“罗奇代尔先锋合作社”，并集资 28 英镑，在蟾蜍巷开设了一家合作
136 商店。他们的计划是把商品售出后的利润作为会员的共同财产。他们大获成功，所获利润也大有所用；他们声名鹊起，并最终发展为合作批发协会。会员们在下班后会举行会议讨论时代的各种问题。7 年来，他们获得了 900 镑的毛利润，并且已经讨论起了工人住房和学校的问题。这是 19 世纪最令人敬畏的遗产之一。它和宪章派有一丝微弱的关系，并且同样是建立在团结和阶级利益的基础上。但到这个时候，宪章运动正迅速衰落，其他力量将不得不取而代之。在他们的报章标题中有这样的承诺：“这一团体的目标是其成员的品德和智力进步。它将为他们提供杂货、肉类、布匹、衣服和木屐。”

城市里满是阴冷而单调的人群。他们在上班或下班的路上用鞋子或靴子沉重地踩过石子路面。有时他们会快步而行，追逐一些街头娱乐和消遣；有时又冷漠而漫无目的，像一个个无家可归的流浪汉。千千万万这样的人构成了一个 19 世纪的群体。查尔斯·金斯利在 1850 年写道：“当我们挤过人群时，我被所有这些苍白憔悴的面孔所震惊。他们眼神无光，嘴唇下垂，肩膀佝偻，脚步沉重得像灌了铅一般，脸上写满了受压迫而不屈的无限痛苦的神情。与怀着兴奋与热情的工匠的不幸相比，这种痛苦更加经年累月，更加侮辱人格。”

城镇的政治很快成了国家的政治。1885 年一本激进的小册子指出：“如今的大城镇是英国的公众舆论来源和中心，自由立法的倡议正是从它们那里发出的，它们持续地施加压力，保证国家的政治进步。”这种势头发展迅猛。在 19 世纪 30 年代，曼彻斯特仍然还有庄园法庭，米德尔斯堡还仅仅

是个地名。然而，它们的新生代居民提出了自己的社会弊病解决措施，形
成了一个新的城市资产阶级。《利兹水星》报的编辑曾这样评论这些新城 137
市："尽管它们不像欧洲大城市那样可以吹嘘自己的辉煌历史……但在财富和人口上，它们已经超过了许多欧洲大城市，并为未来的发展奠定了广阔而深厚的基础，这种潜力也许还能在利益和重要程度方面与某些旧世界的著名城市一决高下。在19世纪前50年里，曼彻斯特的人口从75000增至303000，伯明翰从75000增至247000，利兹从53000增至172000。在1841年至1901年间，英格兰和威尔士的人口增加了一倍以上，而且显而易见的是，人口的增长主要来自城市。"

像布莱顿、韦茅斯、托基这样的海滨城市也蓬勃发展已小有名气的温泉地和疗养地，也变得越来越受欢迎。威廉·科贝特曾说："到这样的地方，所有的东西都变得无赖、荒谬和卑贱；赌鬼、扒手、妓女……"他说
的地方正是今天优雅的切尔滕纳姆。 138

# 12

# 仁慈的政府

那些反对政府基本方针的人认为这会引起英国的金融渎职和经济操纵问题，而这样的观点很快就被证明是毫无根据的。经济繁荣开始于1844年，并一直持续了20年。在此期间，铁路系统基本建成，棉纺厂的生产成本大幅下降，新技术和自由贸易正在成为公众意识。1844年，皮尔内阁的贸易委员会主席格拉斯顿提出了一项法案，允许政府在15年后买断所有铁路的股权。但是，皮尔不赞成这种改变，而是提出了另一项计划，即每家公司每天必须开通一班“三等”火车，价格是每英里1便士。这些廉价的火车以前使用敞开的车厢，在地板上开孔以便排水，但新法案坚持要给它们加上顶篷。格拉斯顿拒绝了廉价火车星期天也应当运行的建议，理由是“体面的机师不会选择在主日出行”。然而按照《铁路管制法》的规定，一等和二等车的乘客却有权违抗上帝的旨意。

139 在同一部法律中，政府对每条路线上的电报使用做出了规定。3年前，第一个用于商业目的的电报系统被安装在帕丁顿和西德雷顿之间的大西部铁路上；它只有13英里长，但它预示着一个新的通信世界的诞生。一则报纸上的广告写道：“时代的奇迹！！瞬时通信……在大西部铁路的电报上……电流以每秒28万英里的速度传播。”在广阔空间进行即时通信的前景被认为是一项令人难以置信的壮举。在几年前，美洲殖民地独立的消息花了 6 个多星期才到达伦敦，特拉法加的捷报 12 天后才传到威斯敏斯特。在相对较短的时间内，电报成了大众传播的手段，它也通常被描述为维多利亚文化的神经系统。它控制着信息，自然也控制着铁路网。它有无数种用途。通过消灭时间与空间，电报彻底改变了大英帝国的统治。比如说，人们普遍意识到，“那些离伦敦几站远的地方将会变成它的郊区”。你还可以进行远程对弈。数年后，1889 年，索尔兹伯里勋爵将电报描述为“一项……对人类的道德、智力和行为产生了立竿见影的影响的发明”。《约伯记》中的一句名言常常被引用：“你能发出闪电，叫它行去，使它对你说，我们在这里。”它也被当成童话和魔法理解，但阿里巴巴也未遇到过如此美妙的事情。

塞缪尔·斯迈尔斯将“铁路狂飙”的开始时间定在 1844 年，即《铁路法案》颁布的年份。当时，“证券交易所外的公众很快就被同样的精神所感染，许多人对铁路及其对国家的伟大影响一无所知，只是出于对金钱的渴望，急切地跳入投机的旋涡……股份！股份！到处都是这样的呐喊”。很快，“疯狂向四处蔓延，商人、工厂主、绅士、店老板、公职人员和俱乐部里的年轻人都被卷了进来……从没有方案是如此糟糕，以至于它都找不到一个工程师”。结果就是匆忙而杂乱无章的建筑；隧道是用半熟的粘土而非砖块建造的，桥梁是用碎石垒成的。当时已经有 104 家独立的铁路公司，6 140
年后这个数字翻了一番。当时一位很受欢迎的作家迪奥尼修斯·拉德纳写道：“当看到一条伟大铁路的终点站竟有如此广阔的建筑群时，你绝对会有无法形容的惊讶……对了，还有它的速度！”

就在这一年，蒸汽机车在 J. W. M. 透纳的画作《雨、蒸汽和速度——大西部铁路》中到达辉煌的巅峰。一位艺术家并不需要任何判断，人们也不清楚透纳是在赞颂还是在妖魔化火车。人们对这幅画的主题和构图提出了许多解释，有的将其描述为对旧的过去的哀叹，有的则认为它是对正在改变世界的新的蒸汽力量的热情渲染。透纳喜欢旅行，这可能是他对火车提供的新出行方式的反应。这幅画描绘的是一列火车头正穿过泰晤士河上横跨在塔普洛和迈登黑德之间的迈登黑德铁路桥，但它本质上是一次将蒸汽崇高化的尝试；在画中，火车、桥梁和外围田野构成的物质世界被笼罩在一层庄严的面纱中，纯色的运用给人留下了最为有力和深刻的印象。雨雾和蒸汽混合在一起，展示了两种形式的现实是如何交融的。大西部铁路已经有了“最伟大工程”的美誉，透纳受到了感动，为其宏伟增添了崇高。

萨克雷在《弗雷泽杂志》中评论说：“世界上从没见过如同这张画上一般的东西。”这幅画描绘的速度和力量从他的描述中可见一斑：“有一列火车朝你开来，速度达到每小时 50 英里，读者最好赶快看一眼，以免它从画中开走，然后沿着对面的墙去往查令十字街。”他注意到，雨“是由用小铲子拍打在画布上的脏腻子画成的；阳光则是从非常厚的铬黄色颜料块中闪烁出来的”。这幅透纳晚期艺术的高峰之一应该被归为对一种新的交通形式的描述；这也说明铁道风景已经成为一种风俗画的样式。一些画家对机器
141 本身更感兴趣，还有一些画家则以生动的笔触描绘车站，因为这些建筑体现了一种新的生活方式。

每个时期呈现出来特有的模式和排列总是很美妙的。例如，铁路的建设也满足了维多利亚时代人们对地质的热情，因为岩石的真面目也从土地里露了出来。一位画家认为，曼彻斯特和利兹之间铁路的开通“令地质学家大饱眼福，它展现了无数美丽的地层剖面。它们由交替的岩层组成，包括页岩、砂岩和煤，每层的平行度和厚度都保持得很好”。因此，铁路是与维多利亚时代科学家的浓厚兴趣相互联系的。同样重要的是，在这个凿山开路的年代中，对于化石和想象中的史前世界的兴趣成为 19 世纪首位的兴趣。莱尔的《地质学原理》（1830—1833）成为一部解释造物和大洪水的本质的著作，在其中，铁路成了基督启示的工具。19 世纪开始自我解释并解释它所理解的“远古”。于是，地球被那时的人们认为是在公元前 4004 年 12 月 23 日星期日的前一天晚上被创造出来的。

那些从事开路、铲土和修筑路堤的人都是些没有受过教育的人；其所到之处，当地居民唯恐避之不及。他们肮脏、粗俗，毫无礼貌。其中许多是爱尔兰人，还有一些来自英国中部和北方。但他们的穿着却十分一致：

一顶带帽檐的白色毡帽，一件天鹅绒平尾大衣，一件朱红色毛绒背心，脖子上围着鲜艳的围巾。裤子是灯芯绒的，膝盖处系紧，足蹬高鞋带靴子。他们是流浪者，三两成群地从一个工地搬到另一个工地。警察和铁路公司的职员从不管教他们，因为这没有用。

很讽刺的是，无论皮尔的政策多么成功，他在党内的敌人却多了起来。1845 年 2 月，他提出了所谓的“大预算案”，即取消或减少进口税。然而，142
他的支持者对他进一步推行自由贸易感到不满，特别是他坚持要收所得税，不再将其视为一项临时措施。这年春天，托利党的愤怒又引起了骚乱，因为皮尔用纳税人的钱资助了爱尔兰梅努斯的一个天主教协会。他不仅反对农场主，而且支持罗马天主教徒！到处都有说他背信弃义的谣言。《梅努斯法案》是在辉格党人的支持下才获得了通过。皮尔曾经想通过许诺真正平等来和爱尔兰天主教徒建立友谊，但他似乎只是激怒了英国人。在许多托利党人看来，这是真正背叛的开始。

到 1845 年 10 月中旬，从爱尔兰传来的可怕消息打乱了所有的计划：土豆歉收。对于一个以土豆为唯一食物的国家来说，这是一个生死攸关的问题。威灵顿公爵记录了皮尔在这场本应被考虑到的灾难中的痛苦：“不管怎么说，我从没见过这样的痛苦。”他后来又向同僚补充道：“都怪那些烂土豆，把皮尔吓成这样。”公爵的语气是对爱尔兰灾难的标准反应，且不说他自己就是生在都柏林的盎格鲁–爱尔兰人。英国人只是在等着灾难过去，但饥荒继续流行，久久不去。在接下来的 3 年里，共有 65 万人死亡，随后的 3 年又有 110 万人跟着进了坟墓。这可以说是一种因疏忽和冷漠造成的种族灭绝。

英国对爱尔兰的政策总是表现出一种狡猾的无知，在这次大饥荒中尤其如此。政府没有先例可以遵循。如此大规模的饥荒是一场灾难，而它在后勤方面毫无准备，在思想上更是如此。在全国范围内的救灾应该是政府的责任，但当时没有一个当权者想到这一点。许多英格兰人觉得爱尔兰人在饥荒期间所受的痛苦与他们在平时的遭遇差不了太多，只是严重了一点：

在爱尔兰人每年不得不等待下一次土豆成熟的时间里，半饥饿不过是平常
143 之事。人们很容易忘记，因饥荒而造成的饿死和病死虽然可怕，但发展起来是星星点点的；英国的官员也可以轻描淡写地说，歉收还没到完全灾难性的程度。英格兰和苏格兰并没有受到同样的影响。然而，当英国政府开始寻找土豆的替代品时，从欧洲大陆和美洲进口谷物仍然是不可能的；这成了一个它无法解决的问题。

还有两个棘手的难题让情况更加混乱：“缺席地主”和租佃体系。虽然两者最终都可以追溯到英国人的压迫和偏执，但它们已经具有了一种独特的爱尔兰特征。大多数爱尔兰地主都住在英国，所以当其中一些心存善意的人回到爱尔兰时，发现原来租赁名单上的60来个人已经变成数千人，这些人在他们的门口大声喧哗，令他们恐惧而蒙羞。仅就财政而言，他们已经无法应对形势本身和政府对他们越来越高的要求。

爱尔兰的租佃体系有其特殊之处。在爱尔兰，租佃是一种拜占庭式的转租制度，小租户和主者之间被肆无忌惮的中间人隔开，小租户几乎没有任何权利。由于迫切需要利用所有的土地种植土豆，爱尔兰的土地可能和伦敦梅费尔的一样贵。这种比较还不止于此：爱尔兰的租金实际上是地租——农民是为在土地上生活的权利付出了代价，而在英国则没有这样的义务和伦理。然而，为了减轻罪责，政界普遍认为爱尔兰人缺乏主动性和热情，说他们那种所谓“没有创造精神的态度”削弱和伤害了英国同胞的感情。举一个例子就够了，一位来自爱尔兰西部的牧师乞求能为他饥饿的羊群打开一座谷仓，但被告知这样的举动违背自由贸易的原则，扰乱“商业利益”。牧师的反应相当激动，但他遇到的官员那种令人毛骨悚然的迟钝则是普遍的现象。当爱尔兰人倒毙在田野之中时，牛肉、猪肉、羊肉和其他许多生活必需品仍在大量出口。

144 自由贸易是爱尔兰的湿婆神，毁灭之王。具有讽刺意味的是，爱尔兰人并不是因为疏忽或漠不关心而被杀害，而是因为政府将自由贸易的教条狂热地应用在了一个根本没有准备好的经济体上。进口的食品几乎是无用的，出口的食品对出口国来说是必不可少的——然而进出口已经成为神圣

的教条。维多利亚时代的英国有一个特点，即一旦找到了一个新玩具，就必须无时无刻把玩它。自由贸易就是这个新玩具，但爱尔兰却没有把玩它的能力。在公开的文件中，更为有力的“种族灭绝”（genocide）控诉都被含义更轻的“消灭”（extermination）所代替（至今这个词仍然带有“大规模驱逐”的旧义）。这其中所蕴含的意思同样是，对爱尔兰人的需求和现状漠不关心，以助长对出口的狂热。人们认为，土地不能养活人民，因此必须把人民赶出土地。英国对爱尔兰的政策就像一位大亨对乞丐说，你真正的问题不是饥饿，而是目光短浅。

皮尔宣布了提供进口谷物的紧急措施，并让人民以工代赈，但他们仍然在建成之前倒在路边。据说他们死前悄无声息，没有任何声音。西部苏格兰高原上的人也是如此，他们的土豆还烂在地上。亨利·金斯利评论道：“最年长的强壮男人开始躺下，以一种奇怪的安静入睡。”一位法国评论家博蒙特看到：“每个国家都有穷人，或多或少。但是，一个由穷光蛋组成的国家是前所未有的。”

在 1845 年 11 月的一次内阁会议上，为了缓解爱尔兰的饥荒和英格兰的愤怒，皮尔提出了两项可能的措施。他建议暂停执行《谷物法》，以缓解爱尔兰海对面的长期短缺；他还建议，议会应审议整个《谷物法》，以废除这部法律。第一项措施被广泛接受，虽然很多大臣认为为时已晚。第二项措施则引发了激烈的愤怒和争辩，并最终导致皮尔辞职。但他没有离开太久。他的辉格党对手约翰·罗素最近曾承诺要废除这些法律，因此他接受了女王的任命。他花了两个星期才明白，失去皮尔的权威，他什么也干不 145
了。帕麦斯顿拒绝担任除了外交大臣以外的任何职务，罗素甚至连自己提名的内阁都无法完全掌控。于是皮尔又回到了战斗中。新闻报纸觉察到这一时刻已经到来。

1846 年 1 月，当议会再次开会时，皮尔宣布了他推进自由贸易和废除《谷物法》的信念。“我否认自己对保护问题的看法发生了变化，不是说要遏制自己对理性进步和真理的崇敬。”他身后的长椅鸦雀无声。辩论一直持续到 5 月，三读以 98 票多数通过。然而，有 222 名托利党人投了反对票。

皮尔赢得了投票，但失去了他的政党。现在出现了皮尔派和反皮尔派，迪斯雷利和本廷克掌握了人数更多的那一派。次日，托利党的反叛者投票否决了皮尔的《保护生命（爱尔兰）法案》，换作往常他们会加以支持，但现在情况不同了。迪斯雷利在《西比尔》出版的前一年已经把笔蘸到了最黑暗的墨水里，他认为有“两个民族”；每个人都知道他的意思，但他还是要把它用大写字母写出来：“富人和穷人”。他可以写一部脱离现实的小说，但是没法给政府制订一套方案。

托利党从来就不喜欢皮尔，也决不会原谅他。迪斯雷利尤其竭尽全力诋毁皮尔。“我喜欢名声。”迪斯雷利说道，他的余生都是在这个想法下度过的。他已经不需要再老生常谈了。显然，皮尔留在这里的日子已经屈指可数。

很多人对皮尔迟来的失败非常高兴，皮尔也不得不辞职，随后约翰·罗素勋爵被任命为少数辉格党政府的领导人。不过，事情已经做完了，《谷物法》已被废除。中间阶层店主和工匠为这个消息欢呼雀跃。托利党在一片混乱中败退了，但正如理查德·科布登所说，“聪明的中间阶层和劳动阶
146 级”将是受益者。

现在，《谷物法》已被废除，人们明显有一种解脱的感觉，一种由社会不平等和自私自利的立法所产生的不合理的压迫已经消失。科布登在反《谷物法》联盟最后一次会议上发言说：

> 在这个世界上，没有什么事情比建立自由贸易原则更能持久地促进人类的利益——我并非仅站在金钱的角度，也不是说它仅适用于英国，而是基于放之四海而皆准的永恒真理……这是一场世界性的革命。

他的溢美之词在那种场合下还算合情合理，不过也能说明当时政治的崇高原则。

废除《谷物法》也使得关于法国式革命的一切言论都被打入冷宫，就像科布登在几天后给弗朗西斯·普雷斯的信里写的那样：“谢天谢地，你生

活在一个改革法案、汽船、铁路、1便士邮资和自由贸易（更不用说批准公民自由和宗教自由）已经基本成为事实的时代里。”

现在追随皮尔的是自由派保守党人，尽管皮尔否认有皮尔派一说；然而最后那些皮尔派加入了辉格党贸易自由主义者一方。若不是迪斯雷利和本廷克，贸易保护主义者已经失去了主心骨，所有人都好像错过了公交车一样。他们似乎明白过来了，有人看到本廷克在会议室里对政府进行猛烈抨击。“他的声音提得很高，像在尖叫一样——眼睛就像在进食的野兽一样闪闪发光，他的整个举止如此兴奋，连疯人院里的病人都比不上他”。

1832年的《改革法案》也曾带来过同样出乎意料的自由感。现在，和那时一样，又有机会清理掉那些世代堆积的沉渣朽木了。1847年，约
翰·斯图尔特·密尔在给他的法国哲学家同行奥古斯特·孔德的信中写道： 147

> 我们已经在着手建立一个慈善政府的体系……今天，所有呼声都是向穷人提供金钱……更短的工作时间……更好的卫生设施，以及教育。也就是说，穷人将受到像父爱那样的统治，宫廷、贵族和富人对此都十分赞成。他们忘了，那些为人民做的事，只有在它们可以帮助人民实现自助的情况下才是有益的。

于是，一项关于12小时工作制的法案、一些工厂改革法案（主要是纺织业）和一部新的煤矿法获得了通过，在济贫法和公共卫生方面也有进展。妇女和童工的日劳动时间从1844年的12小时稳步减少到1847年的10小时；工厂里儿童的劳动时间减少到6.5小时，以便有时间接受教育；工厂监督员的权力大大增加。

这个过程花了几年时间，其间充满了激烈的论辩和批评。查尔斯·格雷维尔在回忆录中谈到了一次10小时工作制法案失败时的喧嚣：“这样杂乱的政党，如此混乱的独立……太多的激越、粗暴和敌意，太多的指责被来回抛掷。”这类似于凯列班在镜子里看到自己时的愤怒。到1847年，这一“体系”已经浮现出来，或者如迪斯雷利在《坦克雷德》（1847）中所写

的那样，“人们会跟随一种普遍的念头，臣服于一种外在的规律”，这种外部力量被称为“社会的力量”。然而，六年后，迪斯雷利宣布：“我们的体系已告失败。”

就在 1847 年，已经有很多人在议论这一失败。“狂热”和“恐慌”这两种对立的倾向正是铁路投资的巨大动力之一。如果有人研究过人群的疯狂和兴奋，那么他对这一现象就会相当熟悉。例如，1847 年，金融市场出现了突如其来的“恐慌”。夏季的谷物价格在《谷物法》废除的推动之下出现了下跌，导致许多交易商破产。许多银行背负大量的坏账，不得不暂停交易。于是基本的粮食供应短缺，又引起物价的上涨，形成的贸易赤字也造成了英格兰银行的黄金流失。“体系”发生混乱，恰恰就是在“铁路狂
148 热”拉高了对流动资金的需求之时。美国当年的棉花产量少于往年，因为英国从南方各州买走了 80% 的棉花。混乱和恐惧相互助长。铁路是使国家资本流失，还是在提供收入和就业？不过，恐慌似乎一出现就会平息下去，变成好像无法解释的一般商业周期性的波动和不稳定。在时间的黑暗子宫内，恢复似乎是凭空而来的。这也是为什么有些人会把经济周期和月亮的相位联系起来。

尽管人们对社会改革充满了兴趣，人民得到的教育却进展甚微。即便到了 1870 年，也只有三分之一的孩子能上到最简陋的学校。很多人不觉得有多少进步。如果孩子们必须要在不平等的生存斗争中干活来维持家庭生计，在他们的小脑袋里塞满没有实际用处的东西有什么意义呢？还不如让他们去制针厂或是棉纺厂上班。扫除文盲又有什么意义呢？那只会让下层阶级学会阅读淫秽读物、激进小册子和辉格党的宣传品。为街头儿童开办的“简易学校”也不算完全成功，有人指责它们传播虱子和坏习惯。

然而，教育改革者依然在坚持，他们的工作有两种方式。成立于 1811 年的“国立学校”采用安德鲁·贝尔的模式，让年长的孩子充当监督员，教育年幼的孩子。另一位著名的教育改革家约瑟夫·兰开斯特采用了大致相似的制度，但纪律更严格。1833 年议会共拨款 22000 英镑，这两个方案得到了平均的分配，很难说这是一项慷慨的拨款。在那些看不到光明的穷

26. 王室成员的画像，1846 年

27. 1851 年万国博览会的水晶宫内景

28.《轻骑兵冲锋》，1854 年 10 月 25 日

29. 玛丽·简·希科尔的照片

30.《罢工》，休伯特·冯·赫科默绘，约 1891 年

31. 1876 年《体育与戏剧新闻画报》中的音乐厅表演者插图

32.《拉姆斯盖特的沙滩》(《海边生活》)，威廉·鲍威尔·弗里斯绘

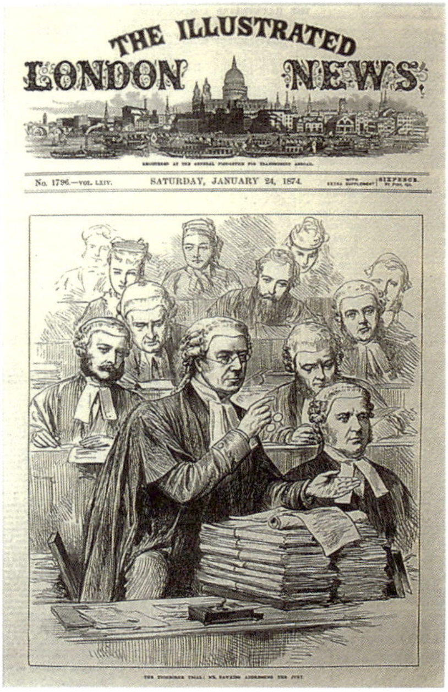


33. 描绘霍金斯先生在在审判蒂奇伯恩案件时向陪审团致辞，《伦敦新闻画报》封面

34. 安妮·贝赞特的照片

35. 伦敦贫民窟地图（一）

36. 伦敦贫民窟地图（二）

37. 罗斯贝利里勋爵的漫画形象，被《名利场》讽刺为间谍

38. 布尔人突击队员照片

39. 拿破仑·沙乐尼拍摄的奥斯卡·王尔德的照片

40. 印度女皇维多利亚和秘书阿不都哈林的照片

人中，有些深渊是金钱也无法触及的。教会和不信奉国教者为给孩子们的拨款你争我夺，结果就是经历过这个“体系”教育的孩子有75%只认识字母表上的字母，而对让他们死记硬背的单词几乎完全不理解。

辉格党和各色激进分子现在用各种方案、条款和附加说明统治着英 149
国。下议院领袖约翰·罗素是一个天生的辩论家，却不是一个天才的政治家。在野的皮尔已经退到了公众视野的边缘。“事实是，”他对一位同僚说道，

> 议会开会的时候，公共事务在许多方面都产生了严重的问题。我不敢相信这个国家的首相能够适当地履行他的职责——审阅他应该审阅的所有东西，包括所有的外交信件；保持与女王和亲王的不断沟通；会见他应当会见的所有人；主持授予荣誉，处理公民及教会资助；亲自回信给每一个写信给他的重要人物；为每一场激烈的辩论做好准备，包括那些最棘手的问题；做所有这些不可或缺的事情，并每天在下议院坐8小时，一共118天。我无法相信同时做好这些事情是可能的，那超越了人类的能力，至少我是办不到的。

皮尔没有离开议会，他认为辞去党派领袖这一职位并放弃进一步的抱负已经可以了。但他必须支持士气低落的辉格党，尽管他是被辉格党所取代的。他绝不愿意看到贸易保护主义者或者激进分子上台，所以他竭尽全力支持约翰·罗素及其同僚。皮尔明确表示，只要辉格党政府愿意维持他的既定政策，他就会加以支持。现在人们认为，皮尔基本上已经“超越了党派”。虽然有的人仍然对他的“背叛”耿耿于怀，但还是有许多人赞扬他的为维护国家和改革成果所表现出来的严肃与决心。

大家都在谈论爱尔兰，任何政治话题都离不开它，每个政治家都在考虑这件事。1845年秋天，格莱斯顿写信给他的妻子：“爱尔兰！爱尔兰！西方的那朵乌云！即将来临的暴风雨！那个上帝派来惩罚冷酷、恶劣却没有得到补正的不公正的使者！爱尔兰向我们提出了重大的社会和宗教问题，

150 愿上帝赐予我们勇气，让我们面对它们！”援引上帝的理由有很多。对很多
人来说，这是对信奉罗马天主教的惩罚，或者在另一种末世论中，这是对
懒惰和无能的天谴。更多的人觉得这和上帝无关，失败是出于生物学和机
器的原因。事实上到 1847 年，收成就开始好转了，但仍然遗留下了疾病、
151 虚弱和不安。

# 13

# 火蜥蜴

1846年6月底皮尔的辞职演说以其不同寻常而闻名。他说："也许在那些要靠每天流汗谋生的人那里，我能留下一点声名，当他们能够用丰富和没有赋税的食物来恢复体力的时候，当他们不再感到被一种不公正的力量所束缚的时候，还会充满善意地想起这个名字来。"他在人群的欢呼和簇拥下离开威斯敏斯特。约翰·罗素在当年夏天接替皮尔就任后，邀请威灵顿和其他保守党人加入内阁，但都被拒绝了。皮尔仍然是议会中最杰出的政治家，科布登赞扬他成为"时代精神"，这个词被他做了着重强调。

帕麦斯顿加入了罗素的内阁，出任外交大臣，这在各国的首都引发了一些轰动。这是一个少数派内阁，因为在罗素领导下的辉格党、激进派和爱尔兰人绝不代表议会的多数。但是皮尔并不想领导那些坚定反对罗素的人。保守党皮尔派与其说是一个政党，不如说是皮尔之前的支持者的集合。《泰晤士报》指出："他们目前的困难是，他们不是一个政党，他们没有联 152
络，没有固定场所，也没有义务。"但他们仍然秉持皮尔关于自由贸易和经济紧缩的理念。也许最重要的是，他们保持了皮尔的思想独立性，不太可能接受内阁职位的诱惑。

事实上，在接下来的20年里，暴风骤雨紧接着低迷黯淡。8届政府相继更替，没有一个政党能获得稳定的多数。在某个阶段，辉格党、激进派和皮尔派之间有个拼凑而成的政府，但不幸的是，它要为克里米亚战争负直接的责任。总的感觉是停滞不前，如果人们希望随后1847年夏天的大选能够鼓舞选民和当选者，那么这种期望基本上是落空的。结果和以前一样，约翰·罗素率领他的轻骑兵，从本廷克的贸易保护主义和皮尔的自由主义之间的鸿沟中冲了过去。叫自己是辉格党或是托利党到底有什么意义？不管怎样，似乎没人非常在意。

值得注意的是，新任财政大臣查尔斯·伍德爵士征询并接受了皮尔关于金融问题的建议。在一场辩论中，皮尔概述了他余生所持的立场——他不鼓励去做“故意抬杠的反对派”，而是会“真诚地赞成政府制定商业政策的一般原则”。约翰·罗素被公认为自由党的领袖，但他知道自己归根到底是个老派的辉格党。故而，1847年通过的《工厂法》是一种社会改良的尝试，尽管首相只是给予了被动的支持。现在，妇女和青年在纺织厂可以每天只工作10个小时，这是15年奋斗的结果。它被描述为人民反抗政府的胜利，这在一定程度上也许是正确的；它来自劳动阶层的抗议浪潮，得到了阿什利勋爵、约翰·菲尔登（一位棉纺织厂主，支持奥尔德姆的议员）等劳工改革家的鼓励。它也被描述为地主们对支持废除《谷物法》的自由贸易主义者的胜利。那些支持自由放任的人不愿支持国家对就业传统的干预。

153 约翰·罗素谨慎地行使着首相职权；他的改革是温和的，没有任何革命的迹象。他对爱尔兰的灾情进行了补救，但是否会对这个苦难的国家产生立竿见影的改变还不清楚。这得看老天爷，谁也无法对它评头论足。然而也有一些被称为具有以前所谓的辉格党政府的所有特征。1847年，政府成立了一个《济贫法》委员会，次年，一个同级的中央卫生委员会开始设立地方下属委员会，对从水源到墓地的公共卫生领域拥有法律赋予的权威。国家加强了对教育的控制，议会的选举权也扩大了范围。公益服务正在逐渐到位。所有这些措施对于那些老牌辉格党贵族来说有如天降甘露，他们遗传了那种要让所有阶级得到解放的政治情感。大地主们觉得自己就是国家的守护者，并关系着人民永久的福祉。要是按罗素的那些辉格党祖先的眼光来看，他本人的处事方式十分尖刻暴躁，但他并非一位能够鼓舞人心的首相，只是论资排辈爬到了显赫位置而已。

罗素勋爵领导的政府还有其他值得重视的地方。此时，激进派或不信奉国教的议员通常是商人或有专业的市民，他们代表着城市工业的席位，而工商业利益的发达刺激了职业阶层的兴起，这些人以黑色西服和炉管帽为标志。大地主们仍然可以凌驾于这些人之上，但下议院的脾气和声调在逐渐改变。它不再是富有地主及其依附者的聚集地。它正受到最终被迪斯雷利和索尔兹伯里称为“工业”保守主义的思想影响。以前曾经有过由效忠和父权制度来维护的“土地利益”，或者叫“地方利益”，但它现在已成明日黄花。铁路的普及意味着土地上很多人流离失所，许多地主对工业的兴趣比对农业的兴趣更大。铁路公司的律师不仅仅是农民的对手，也是那些自食其力的“土地利益”附着者的对手。于是律师也进入了议会。政治 154
家和煽动者都知道保护主义和自由贸易，但那些倚赖农业的人却无力处理当今的问题。他们的影响力不可避免地减弱了。建立保护主义社会的各种努力都分崩离析了，农民和劳工都不愿意参加示威游行，哪怕他们是本可被组织起来的。

不过，农村人口的减少只是一种幻觉。这种幻觉的原因之一是移民源源不断地流向北美，在1847年之后的三年中，每年都有50多万人漂洋过海。然而，人民中蕴藏着的能量和繁殖力使得人口继续增长。我们只能承认，从事农业的家庭数量的确减少了，但农村的总人口没有变化。在农村地区，农业技术的改进和劳动密集型作物的增多也提高了还留在土地上的人的工作量。从乡野到城镇的人口流动模式是很重要的，但50年间农村的变化大致就是在有限范围内的一系列小规模移民。即便只是粗略地阅读一下威廉·科贝特的《骑马乡行记》（1830），也可以打破读者对乡村舒适安宁的任何幻想，之后的情况也是一样的。劳工的生活往往比他们的狗更为肮脏和悲惨。他们在地里干活，是因为他们害怕和憎恨纺织厂，甚至是济贫院的私有化。无知是恐惧之父，当一些劳工按照地主的要求从北德文郡搬到肯特郡的时候，他们询问过自己是不是去“充军”。

1846年，哈里特·马蒂诺在给伊丽莎白·巴雷特的信中写道：

> 我敢说你肯定知道在农村有多少淫秽的恶习……这里永远都有亲爱的老华兹华斯在谈论农村的纯真，反对与城镇的任何交往，免得他的邻居的纯洁遭到破坏。他几乎不知道在城镇里，人民的良好修养带来了怎样的进步、克己和优雅。

不过，农村里的人依然履行了自己的使命。《格列佛游记》中的巨人国国王
155 认为：“谁能使原本生产一串谷穗、一片草叶的土地长出两串谷穗、两片草叶来，谁就比所有政客更有功于人类，就对国家的贡献更大。”1816年，不列颠群岛的人口为1900万；45年后达到2900万，但他们依然不愁吃喝。

国家的注意力再次转向几乎被遗忘的外交领域。1848年被称为“革命之年”，这让那些希望能有一个世纪和平的人感到非常沮丧。好在这个辉格党内阁中最强有力的成员是帕麦斯顿子爵，他再次统治了外交部。“统治”这个词，意味着他是这个领域的唯一主宰。他精明能干，不知疲倦，外表鲁莽，内心狡猾，在特别的情况下极为严肃认真。1847年初，局面就开始紧张起来，威灵顿公爵首先预言了晦暗的前景。他私下写信给一位同僚，谈到英国处于毫无保护的状态下，随后阴差阳错地，他的信被泄露给了新闻界。公众知道了“海岸上没有哪个地方，是步兵在任何潮汐、风和天气状况下都无法登陆的；也没有哪个地方，可以让那群登陆的步兵在方圆5英里内找不到一条深入国内的道路”。他的话立即引起了恐慌，这是不可避免的。事实上，英国有一段时间似乎都对外交事务保持漠不关心，直到事情迫在眉睫、无法缓解。

当革命触及法国、德国和意大利时，混乱进一步迫近了。2月，当路易·菲利普禁止反对派私下举行某些集会之后，纵火和斗殴就充斥着巴黎的大街小巷。军队向人群开枪，随后发生骚乱。按照维克多·雨果的说法，当路易摘下假发时，“就是一个普通的商贩”。他化名史密斯，逃到英国，

法兰西第二共和国宣告成立。3 月，柏林人民起义，普鲁士亲王威廉也逃到英国。巴伐利亚的路德维希一世被迫让位给他的儿子。奥地利皇帝斐迪南 156
一世离开维也纳前往因斯布鲁克，随后逃往摩拉维亚。匈牙利要求从奥地利独立。波希米亚的捷克人要求成立自己的议会。威尼斯和伦巴第也奋起反抗他们的旧帝国，教皇在伪装下逃离罗马。但随后形势急转直下。

起义军一个接一个地被旧军队打败；民族关系被利用，马扎尔人的枪口转向了斯拉夫人，而不是他们共同的旧帝国敌人。统治者一个个蹑手蹑脚地回到他们的宝座上。这可能就是潘趣先生所说的“欧洲精神病院”里的疯狂时刻，刘易斯・纳米尔则将其描述为“未能扭转历史的转折点”。也许更好的说法是：变革和自由的雄心超出了所能动用的力量。1848 年中间阶层和劳动人民的领袖成了 1849 年的烈士和囚犯。

在欧洲，自由暂时的激增没有什么影响。它让路易・拿破仑变成了法国的最高统治者，他在建立法兰西第二帝国以前，曾作为法兰西第二共和国的总统主持过一个不温不火的政权。革命之年也促使俄国人更加卖力地干涉匈牙利，在那里他们面对的是不屈的共和国英雄拉约什・科苏特。英格兰的内阁和王室都不希望科苏特在流亡期间拜访帕麦斯顿，但这位政治家现在正是人民的偶像，他的回答是，他可以邀请任何喜欢的人去他家。枢密院文书查尔斯・格雷维尔抱怨帕麦斯顿说：“他的演讲充满了对激进倾向的浮夸召唤和对民主的阿谀奉承，令人厌恶，而且充满危险。”

帕麦斯顿就像生活在烈火中的火蜥蜴一样，向各个王室和政府都发去措辞强烈的外交信函，这不符合维多利亚和阿尔伯特的口味，他们从本质上来说都想维护旧秩序，而这正是科苏特想摧毁的。英格兰王室对外交大臣的抱怨是持续而苛刻的，但帕麦斯顿已经养成了无视和满不在乎的习惯。迪斯雷利把帕麦斯顿写成了《恩底弥翁》（1880）里有些许伪装的罗汉普顿伯爵：“在小事上，他和善亲切，很好讲话；但面对重大的利益和荣誉时，
他就会表现出权威……他是一个真正只关心公务的人……但他总是爱开玩 157
笑，以一种戏谑的精神来逃避现实。”然而维多利亚眼中的帕麦斯顿并非如此，她告诉罗素：“他的行为并不总是很坦率。”这是在优雅地变相称他为

骗子和伪君子。

最接近爆发革命的时刻发生在1848年的春天，当时一些宪章派在肯宁顿公地组织了示威游行，其目的是再次向议会提交关于实现普选和无记名投票的请愿书。参加游行的总人数并不确定，但肯定没有宪章派所说的50万人。他们被禁止携带请愿书向威斯敏斯特前进，其领导人费尔格斯·奥康纳在人群散去时乘坐一辆出租马车前往议会。这次他们没有争取到显著的胜利。

然而，当局事先采取的特别措施却造成了恐慌。骑兵和步兵驻扎在横跨泰晤士河的桥梁两侧，船只准备就绪，大炮架设在白金汉宫和英格兰银行外；17万名志愿人员被招为特种警员，他们配有警棍和白臂章。显然，英格兰对革命的恐惧和欧洲的一样真实。但人群就这样消散了。这实际上终结了一切革命政党在英国的前途。

但麻烦并没有结束。1848年夏天，青年爱尔兰运动效仿欧洲的革命，发动了一场考虑欠周、不合时宜的革命。它演变成叛乱分子和警察之间的一场持续了几个小时的射击比赛，直到最后叛乱分子受伤撤退。这些人被困在麦考马克夫人的房屋内，这场闹剧被称为“寡妇麦考马克的卷心菜地之战”。叛乱突然间就完全崩溃了，这是唯一让人惊讶的地方。英国政府的本能反应仍然是愤怒。罗素在1849年写道：“我们给了爱尔兰拨款、租借、捐赠、工作、访问，给了他们衣服和数百万英镑的金钱，年复一年的辩论，
158 等等——他们唯一的回报却是污蔑和叛乱。”他说出的这些话不难理解，却毫无道理，此刻他早已忘记英国人对爱尔兰几个世纪以来的蔑视和野蛮对待。英国人很容易忘记和原谅自己的野蛮，爱尔兰人则从未忘记。

1848年，麦考莱的《英国史》前两卷出版，其序言宣称：“我国在过去160年中的历史，很明显的是物质、道德和智力进步的历史。”这是一个很好的例子，可以说明教科书上的历史和现实世界往往大相径庭。人们普遍将其称为“对历史的辉格党解释”，它对于那些容易对国家未来产生严重怀疑的人来说，是一种精神上的安慰。

这里，我们可以用自由党一词来代替辉格党了。这个新词最早是在19

世纪 30 年代被使用的，但当时其含义并不是太清楚。自由党受制于党内领导力的弱小，约翰·罗素就是一个最近的例子。他们渴望加官晋爵，但到了高位却又什么也做不了。罗素也很有自知之明，承认他的政党需要皮尔和皮尔派保守党的加入来给予他们力量和信心。1848 年，有大约 50 到 60 名议员决定提出一项政治纲领，把自己归入激进分子行列，这令自由党陷入窘境。这些激进分子在未来究竟是对手还是盟友？似乎没人可以确定。罗素的声誉逐渐黯淡下去。1847 年的选举只是强调了这样一个事实：他之所以能出任首相，完全是因为他的保守党对手在内部仍然致命地分裂成了自由贸易拥护者和保护主义者两个派别。

自由党无论如何也与民主主义者无关，他们有半数的当选议员都是地主或地主的儿子。他们认为自己是一个建立在过去的经验而非政治现实的基础上的主要执政党。到 1886 年，《双周评论》写道："就在几年前，这个名字［辉格党］还是一种骄傲的吹嘘，一种世袭的记忆，一个伟大政党的标志；现在它变成了一种历史回忆，会令人想起颜色和呼喊，想起代表该党的米黄色和蓝色……"

还有一种现象与 1848 年密切相关，那就是唯灵论。囊括了各种悬浮、
鬼怪、灵魂、桌上通灵术、扶乩术、心灵感应和阴影照片的唯灵论，成了 159
颇为时髦的学术讲座和电学实验。乌托邦社会主义者是这些方法的早期学习者，但科学家和政治家随后也被这些新的思潮所吸引。工党的许多初期创始人都是神秘主义者。"如何解释这一时期席卷这个国家（甚至还有其他国家）的一波波思潮"是一个很好的问题——无论是有关电学的、催眠术的还是宗教的。1875 年的神学运动是这种精神追求的一部分，托马斯·希尔·格林倡导下的牛津理想主义者的崛起，詹姆斯·哈奇森·斯特林于 1865 年出版的《黑格尔的秘密》也是如此。这种理想主义和觉醒之风是从哪里来的？这是无法得知的，但这种风气有可能是对狄更斯笔下葛擂硬先生生搬硬套的那种"冷酷现实"教育理论的反动，也是对维多利亚时代关于自由贸易、利润和损失、工作小时等目的和内容高度确定的教条的反动。在同样的精神感召下，在同一时期，基督教社会主义在坚定和虔诚的年轻

人中兴起，他们显然反对维多利亚时代的唯物主义。有人认为，维多利亚时代圣公会的信条与上帝的法则直接抵触。生活的法则应该高于劳动的法则。金钱关系是魔鬼的杰作。

有个人悄悄走进下议院的走廊，好似魂不附体，他就是迪斯雷利。他默默地走着，绝不左顾右盼，而是永远弯着腰，目光投向地板。1847 年，《弗雷泽杂志》的一位记者评论道："哪里都能看到他，他无声无息地从你身边掠过，显然没有注意到任何外界的事物，就像是个影子而不是真人。"该记者又补充道："当他说话时，他同样沉浸于自己营造的气氛，专注于自己脑海中燃烧的想法。"如果有人想打断他，他要么干脆无视，要么"以极不耐烦的态度，甚至是咆哮"来制止对方。当他坐在会议室时，"头部僵硬，身体紧缩，手臂紧贴着身侧，仿佛是一个机器人，或是像古埃及的石
160 雕像那样永恒地静止"。然而，与此相对，他的演讲显得粗心和傲慢。他装出了一副不在乎任何人的样子；但事实上，他很谨慎，总是在计算。

随着皮尔的退出，理论上仍是贸易保护主义者的迪斯雷利成为候选领导人。他并非很多人的首选。古怪的外表，以及用语咬字都极为刻板清晰的英语，让他得了一个"外国人"的错误绰号。很多人叫他"犹太人"，他知道，但并不介意。也许相比另一个绰号"迪奇"（Dizzy，原意为头昏眼花），他还是更能接受前一个。随着一位重要的保护主义者爱德华 · 斯坦利勋爵（1851 年成为德比勋爵）进入上议院，迪斯雷利不得不开始忍受在闷热和尘土飞扬的下议院战斗的痛苦。他天生是个现实主义者，因此保护主义这个时髦主题已经让他感到兴味索然。再继续下去，他什么也干不了，哪里也不能去。他对这件事保持着温和的态度。自由贸易已经成为王国的信条，保护主义已经没有意义了，它肯定是一个累赘。

迪斯雷利保持着乐观态度。1949 年 2 月，他向他的妹妹宣布："在经历了许多艰难困苦之后，我成了一名领导者。"这几句话解释了过去发生的很多交易、妥协和背信弃义。迪斯雷利最终成为保守党中最为精明和雄辩的人。他也得到了来自上议院的保守党领袖的支持，即便他们对他不算钦佩。爱德华 · 斯坦利勋爵来自一个受人尊敬的高尚家族，他会尽到支持同僚的

本分，但不清楚他是否会给予更进一步的帮助。

时代的图景越来越复杂。1849 年 8 月，维多利亚女王访问爱尔兰并受到热烈欢迎，尽管这个国家刚刚经历了种种可怕的事件。当她在科克上岸时，一位老人喊道："啊，亲爱的女王，封这些人中的一个为帕特里克亲王，爱尔兰将为你而死。"女王穿着爱尔兰亚麻布，上面装饰着三叶草。她买下了怀特岛上正在重建的奥斯本宫，她说："我的成长经历与大家完全不同，我从未有过自己的房间，从未有过沙发和安乐椅，连地毯也没有一条是新的。"这个时期，整个英格兰正沦陷在霍乱之中，每周有多达 2000 人死亡。所有人都在猜测，这种"发酵般的"发热是通过发酵来传播的。医 161
生约翰·斯诺将霍乱暴发的源头追溯到了索霍区一条被污染的水管上。

1850 年 6 月底，罗伯特·皮尔爵士的马在宪法山的路上滑倒了。他坚持了一会儿，但最终伤重不治。尽管皮尔多少已经放弃了政党政治，这仍然是政治体制的严重损失。他赞成将政府从保护主义中解放出来，但并没有超出这一范围的野心。阿尔伯特亲王非常钦佩他，并试图以同样的效率和可称为现代性的方式来管理王室事务。

皮尔的死亡包含了一个谜题：谁有这样的资格和气度可以取代他成为自由贸易的领袖？格莱斯顿在皮尔的一生中始终追随他，他说皮尔"有一种别人都没有的权威"。他还意味深长地说，"自他去世以后，下议院的道德氛围就起了变化，现在已经大不相同"。皮尔带来了某种内敛和稳重的理性力量，无人可与他相比，甚或是仿效他。

就在皮尔出事 3 天后，一位最令人敬畏的英国政治家在"唐·帕奇菲科事件"中取得了可以说是他最伟大的一次胜利。帕奇菲科是一位出生在直布罗陀的犹太商人（因此也是一名英国公民），他在雅典的房子被一群反犹主义暴徒抢劫和烧毁了。如果换成是另一名大臣，可能就会用会议和妥协来冷却头脑。但经过几个月毫无结果的谈判后，帕麦斯顿子爵命令英国军舰扣押希腊船只并组织封锁，以确保希腊支付赔款。这不是通常会采用的程序。女王非常愤怒，因为她没有得到事先的警告或建议，也因为帕麦斯顿为了一个人而将整个国家置于危险之中。总之，外交大臣必须辞职。

阿尔伯特亲王很快就理解了这一事件，他在1950年春天给罗素的信中写道："他的大胆和灵巧令公众感到高兴；如果之前的事情如此糟糕，他接手过来也可以将其变成自己的优势。"

帕麦斯顿比冰还要冷静。他现在还不需要辞职，他对女王没有特别的
162 敬重，也从来不会故意迎合她的情绪。他在下议院发表了5个小时的演讲为自己辩护，阐述英国政府的职责是"为我们在海外的同胞提供保护……就像古代的罗马人，只要他说出'我是罗马公民'，就可以免受侮辱"。议会上下两院正因大英帝国的扩张而深感困惑和紧张，而这番话正好说到了他们的心坎上。帕麦斯顿以46票的优势赢得了辩论。

1851年底，法兰西共和国总统路易-拿破仑·波拿巴接管了整个国家机器，并监禁了他的许多对手，以便为自己登上法兰西第二帝国皇位、成为拿破仑三世扫清道路。在英格兰，女王夫妇和首相都认为不应对此发表赞扬或指责的意见。但这不是帕麦斯顿的行事方式。他让大家都知道，是他支持了路易-拿破仑，法国局势才必然如此。女王夫妇已经对此忍无可忍，当帕麦斯顿在没有征求他们意见的情况下祝贺路易-拿破仑的成功时，事情变得非常严重。情况最糟糕的时候，阿尔伯特轻蔑地称他为"浮石"（Pilgerstein）。正如首相约翰·罗素所认为的那样，骰子已经掷出去了，他的首相一职要是还想干下去，只能换一位外交大臣，或者干脆不要外交大臣。于是他命令帕麦斯顿辞职。

但罗素可能看错了那个人，帕麦斯顿不想这样悄无声息地离开。他倒戈加入了以喜欢骑马而闻名的德比勋爵领导下的保守党。"帕麦斯顿出局了！"1851年12月23日，查尔斯·格雷维尔在日记中写道，"的确是无可挽回地出局了。昨天下午，我差点从椅子上掉下来……"格兰维尔勋爵是帕麦斯顿选定的继任者，女王指示他在罗素勋爵的帮助下制定一套一般性的事务处理规范。

皮尔的突然辞世令人不知所措。X先生会接过皮尔派领导的大旗，而让Y先生陷入麻烦中吗？抑或M会通过进入上议院来挫败他们？如果这样，那N先生又该怎么办呢？"这就是内阁活动和政治进程的混乱，"潘趣

先生写道，“所有人都在互相拜访。”帕麦斯顿在王室的不断施压下解职后， 163
他发誓要尽快给“约翰尼”·罗素好看。1852 年 2 月，罗素提出了一项《民兵法案》，而当帕麦斯顿成功地提交了一份修正案时，罗素辞职了。这就是帕麦斯顿的复仇。德比勋爵以非常圆滑的态度成功地接任了这个并不稳固的首相职位，他的保守党政府为保护主义者和皮尔派所撕裂。

另一场危机已经浮现。1850 年秋，教皇被他的法国盟友护送回到梵蒂冈，随后他发表了一份《重建和扩大英国天主教信仰》的简短声明。英格兰和威尔士被改造成十二个教区，站在伦敦游行队伍最前面的亨利·爱德华·曼宁不久将成为大主教，然后是红衣主教。这引发了巨大的愤怒，女王认为这是对她的统治的侮辱，而那时的首相约翰·罗素勋爵也排斥曼宁，认为他是一个野心勃勃的改宗者。

在一封写给杜伦正教主教的信中，罗素谴责教皇的干预是“傲慢和阴险的”。罗素很清楚，女王一向觉得他是个小人物，他需要做点大事来提高地位。现在他找到了这样的事，就不打算放手。1851 年，女王在议会开幕仪式的讲话中，宣布了她的“决定，即维护王权和国家的独立不受来自任何地方的侵害”。所有人的目光都转向了梵蒂冈的教皇居所。罗素随后提出了一项议案，禁止天主教牧师和神职人员获得领主头衔，并且必须归还世俗的礼物。

人民对此感到高兴，选民尤其如此，而这正是罗素所计划和期待的。事实上这不过是洗礼池里的一场小风暴，没有造成什么影响。但“反对教皇！”的呼声却使英国人团结起来，无论他们是穷人还是富人，是有教派的还是中立的。街上的小贩和清洁工都知道抗议歌曲的全部歌词，很明显的是，教皇会成为 11 月 5 日“篝火之夜”中被烧的玩偶假人中领头的那一个。

教皇发表这封信时，英国圣公会内也出现了越来越多的沮丧。老派的教会人对英格兰教会中越来越多的形式主义倾向感到不满。他们的法衣和奉香炉者都是外道的。沙夫茨伯里勋爵说，他“宁愿和吕底亚在河边的堤岸上祈祷，也不愿意和一百个穿白色法衣的牧师一起在圣巴拿巴的神庙里 164
敬拜”。在皮姆利科新建的圣巴拿巴教堂是一座有关天主教仪式的宝库，它里面有一个木制的屏风，会把参加仪式的神职人员和会众分开。教堂里有华丽的布匹和珠宝，这一切都被不信奉国教者称为撒旦的外衣。因为它，反对教皇干预的呼声愈加猛烈了。沙夫茨伯里勋爵写道：“这是一场多么令人惊讶的骚乱啊！它毫无减弱的迹象，在所有城镇，在全国每一个地方，集会一场接着一场……它就像一场席卷全国的风暴……似乎所有的舆论都淹没其中了。”本杰明·迪斯雷利是个敏锐的观察者，他写信给伦敦德里勋爵：“你觉得怀斯曼红衣主教怎么样？连农夫都觉得，是他们，而不是他们的猪，应该被活活烧死，然后运到史密斯菲尔德的肉市。”

英格兰的天主教因为和爱尔兰有联系也受到了影响，而这又增加了民众反教皇的情绪。格莱斯顿的政治盟友威廉·哈克特爵士写道：“在以前的爱尔兰叛乱中，爱尔兰人还都在爱尔兰。现在，在美国也出现了一个爱尔兰民族，这些人同样充满敌意，而且有大量金钱，绝对令我们鞭长莫及，并且到我们的海岸只要 10 天。”人们认为爱尔兰移民同样威胁到英格兰。在《潘趣先生》中，一位虚构的幽默作家说，他在面对伦敦贫民窟的“爱尔兰耶胡”时，察觉到了丛林里的大猩猩和“黑人”之间那种“缺失的联系”。《伯明翰之星》评论说，“菲尼亚兄弟会”是“一群精神错乱的人，他们来自最底层，会偷偷集结在偏僻的地方进行军事训练。‘撒克逊人去死吧’理所当然地成了他们的口号和目标，但在杀戮之后应该做些什么，无论是他们还是其他什么人，都没有过一点点考虑”。这是 19 世纪英国最深刻的忧虑之一。有些统计数据反映了爱尔兰人和犯罪之间的联系，并进而加深了这种忧虑。从 1841 年到 1861 年，到英国来的爱尔兰人增加了 3 万人，这只能使敌意更甚。人们不需要统计数据，而只认同当地的观察，兰
165 开夏郡南部和伦敦是受影响最大的地方。然而，到该世纪下半叶，仇外的矛头转而指向了伦敦东区的犹太人。总得有个敌人，藏在不知什么地方。

罗素提出的《教会圣职法案》以高票获得通过。20 年后，它被废除了，没有起过任何作用。1851 年议会休会期间，威廉·尤尔特·格莱斯顿前往罗马，但他不是为了去亲吻“渔人权戒”，而是为了调查这个地区的政治问题。根据他的第一位传记作家约翰·莫利的说法，他也被卷入“欧洲辉格

主义的大潮中，而这股潮流注定要把他带到这里”。

他去了那不勒斯，表面上是一次愉快的旅行，但他找机会参观了那里的监狱和囚犯。他对眼前的景象深感震惊。那里到处是污秽和悲惨，“从生病的囚犯的脸上就可以看到死亡”。他决定提请英国新闻界注意那不勒斯冷酷的不公，从而去纠正和终结这些不公。这是他第一次表现出在任何地方都会秉持的道德上的认真态度。他怀有一种热忱的理想，对于改革有着一种近乎激愤的意愿。

于是，帕麦斯顿在与罗素针锋相对的抗争中取得了成功，而德比伯爵成为不知所措的保守党胜利者。迪斯雷利曾称帕麦斯顿为“一个筋疲力尽的江湖骗子，充其量只是姜汁啤酒而非香槟，现在则是一个涂脂抹粉的喜剧老头”。然而，喜剧老生会变成丑角，而一个渴望复仇的丑角的出现应该是要避免的。罗素也因此失宠了。 166

# 14

# 最华丽的景象

现在，公众的目光已经转向公园里的那座水晶宫了。之前从未有过这样的东西，一座透明的宫殿里放满了令人惊奇的机械和电力装置。有的人称之为世界第八大奇迹，而此时的伦敦已经比雅典或罗马更加伟大了。

1851 年 5 月 1 日，大约 50 万人聚集在海德公园，见证女王主持的万国工业博览会的开幕仪式。她在日记中写道："从铁门瞥见的挥动的手掌、鲜花、塑像、挤满了画廊和座位的人，还有在我们进入时响起的华丽的号声，都是让我们永生难忘的盛景，我被深深打动了。"她的丈夫协助监督了这座伟大殿堂的拨款和建造的全过程，也许是希望通过这场展示英国国力和创造力的全民庆典来拉近君主与人民的关系。

据报道，世界各地总共送来 10 万余件珍奇异宝。展览致力于表现四个方面：一是对于地球资源的勘查，二是机械发明，三是制造业，四是雕塑
167 和造型艺术。2000 多人对 2000 根铸铁梁、3000 根柱子和 90 万平方英尺的玻璃进行了加工；这座闪闪发光的大厦是由 4000 吨钢铁和 400 吨玻璃构成的。它东西长 1851 英尺，南北宽 408 英尺，内部高度为 128 英尺。建筑各处细节的样式，包括穹顶、耳堂、正厅、连廊，都像极了大教堂。在 27 英尺高的水晶般的喷泉映照下，大约 30 万块玻璃闪闪发光。展览馆建在一座

缓丘之上，这样从西侧入口一进来就可以将内部一览无余。

这次展览吸引了600万名游客，并就此为维多利亚时代的人们感受最强烈的铺张奢华定下了基调。25000张定期票提前出售，最初日常入场费是5先令，后来还出现了“先令日”这种面向“穷人的东西”。展品包括火车头、显微镜、空气泵和照相机，不过几棵原本在海德公园的榆树在大玻璃房里伸向天空的景象，算是最壮观的奇迹。在19世纪中叶，神话和物质世界的进步还没有明确的划分。“技术”是新生事物，还没有独立成为一个门类，人们将其视为“艺术”的姐妹。硫化技术（vulcanizing）得名于火神伏尔甘（Vulcan）。新的制造技术本身就是个神奇的东西。铸铁是这个年代最常用的材料，但这里有些时髦的地方也用上了瓦楞钢和镀锌板。

展览馆的色彩是绚烂夺目的——蓝色、白色、黄色的垂线，蓝色、白色、红色的弯梁，红色、白色、黄色的屋顶线条。这是一项十足的现代设计，从室内照片可以看出它与通常昏暗模糊的维多利亚式房屋内景形成了令人惊讶的对比。这些照片让人感觉这不是一场展览，而是一家集市或百货公司，也许是一家“福南梅森”。也有游客会感觉它像一个巨大的火车站，而那里的确摆放着新的火车头。人们已经能够感受到下个世纪的“大众市场”那种繁荣的氛围或情境了。

游客们普遍感到兴奋，这种感受驱散了18世纪90年代的末日气氛、19世纪30年代的农村动荡和19世纪40年代的政治争吵。他们可能也忘了 168
爱尔兰的饥荒和宪章派的集会。首都似乎笼罩在一片祥和之中。牧师率领着整个教区来到伦敦，军官带着士兵、舰长带着水手也一起来了，老师带着学生一起来了，工厂主带着工人们一起来了。《伦敦新闻画报》有一幅名为《乡下人参观展览》的漫画，但它并没有讽刺或愤世嫉俗的意思，而只是表现了老老少少满脸惊奇地徜徉于展厅。一般的伦敦人也对工厂中的技术变化知之甚少，这次展览无论如何是一次巨大的惊喜。

《实用艺术百科全书》的一名撰稿人写道：

在整个万国博览会期间，所有人都以惊喜和钦佩的心情记住了这座大城市的形象……一些悲观的人认为，即便没有发生革命，也会有混乱、动荡和沮丧，还有一些人十分自信地预言了瘟疫和饥荒，但这些都没有出现，伦敦表现出了极佳的秩序……就像是一次大型的野餐。

这可以被看作“展览”更深层次的意义，那就是展示英国人民的和平本质。这是一件了不起的事情——600 万人，几乎没有发生任何暴力事件。维多利亚时代的人们一旦想到聚集的人群就会联想到暴力，但海德公园的景象与此无关，它驱散了十多年来凭空积累的恐慌。总体的“人民”似乎一点也不危险。士兵和警察准备好了武器，但并没有用得上。这可能是整件事情最重要的方面。这就是制造这个玻璃蜂箱的时代背景，它本身也是一件展品，人们可以在其中思考人群的纪律与协作。

群众可能是被一座从未梦想过的水晶宫殿所打动的，他们瞥见了未来和进步，仿佛就在那座小山丘上。这与那种伴随着那个年代的热情努力而来的独特乐观精神有关。查尔斯·金斯利说得最好，他在展览开幕的那一
169 年分卷出版的小说《酵母》中写道：

> 看看你周围，看看你的国家和你这一代人在这一时刻的特点是什么。即便处于无数的谎言和混乱中，他们还是那么渴望、那么期待能更高贵、更像骑士、更像上帝！正是你眼前那位商贩唱出了他关于“美好时代正在降临”的信念，还有流浪儿和千禧年信徒在心里的回答：“的确如此！”

玻璃宫殿本身也像一台机器那样运转着，将来自自然以及各个国家的产品分门别类。一位假发制造商抱怨说，他的产品被从“艺术”门类中移除，归入“主要在工业生产中被用作器具或装饰品的动植物材料”这个类别。假发是艺术品还是装饰品？这个问题一直没有得到解决。许多展品群组和子群组就像展览馆里的榆树那样繁复巨大，一些令人难以置信的组合表明了方案的多样和多变性。大厅外面放置了一块重达 24 吨的煤，以此作为英国物质财富的象征；在它旁边则矗立着一尊巨大的理查一世骑马的雕

像，以作为国家伟大的象征。罗马大理石雕塑《垂死的角斗士》被放在内史密斯的蒸汽锤旁边。一把折叠刀和一架绘图望远镜被放在了一起。观众可能会被英国机器的胜利所震惊，因为那里有每分钟生产 80 支香烟的卷烟机，有能在线路另一端复制文件的抄录电报机，还有能在任何时间把睡着的人扔到地板上的“无声闹钟床”。缎带堆在丝绸上，挂毯压着地毯；装饰板和精雕细刻的家具，瓷碗和象牙，都麇集在一起。有崇拜者，也就有批评者。《人民评论》的一篇文章说，在这个地方，“我们有假古董……假的石头构件和装饰；假的石柱……”这是 19 世纪的弊病之一，它被卡莱尔、罗斯金等人所谴责，他们在当时就看到了人们有做伟大工程的欲望，却没有实现它的才能。尽管取得了机器和技术方面的成就，但人们还是有一种空乏的感觉，一种失落的感觉，那不是靠蒸汽锤或者电报能够纾解的。 170

当然，博览会也受到了那些讨厌新奇事物的人的攻击。有人说，大厅会在自己玻璃的重压下倒塌，或者在一场雷暴之下化为齑粉。要是人们在这个巨大的温室里被活烤了该怎么办？有人说，这只是一个鼓吹自由贸易的广告，是一次对公众的巨大的欺诈。另一些人则哀叹展览馆对于伦敦最重要的公园的影响：那里的草以后可能再也不会生长了。群众聚集在一起不会引发流行病吗？不过，争议的重点还是在于展品的庸俗。这种声音到 20 世纪初期还有回响，那时维多利亚风尚又被认为是过时的了。里顿·斯特拉奇在《维多利亚名人传》（1918）中精准地描写过这种情绪。

不过，即便是在博览会举办之前，我们也可以找到幻灭的种子。正如菲利普·詹姆斯·贝利在《费斯特斯》中所写：

> 英格兰作为一个民族，看重的是品位；
> 判断必须恰到好处；
> 我们做得过头，抑或做得不够，我们有所浪费……

当威廉·莫里斯参观展览时，他说里面的展品“非常丑陋”。其他评论家对英格兰本土对这场盛会的贡献印象不深，而法国和美国则格外被认为在各种制造工艺上取代了英国。法国人更精致和有品位，美国人则更有精力和热情。

可以看到，有许多工人是带着他们的家人一起来参观的，博览会可能会让很多人与周围的工业文化和解，这些人原来是把这种文化当作一种破坏就业的因素，对此有所怀疑。夏洛蒂·勃朗特也来到了海德公园的人群中。“它的伟大，”她写道，“不在于某一样东西，而在于所有事物的独特组合。人类工业创造的东西，无论是什么，你都可以在那里找到……似乎只有魔法才能从地球各个角落收集到这么多财富。”这一次，维多利亚时代的
171 人们又自然地用起了“魔法”和“魅术”这类形容。这是他们情绪丰富的标志，也反映了他们对新奇事物的敏感。“我走进了大楼，”麦考莱写道，“这是最美丽的景象……它超过了阿拉伯的浪漫梦想。我想古代的帝王们不可能营造过如此壮观的场面。”

藏品数量的巨大令参观者惊叹。虽然个别展品可能满足不了崇高的趣味，但维多利亚时代最重要的任务之一是创新。女王青睐的展品之一是一台制作信封的机器，它每分钟可以折叠和粘贴 60 个信封。这台机器之所以令她着迷，也许是因为它是这个不断侵入人们生活的机器时代的家庭版本。无论好坏，这都是对维多利亚时代英格兰的灵魂的窥视。梦幻般的机器智慧和专业知识，促使一些人开始追求想象中的东西。这次活动伴随着一股新奇发明的展览热潮。在莱斯特广场东侧建起的大厅中放着一个潜水设备，一个“真空镀膜烧瓶”，还有“极光生发器”、“燃气烹饪设备”、“专利花边缝纫机”以及“墙纸生产技术”。

1851 年也是进行全国人口普查的年份，中间阶层人数持续增长看来确是事实。不断扩大的选民群体中有一大部分是职员、店主和商人，水管工、油漆工、玻璃工，还有橱柜制造商、室内装潢师和印刷业从业者的人数越来越多。20 年来，“铁路雇员”的人数增长了 2 倍，钢铁行业的搅炼工、锻工、模具工也是一样。发展似乎没有尽头。这一年也是大多数英国人到城市生活的第一年。因此，如果博览会是作为一种消除国内和社会恐惧的方
172 法而被举办，那么从目前来看，可以说它是成功的。

# 15

# 杀戮欲

在约翰·罗素勋爵被帕麦斯顿搞垮下台后，人们曾于1842年2月尝试过组建政府，当然那只是无休的一连串尝试中的一次。似乎没有一个候选人能够组建起一个时长超过一天的联合政府。德比勋爵，一个继承了他父亲头衔的托利党人，作为一个最无害的人选被推荐给了女王。他急不可待地上任，但发现很难组建一个高质量的内阁。他向女王暗示可以起用帕麦斯顿，但女王的回答是："如果你这样做，他就会一刻不停地努力，直到变成你的主子为止。"这一类话属于对她的首相非常有用的直接建议。

德比仔细审查起了一份可能的内阁候选人名单，当时他本应在先前就表示："这些名字我是不能呈给女王的。"他已经远离了保守党的领导层，皮尔的内阁成员没有一个被点到的。最后，又经历了一阵短暂的在野后，他成功地达到了目的。当这些名字在议会被宣读时，耳聋的威灵顿公爵一直在大声地耳语，询问那些人是谁。"谁？"他问道，"谁？"所以这届内阁被称为"谁谁内阁"。最引人注目的事情也许是本杰明·迪斯雷利被任命为
财政大臣。当坦言自己并不具备金融方面的专业知识时，他被安慰说不用 173
担心，因为"他们会给你数字的"。

德比展现了一套和帕麦斯顿完全不同的风格，主要是"不放纵自己肆

意辱骂”。这种作风的目的是明确的。时代已经陷于混乱，而德比决心保护目前的体系免受日益激进的世界的威胁。《每季评论》指出，“我们谦卑但极为真诚地”希望新政府“避免一场民主主义或社会主义的革命”。威灵顿公爵向爱尔兰政治家克罗克吐露道：“对我们这些职业生涯接近尾声的人来说，能免于看到周围沦为一片废墟是一种安慰。”有趣的是，即使是最有经验的评论家也会通过自己的恐惧和幻想来解释政治。不可否认，在一个被极度贫困和巨大财富深深割裂的社会中，一方必然会有怨恨和愤怒，而另一方则会恐惧和颤抖。托利党人罗伯特·塞西尔（后来成为索尔兹伯里勋爵）写道：“在现实中，英国宪法与试图颠覆它的民主力量之间的斗争，如果用最简单的要素和最朴素的形式来说明，就是那些想保住既得利益的人和尚未取得利益的人之间的斗争。”

当时的一份出版物更是让这团火燃得更旺，即便它没有成为熊熊烈焰。1851 年，亨利·梅休的《伦敦劳作与伦敦贫民》以多卷本形式出版，通过纯粹的痛苦、惩罚和瘟疫的角度剖析了这座城市的恐怖。许多儿童在肮脏和传染病肆虐的环境中死亡；受到伦敦污秽和恶臭毒害的人们明知死亡即将到来，却无计可施。梅休也写了城市贫民的可怕故事。“当我回到出租屋时，他们告诉我她已经死了。我口袋里有 6 个便士，但是我想到失去了母亲，还是忍不住哭了起来。我现在想起来也还会哭。我没有等着看她下葬，是自己动手的。我一直到现在都在乞讨，非常虚弱，快饿死了。我愿意做
174 任何事情来摆脱这种痛苦。”这已经超越了狄更斯笔下的痛苦。在这个国家中还有一个国家，那里的人与有历史记载的外部世界没有联系。他们没有宗教信仰，没有国家意识，不知道谁是统治者，甚至没有真正的自我意识。他们是我们的祖先，寂寂无闻地生灭于一个只有痛苦和疾病的世界中。另一场致命的霍乱大流行激起了查尔斯·狄更斯的愤怒，他在自己的杂志《家常话》中宣称，当局的无能意味着“他们在上帝面前犯下了大规模的谋杀罪”，要是再发生一次，“你们将看到这个国家会发生一场巨大的震动，其严重程度是自参孙推倒头顶的圣殿以来从未有过的”。他的愤怒、怜悯和无能为力都溢于言表。

19世纪50年代早期，粮食问题引发的骚乱很普遍，主要发生在铁路系统尚不发达的西部各郡。其他的不满也越来越多。车间工人和矿工一起向雇主提出抗议，不过也许主要问题是他们在下议院的代表人数不足。当新的选民们认为1832年的措施还不够充分时，议会改革的呼声又卷土重来。在“革命之年”后，欧洲大陆的改革更为激烈了。拿破仑三世为了让法兰西第二帝国更为巩固，赋予了男性公民普选权，但这并非威斯敏斯特的贵族们所要效仿的榜样。

这一时期议会也不平静，从1852年至1867年的15年中，没有一届内阁是因为大选而下台的，他们全都是因为内部强烈的分歧而失败的。外界的压力远没有内部的压力致命。1852年11月4日，新议会开幕，但接下来花了2个多星期来准备威灵顿公爵的灵车，并下令举行葬礼；威灵顿在9月就去世了，但人们认为在议会没有表达敬意的情况下就把他埋葬是不合适的。

人们普遍认为新政府不可能持续很久，德比决定以一场夏季选举来结束悬念。阿盖尔公爵写道： 175

> 1852年对于议会各党派而言是非常重要的一年，但他们却极度缺乏那种本来应有的崇高旨趣……当人们确信保护主义复辟的所有危险都已经过去的时候，除了个人感情和一些长期持敌对立场的团体外，已没有什么能阻止所有支持自由贸易的派别团结起来组成一个强大的新政府了。整整一年，大家都在无休无止地访问和通信，以期实现这个愿望。

那年夏天的选举又一次得到模棱两可的结果，辉格党获得了更多的选票，保守党获得了更多的席位，普遍的共识则是要把德比的政策继续延续下去。帕麦斯顿在他的一次竞选演讲中提到：在法国，酒店老板会给酒店起名“新白马”或“新金十字”，而在英国，这些名字无疑会变成“老白马”和“老金十字”。这是对英国人性格的敏锐观察。人们通常认为德比只是一个傀儡，但实际情况似乎并非如此。维多利亚女王曾对比利时王后说："我们熟悉的人差不多就只有德比勋爵，但那时他就是政府。没有他，那帮人什么也干不成。"她对德比的同僚们并不放心。她告诉利奥波德国王，德比"有个不怎么样的内阁，不过我认为，他们有必要经历一点磨难，再想办法去克服它"。

迪斯雷利作为德比政府的财政大臣，必须要把保护主义的枷锁从托利党的脖子上挪走。他审慎而从容地采取措施，提出了一系列建议，以降低土地税，并借此来调和农业利益和自由贸易。他不得不去申辩、解释和开脱罪责。多萝西·内维尔夫人认为，他的全部努力都是为了"把一辆载满乡村绅士的公共马车拖上坡"。他秉持的低税收和低政府支出的中央财政政策与其伟大的自由党对手威廉·尤尔特·格莱斯顿的相差并不太远，但迪斯雷利实现这些政策的手段有所不同。格莱斯顿从本质上来说是一位道德
176 领袖，有着坚定的原则和犀利的智慧。迪斯雷利的税收政策是出于政治考虑而推动的。基于原则的眼光，格莱斯顿的政策和金融、外交和军事等方面都密切相关，而迪斯雷利的政策虽然和许多方面都有奇奇怪怪的联系，但对它们帮助并不大。他们俩曾经都属于同一个党，即使皮尔更喜欢的是格莱斯顿。

迪斯雷利被任命为首相，这显然是出人意料的。《爱丁堡评论》说："他被指派担任这一职务是我们这个时代国内发生的最令人吃惊的事件之一。人们不厌其烦地猜测和议论他。他是政治舞台上最耀眼的一颗明星。"迪斯雷利从不打算让人失望，他非常希望用1852年12月的总预算案给英国人民留下深刻的印象。

"是的，我知道我要面对什么，"他告诉下议院，"我必须要面对一个同盟。"他指的是皮尔派、自由贸易支持者和各路爱尔兰代表。迪斯雷利花了几个小时来解释和捍卫他的政策，但格莱斯顿对这些措施进行了激烈抨击，认为它们都是毫无意义和投机取巧的，于是迪斯雷利所有的努力都化为了徒劳。两人的战斗是在暴风雨中进行的，阵阵雷声打断了议会里的欢呼声和喝倒彩声。由于之前自由贸易的试行曾经引起过几次令人紧张的局面，

迪斯雷利本来是计划通过他的预算来稳定国家财政的，同时他也希望建立一个更良好的税收制度。比如，削减 50% 的麦芽啤酒税，以此来奖励农业。当他坐下时，格莱斯顿不顾一切地跳起来。“我的大目标，”他写信给他的妻子说：“是向保守党展示，他们的领袖是如何欺骗和迷惑他们的。很高兴，我认为自己做到了。”《泰晤士报》的记者说，格莱斯顿的演讲“自始至终都保持着他特有的真诚，它被投入一种高尚的道德情操之中——一会儿是激昂的愤怒，一会儿是低沉的抗议……”这是格莱斯顿的风格，在过去 25 年中没有什么变化。一位同僚将其描述为“表面上是牛津，骨子里还是利物浦”。

德比的儿子斯坦利记录道：“我永远都不会忘记格莱斯顿站起来回答问题的样子，平时沉着冷静的五官被愤怒的情绪扭曲得不成样子，他的声 177
音颤抖着，看着他的人们都惴惴不安，生怕他做出什么过分的事来。”迪斯雷利的预算以 19 票之差被否决，德比内阁也因此倒台。人们通常认为，是格莱斯顿发出了致命一击，但实际上，迪斯雷利的预算也有着致命的缺陷。“现在我们完全垮台了，”德比说，“现在得为去奥斯本宫辞职的旅行做好准备。”

如果在其他时候，他本可以被罗素和一个自由党内阁所接替，但在罗素和帕麦斯顿发生“针尖对麦芒”的矛盾之后，他们对治理国家都失去了信心，更不用说对彼此了。女王改而寻找皮尔之前的追随者，他们超越于两党之外，获得了“拥有政治家风度”的声誉；他们也恰好是下议院中最有经验的议员。自由党的人数最多，但以前皮尔的追随者更为优秀。

一批人不接受罗素，其他人则不接受帕麦斯顿，阿伯丁伯爵就成了自然的选择。他是“皮尔派”的领袖，在皮尔手下当了五年的外交大臣。女王也喜欢他。他在年底接管了政府，不过有个明确的条件是他会充当皮尔派和自由党的调停人。他和女王的谈话持续了一个小时，主要是因为他们已经达成了某种一致。阿伯丁愿意成立一个内阁，然后远离纷争。这将是他给这个国家的告别礼物。拟定的内阁名单里有很多阿伯丁伯爵的皮尔派旧党，这份名单在最后时刻又被要求做了一些调整。《泰晤士报》热情地宣称："如果说经验、才能、勤劳和美德是这个帝国政府的必要属性"，那么这场政治实验就是成功的。

希望永远保持辉格党或者说自由党的荣誉的罗素，被提名为外交大臣。帕麦斯顿去了内政部，他非常清楚女王不会让他去外交部。帕麦斯顿向其姐夫坦言："过去的12个月里，我一直扮演着一位出色的走钢丝演员，我个人的表演和壮举令公众感到吃惊……到目前为止，还算不错。但即便是
178 善走钢丝的萨基夫人，当她站上绳子并开始表演时，也不会把那里当作栖身之地，还是会谨慎地爬下来以避免跌落。"1852年12月29日，新内阁举行了第一次晚餐会，帕麦斯顿一直保持着微笑。

让我们先把萨基夫人放一边，从理论上说，这是本世纪最有才华和经验的内阁，其成员都赞成适度的发展和自由贸易。格莱斯顿也在其中，担任财政大臣，他被证明是19世纪最好的几位大臣之一。他和迪斯雷利是两种人，后者倾向于提出各种光鲜的主义，而非扎实的政策。格莱斯顿选择财政部，也许就像是抽中了一张预示着逆境的黑桃J。他知道这是一副沉重的担子，但并没有退缩。他已经养成了和站街女交谈之后回家鞭挞自己的习惯，他一直热衷于将这些妓女从她们的职业中"解救"出来，并且在19世纪40和50年代达到了最为执着的程度。不同的传记作者都看出他有"情绪易怒"、"容易绝望"和"私下折磨"的问题，这与后来记述中的"老前辈"的举止完全不同。

随后格莱斯顿提出的1853年预算是最为非凡的，因为它维持了所得税，但降低或取消了所有食品，以及从肥皂到人寿保险、从狗到茶叶的各类物品的税额。他说了将近五个小时，这是有史以来最长的预算演讲。在结束时他宣称：

> 这就是政府的建议。它们可能会得到批准，也可能遭到非议，但至少我有十足且毫不动摇的信心认为：从各个方面来说，我们都没有试图逃避自身立场的种种困难——我们没有向自己或其他人隐瞒这些困难；我们没有试图通过狭隘或脆弱的权宜之计来抵消这些困难。我

> 们已经提出了这些计划，如果你们能够加以采纳，它们将在一定程度上终结许多令人烦恼的财政问题。

正如一位同僚所说，他在“他的青云之路上实现了一次大跨度的腾空跳跃”。克拉伦登伯爵称：“这是人们在议会中听到过的最为完美的财政报 179
告，无论朋友还是敌人都是这么认为。”值得一提的是，格莱斯顿可以提前看清整个一年的情况，这和他的前任大不相同，后者的数学水平只能算清他的出版商挣了多少钱。

这是一个中等繁荣的年代，格莱斯顿对自由贸易主义的敬意鼓舞了人们。英国的出口增长从未像1850年之后的7年那样迅速。这一时期棉花出口的增长率翻了一番。经济自由主义和自由贸易的增长创造了前所未有的需求，并且维持了一个真正的金融新世界生长所需的条件。亨利·海德门是一位把自己的信仰与维多利亚时代的资本主义相结合的社会主义者，他把从1847年到1857年这段时期，与哥伦布和科特斯的地理大发现时代相媲美。维多利亚中期的人们这时见证了“英国式休息日”的诞生，也就是星期六下午休息，这至少对工人们来说很重要。他们可以在周六下午去音乐厅、市场、酒吧或公园，去购物、锻炼、喝酒、调情、社交。许多人把空闲时间花在运动特别是足球上，此时全国的工业城镇都在举行足球比赛。周六下午去看球成为英国男子最重要的社交仪式之一。一位工薪阶层的工程师评论说：“大家都认为星期六是一周中最好的一天，因为这一天的工作时间短暂，而后面就是星期天。”工厂的铃声响起后，工人们放下工具，聚集在车间外，盼望着“全身心地投入到娱乐之中去”。

迪斯雷利曾说过，英国人不喜欢联合——这是这个最喜欢妥协的国家令人惊讶的另一面。但“漂”（drift）这个词也成了常用的热词。在1853年，人们感到国外的形势正在走向失控，俄国人和土耳其人在走向崩溃的奥斯曼帝国土地上的战争已经不可避免。这是命运的先知们大声疾呼的时刻。阿伯丁在1853年6月写道：“我们正在漂向战争。”仅仅一个月后，他再次写道：“我们正在无望地漂向战争。”所以每个人的嘴上都有“漂”这 180

个词。那么，为什么理性、清醒的人会觉得他们自己被裹挟了呢？德比对一位同僚说：“如果这个国家能被唤醒，那就好了，但我们正陷入临死前的致命昏睡。”也许是生活的压力让人感到了迷惘和宿命，也许连最有经验的政治家也不得不举手投降，认为就此迷失在时代的旋涡中更好。

阿伯丁也许是为了和平的艺术而生的，但造化却如此弄人。他从很多方面都是一个难以捉摸的人物，这里面有他父母和第一任妻子都过早去世的影响，也许正因为此，他不愿意在世界上发挥主导作用。“你们在世界的骚动不安中寻找利益和乐趣，”他曾对当时著名的列文公主说道，“欣赏它带来的壮观景象；而今我无法向你们表达我对这一切有多厌恶……但我已经受够了这个世界……我宁愿和它没有关系，这样比较体面。”写下这些内容的14年后，他成了首相。他的举止有些尴尬，性情羞怯而生硬。迪斯雷利描述“他举止傲慢却又胆怯，言辞无礼却又晦涩，他嘲笑的表情像西伯利亚一样寒冷，讥讽的语言像大草原一样沉闷和贫瘠”。不过阿伯丁也赢得了爱和尊敬。格莱斯顿称他为“我所爱的政治家之一，我强调的是爱。我也爱其他人，但都不及对他那样”。他一生中大部分时间都在从政，却没有成为自私和伪善的人。用今天的话来说，他不是一个油滑的人，而是无趣到骨子里。研究他的外交政策可能会一无所获，除了他对“做好这项工作”和“坚持到底”的要求。

1852年底，当路易-拿破仑·波拿巴宣布法兰西第二帝国成立并成为拿破仑三世时，世界一片哗然。沙皇尼古拉一世对这个新晋暴发户十分愤怒，但这时从圣地传来了闪电。这个神圣的地区，包括巴勒斯坦和圣城耶路撒冷，以及今天的以色列和约旦，都在奥斯曼帝国的控制之下。这位新的法
181 国皇帝，为了寻求荣耀，宣布将保护在圣地的天主教僧侣，并把一颗银星和法国的武器放在伯利恒教堂的圣所。他还掌握了教堂大门和通往耶稣降生的马槽的钥匙。尼古拉一世受到了直接的威胁。他是自封的东正教保护者，于是便发出了最后通牒，要将东正教僧侣和礼拜者置于他的保护下。

奥斯曼帝国不能允许它的土地以这种方式被玷污。它的“高门”（中央政府）在得到英法支持后，于1853年10月向俄国宣战。耶稣基督的马

槽也许与此毫无关系。帕麦斯顿写道："千真万确，这场恩怨由来已久，而非只属于我们这个时代。"也许有人会认为，这是东正教和天主教僧侣之间"由谁来守卫圣地"而引发的危机，兴许理查一世应该骑上战马出征，但迪斯雷利或格莱斯顿却毫无这样的姿态。其实，俄国和土耳其实质上争夺的，是这片领土以及居住其上的 1 200 万人口。

有些人认为这将是一场短暂的战争，另一些人则认为战争会无限期持续下去。人们普遍认为，这是一场重绘欧洲地图的战争。《纪事报》认为，这场斗争"在它结束之前就可能会改变文明世界的命运"。

在战争开始时，沙皇的军队攻占了瓦拉几亚和摩尔达维亚，这两个地区和特兰西瓦尼亚一道组成了今天的罗马尼亚。阿伯丁的所有想法都是为和平而妥协，但其他的内阁成员不同意。就在战争刚刚爆发的时候，阿伯丁告诉约翰·布莱特，"他非常悲伤，似乎觉得每一滴血都会落在他的头上"。他的儿子后来想起来，他在庄园里留下了一座废弃的教堂，是他要留给继承者去重建的，这是因为《旧约·历代志上》上的一句话："你不可为我的名建造殿宇，因为你在我眼前使很多人流了血。"

1854 年，有 5 个以上的步兵师和 1 个骑兵师通过马耳他前往克里米亚
北部，指望着靠几次速决战就解决问题。英国是世界的主人，不是吗？他 182
们有铁路和电报，还有螺旋桨蒸汽船，也许最重要的是，他们装备了法国人米涅发明的前装步枪。相比之下，俄国人被认为是原始落后的。

于是，在欢呼声和歌声中，人们簇拥着士兵走向兵营。但好景不长，很快歌声就听不见了。在宣战 8 天后，约翰·罗素勋爵因为有更为重要的事情而撤回了进一步改革选举法案的提议，并马上在会议厅的地板上陷入了"歇斯底里般的哭泣"。现在不是自我放纵的时候。随后的战争摧毁了 1815 年以来的和平，并开创了一个几乎每个大国都在和另一个大国打仗的时代。从 1853 年到 19 世纪 80 年代，英国参加过一次欧洲的战争，法国三次，奥地利三次，俄国两次，德国（普鲁士）三次，意大利两次，丹麦一次，土耳其两次。难怪有时人们会把欧洲比作武装营地，也难怪他们认为和平时期与战争时期一样危险。以前的敌人现在成了盟友，这一点也令人

感到不安。英国人和法国人的旧怨尚未了结，但他们现在又不得不进行他们认为久违的亲戚问候。

帕麦斯顿在这几个月里并不负责外交政策，但他强烈反俄，认为英国在必要时应和土耳其结盟。这是在两个专制君主之间的选择题，但英国公众（或者说读报阶层）支持帕麦斯顿对俄国熊的恐惧。当俄国人从克里米亚的塞瓦斯托波尔启航，在黑海的锡诺普歼灭了土耳其舰队时，阿伯丁仍在执政的中途。这件事最终决定了英国和法国的政策，那就是反对俄国。对法国人来说，这是对拿破仑 1812 年失败的迟到的报复。而对英国来说，这一反应是本能的。只要一支外国舰队击沉了另一支外国舰队，那前者就会威胁到英国的海上帝国。12 月 14 日，帕麦斯顿辞职了，但又在 10 天之
183 后复职。这一切都很神秘，无从解释，也许根本就莫名其妙。他是在和罗素寻仇，还是反对阿伯丁对战争的冷淡？公众舆论不喜欢空白。正是在这一年，实力政治第一次登上舞台。

人们很快就相信，在政府的核心圈子内有俄国人的同谋。正如《晨报》所说，谁是“俄国意愿的解读者和俄国目的的执行者”？这一怀疑很快就落到了那个主宰宫廷的外国人——阿尔伯特亲王身上，他的一言一行都的确是一个“外国人”，他说话不是带有明显的口音吗？人们悄悄地传说他因叛国罪被关进了伦敦塔。随着谣言的传播，夫妻俩都患上了神经紧张的疾病，萎靡不振。“从昨天起，我一直很痛苦。”他写信给一位朋友说，“今天我不得不待在家里。”

有传言说俄国人长久以来都在为开战做准备，在锡诺普之战和英国要求俄国军舰离开黑海之后，人们更加确定这一点。在 1854 年的最初几周里，人们感觉到事情已经不可收拾。沙皇对英国驻圣彼得堡大使说：“我们手上有个病夫，病得很重。实话告诉你，如果哪天他大限来临，而人们又没有做好任何必要的安排，这将会是一种巨大的不幸。”病人就是指土耳其和奥斯曼帝国。这番预言对于这一时期的局面来说是非常恰当的——隐约透出不祥，含有一丝恐吓和威胁，背后又有某种强硬的感觉。所以说俄国人对此似乎是早有准备。沙夫茨伯里勋爵对上议院说：“这是一个经过长期

构想的庞大计划，多年之前就已定下，现在则是要付诸行动。它的目的是要扼杀一切宗教自由，并最终扼杀数百万人的一切公民自由。”修辞用语越是夸张，人们就越容易相信。

帕麦斯顿担心俄国的地位会取代土耳其，而阿伯丁则担心土耳其人会统治欧洲。就在英国进入战争之前，内阁分裂了。迪斯雷利对下议院说：“我想知道，那些还没搞清楚战争目标是什么的人，打算怎样高效而顺利地打赢这场战争？”人们对英国最高统帅部越来越不耐烦，他们似乎不知道自己要向何处，战斗会在何时开始。 184

土耳其人认为自己是在为生存而战，而俄国人则决心扩张并守住他们的帝国。土耳其的盟国英法已将注意力转移到塞瓦斯托波尔，俄国舰队就是从这儿被派往锡诺普的。9 月中旬，他们在克里米亚半岛西岸的卡拉米塔湾登陆。数日后，第一场战斗在阿尔马河岸边爆发。战斗非常惨烈，但是英军步兵团（苏格兰团尤为抢眼）最终击败了俄国人。一位英军上校说：“明天必须在新的地点再这么打一次，也许在抵达塞瓦斯托波尔之前还得再加一次。”英国陆军总司令拉格伦勋爵在写给外交大臣的信中说道：“我们所有的焦虑都集中在塞瓦斯托波尔的最后一战上。”人人的想法都是如此。

阿尔马河战斗预示着更大规模的战斗。一位当时的旅行者曾仔细审视过那些被亚麻布包裹的尸体。“这些人知道什么土耳其问题？然而他们上了战场，曾经颤抖过，曾经在痛苦中扭动，现在他们的父亲和兄弟、侍女和母亲都在伤心落泪，而这全都是因为多瑙河边的那些君主。”人们曾希望两个强国能跟俄国打一场速决战。现实跟预期却完全两样。在一群拿着香槟和小望远镜的看客面前，有约 5000 人死去。血肉横飞的真实战场对这些看客来说是一种全新的感觉，他们读过拿破仑战争的故事，但无法想象那种惨叫和恶臭。40 年的和平之后，没有人对战争有心理准备。

在接下来的那个月的巴拉克拉瓦战斗中，产生了两个激动人心的短语：“细细的红线”和“轻骑兵的冲锋”。这两个短语在本质上是含混的，它们既可以象征胜利，也可以代表失败。丁尼生的诗歌很好地诠释了这次冲锋。《轻骑兵冲锋》是一首叙事诗，一首颂歌，纪念的是一桩本来也许很快就会 185

被遗忘的事情。它写得很快，消息一传到英国就写成了。丁尼生甚至运用了扬抑格韵律来模拟马匹飞驰的效果。英军轻骑兵的冲锋由卡迪根伯爵率领，包括第四和第十三轻龙骑兵团，第十七枪骑兵团，还有第八和第十一骠骑兵团。他们的马没有披甲，因此又轻又快。他们配备了长矛和马刀，以便对敌人展开迅猛而沉重的打击。负责统帅英国骑兵的是卢坎三世伯爵，他是卡迪根的姐夫，两人之间互相瞧不起。英国军队的总指挥是拉格兰勋爵。

拉格兰命令卢坎指挥他的骑兵阻止俄军从费迪尤欣高地和长堤高地之间的山谷的堡垒中拉走缴获的舰炮。这里就是丁尼生所说的“死亡之谷”，卢坎周围的地势使他无法察觉附近俄军的行动。轻骑兵们可以觉察到危险，但他们没有一个人质疑冲锋赴死的命令。英国人在左边，俄国人在右边，英军几乎是完全盲目地向对手冲锋，他们仅仅是在服从命令。法国军队则聪明得多，他们扫荡了俄军占领的费迪尤欣高地。

轻骑兵在敌人发现他们之前前进了四分之三英里，然后遭到了轰击，炮火笼罩着他们：670 人成功地冲过了俄军骑兵，但在随后上山的时候 118 人被打死，127 人负伤。三分之二的部队被摧毁，这成了一场大屠杀。这场灾难的消息 3 个星期后才传到英国，丁尼生在 11 月 13 日的《泰晤士报》上读到了一位当时的负责人关于此事的报告，上面说“发生了一些可怕的错误”。丁尼生在他的诗中写道：

士兵们不知道
有人犯了错误……

但这首诗并非是在哀叹或批评，它是以英雄主义的华丽语言表达的，让人
186 感觉轻骑兵就像真人大小的雕像突然活了过来一样。

对丁尼生的同时代人来说，这也是一场灾难，但它是有着英雄气概的灾难。这是一场悲剧，但也是一场胜利。英国人就是这样理解失败的。这就是为什么别人会认为，他们在面临迫在眉睫的危险时几近迟钝，在完成

使命时无所畏惧，对于伤亡则无所谓。一位法国骑兵指挥官说：“英国骑兵军官好像认为他们能冲过一切障碍，他们参与这样的战斗就像是在猎狐一般。”这场运气欠佳的冲锋几乎抹杀了当天早些时候重骑兵部队的冲锋，他们在詹姆斯·约克·斯卡利特的指挥下，一反常规，向山上一支人数更多的俄军部队发起了上坡冲锋。他们获得了胜利，俄军被击败了。然而，与轻骑兵的屈辱不同，这一胜利已被人遗忘。英国人似乎更喜欢英雄式的失败，而不是胜利。

事实上，巴拉克拉瓦的战斗并不是必要的，它之所以闻名仅仅是因为误解、傲慢和错判。骑兵冲入的死亡之谷，和屠宰场并无二致。但战场并非一个可以进行精准或耐心判断的地方。轻骑兵的冲锋可能在有些人看来是光荣的，即便代价高昂；而其他人仍然认为，它就是犯了时机错误、判断错误和指挥错误。

巴拉克拉瓦之后是第三场地狱般的战斗——因克曼之战。在那里，士兵们再次迷失在战场的大雾中。一位准将回忆说：“对我们来说，那是一场混乱和绝望的战斗。团里的校官身边只有一小群人，就像下级军官一样在指挥战斗。而那些尉官就像普通士兵。一旦投入战斗，每个人只能各自为战。”苏格兰近卫团可以闻到附近的俄国人的气味，那是“一种特殊的熏人的皮革味”。当雾气随着冬日太阳的升起而散去后，只见战场上尸横遍野，死伤枕藉。

军营里每100人就有73人死于饥饿和寒冷，这些人是世界上最富有
国家的军队中的成员。可以说，他们履行了自己的职责，在这一点上，他 187
们比派他们来克里米亚的国家要做得好得多。新兵往往最先死亡。那里没有道路，燃料短缺。没有救护车，医疗船也拥挤不堪。在一家医院，一半以上的病人在一个月内死亡。在另一个有2000人患痢疾的地方，只有6件衬衫得以清洗。克里米亚成了一个溃烂的脓疮。阿尔伯特在一份备忘录中写道：“我们没有经过相应的训练和实践的将领；没有总参谋部以及各种部门；没有野战补给，没有野战军单位；没有救护队，没有辎重火车；没有车夫，没有修理工……”因克曼的战斗被称为“士兵之战”，因为他们就像

古代布立吞人和盎格鲁-撒克逊人一样互相厮杀。在战场的大雾中迷失的士兵，是克里米亚战争永恒的图景之一。

随着冬季降临，所有的战斗都沉寂下来，首要任务成了对塞瓦斯托波尔的俄国守军的围困。目前它的防御工事还很坚固，很难攻破，而恶劣的天气和低下的野战水平增加了通讯的困难。塞瓦斯托波尔四周成了一块瘟疫流行的苦难之地。一场似乎压抑已久的暴风雨终于降临。伤亡的情况通过电报传到伦敦等地。《泰晤士报》的记者威廉·霍华德·罗素发回了未经审查的直率报道，记录了加剧战争的那种混乱和低效：死者未能入土，伤者得不到治疗；药品严重短缺，毫无卫生可言；苍蝇就落在溃烂的伤口上，越来越多的人死于污秽和匮乏，而不是在战斗中牺牲。

塞瓦斯托波尔围城和特洛伊围城没有什么可比性，但围城这一想法已经并不局限于军事，而成为一种耐力、个人英雄主义和足智多谋的象征。可是塞瓦斯托波尔没有被击倒。时值岁末，克里米亚的冬季来得很早。士兵们缺吃少穿。痢疾也已经开始肆虐了。塞瓦斯托波尔的守军却情绪高涨，
188 自信他们可以挨过任何围困。联军的指挥官掌握的情报很少，甚至连守军的人数也不知道。克拉伦登伯爵写道："愿上帝保佑我是错的，但在我看来，我们正处于一场巨大灾难的边缘。"这并非他一个人的想法。在英国人不相信自己能赢得战争的迷惘和愤怒中，万国博览会的记忆已"无可奈何花落去"。

1854年底，查尔斯·格雷维尔在日记中写道：

> 这是我所渡过的最忧郁和悲惨的一年的最后一天。几乎每个人都在哀悼，悲伤和绝望笼罩着整片国土。今年年初，我们派出了一支充满喜悦和胜利希望的军队……到了年底，所见只有无数因亲友之死而深感哀痛的人。我们的军队在无法攻破的塞瓦斯托波尔城下彷徨；在那些血腥的捷报和英勇的奇迹之后，俄国人的实力几乎没有受到任何削弱。

一个痛苦的世界跃然纸上。

一名英军军医报告说："这里有一种说法，'我们无法拿下塞瓦斯托波尔，因为法国人不在白天战斗，英国人不在晚上战斗，土耳其人则根本不会战斗'。"1855年初，一条铁路开始建造，名为"大克里米亚铁路及塞瓦斯托波尔支线"，这算是一点安慰。这条铁路的名声源于其建造速度，以及如下事实：它是世界上为组织机械化战争而做的第一次尝试。不过，英军的指挥官拉格伦去世了——有人说是因为失望，有人说是因为心碎，还有人说是因为紧张。重要的是，每个人都希望战争结束。它持续的时间太长了，让太多的人死去，以至于令人无法忍受。沙皇在给一位俄军指挥官米切尔·戈尔察科夫的报告中强调："必须采取措施结束这场可怕的屠杀。"这就是说，它已经变成了一场屠杀而不是战争。

另一场不光彩的战斗发生在这年春天，英军两次试图围攻拱卫塞瓦斯托波尔的大雷丹堡垒，但都被打退并被迫撤回；这与法军对马拉科夫堡垒的成功突袭形成了鲜明对照。

战争吞没了格莱斯顿的1854年预算，他撤销了许多1853年颁布的法
令。所得税翻了一番，额外的收入又一次来自糖、烈酒和麦芽。格莱斯顿 189
认为，战争的成本应该由收入而不是借贷来承担。他对下议院说："如此之多的国家有着与生俱来的征服野心和欲望，战争的代价就是请求万能的主把道义的监督加在它们头上。"虔诚与好战的结合并不符合所有人的口味，连格莱斯顿自己不久以后都开始求助于借贷。

克里米亚战争的真正危机发生在1855年1月底。在一位激进的议员约翰·亚瑟·罗巴克呼吁下，议会通过了一项决议，要求成立一个调查委员会来调查战事管理不力的问题。这基本上就是一项不信任动议，约翰·罗素几乎是立刻辞职了，并说阿伯丁政府是"我所服务过的最糟糕的政府"。有人觉得，他这样突然撇清关系，似乎说明他有点野心。女王给了他一张便签，表示"她对听到他如此突然地根据罗巴克先生的动议而放弃政府表示惊讶和关切"。罗素的脸在大多数人眼中已经丢尽了，女王也没有谅解他，但几个月后他又回到了职位上。议会以令人吃惊的157票多数同意成立一个调查委员会来调查这场灾难；随后是沉默而非欢呼，还有几声嘲笑。

阿伯丁在惨淡经营了两年后，把首相职位交还给了女王。迪斯雷利写道：“这个国家被一群最出色的人才统治了两年，到任期结束的时候，他们的天才已经成功地让国家衰退到一种荒凉而绝望的状态，以至于他们只要在地上跺脚就能听到脑袋里砰砰作响。”调查委员会本身也并不成功，罗巴克写道：“我感觉周围到处都是腐败，但我不能插手。”同样的不满和沮丧也影响了公众的反应。行政改革协会的成立是对克里米亚战事管理不力做出的直接回应，该协会由伦敦城的居民和伦敦职业人士组成，不过它的运行迟缓、愚钝，而且收效甚微。

必须得有人来担责任，或者至少是出来掌管政府。人们可能会认为，
190 没有一个理智的人会愿意挑起战时首相的担子来。但谁又能肯定政治家全都是理智的呢？人们认为保守党的领袖德比也许会迈出这一步，但他拒绝了，这令迪斯雷利深感愤怒。迪斯雷利对黎凡特地区情有独钟，他对自己在上议院的领袖逃避对俄战争的做法感到失望。但你永远都不可能知道迪斯雷利到底在想什么。威廉·格里高利爵士曾参加过“青年英格兰”运动，他说：“他（迪斯雷利）是一个才华横溢的人，即使是他最大的敌人也不能否认这一点。但就算是与他私交甚好的我，也必须承认，他从跨入政坛直到临终时刻，始终是一个江湖骗子。”

可行的候选人似乎只有一个，但也许女王不喜欢他。帕麦斯顿自信勇敢的爱国主义，加上他粉碎自己能力范围的任何专制者的雄心，深得工人阶级激进分子的喜爱；如果不是他，这些人可能就会厌恶这场战争。他也认为自己得到了人民的支持。也有人是从不同角度来看待此事的，女王说：“从个人立场来说，我反对帕麦斯顿勋爵。”阿尔伯特说：“女王的意思是，她不会因为帕麦斯顿个人原因而反对他。”这大概是从刘易斯·卡罗尔那里学来的，如果他那时还在写作的话。“帕姆”（帕麦斯顿后来广为流传的昵称）拼凑了一个政府，或者说，他保留了同一个政府，只是没有令人尴尬的阿伯丁、前军务大臣纽卡斯尔，当然也没有约翰·罗素，虽然后来他像个小丑一样又回来担任殖民地大臣。帕麦斯顿是不可抑制的。要不是因为战争，这个特别的政府也许能坚持到善终，但它存在的时间已经长得足够

扼杀和平。帕麦斯顿向前迈了一步，毫无疑问，这一步他是用跳的。这匹老战马正在用蹄子刨地，但更重要的是，作为重大利益的捍卫者，他赢得了国家的支持。

所有战斗人员都厌倦了在一小块土地上进行的血腥混乱的战斗，但帕麦斯顿不想结束战斗，除非英法占领了塞瓦斯托波尔。只有实现了这个目标，俄国人撤退，真正的谈判才会开始。1855 年 9 月 9 日，俄军终于放弃了塞瓦斯托波尔要塞。这对英法来说是一场胜利，但他们也不敢乘胜追击。这在当时被认为是一场重大的胜利。据估计，30 万俄国人在塞瓦斯托波尔 191
丧生，要塞在对方对峙的末期已沦为一片冒烟的废墟。在那些埋葬死去士兵的地点中，有一个被称为“十万人公墓”。一场大风雨摧毁了联军使用的小屋和帐篷。英军已然沦落到衣衫褴褛。

英国公众已经敏锐地意识到军事指挥的无能，就像 1854 年 12 月 13 日《泰晤士报》所描述的那样：“无能、慵懒、贵族式的傲慢、官僚干预、收买、例行公事、堕落和愚蠢，都在塞瓦斯托波尔城下的营地中大行其道。”尽管如此，英国人民仍在期待春天能毕其功于一役，不然两年的鲜血就白流了，指挥官们已经损失了三分之一的军队。人们渴望听到消息。1855 年 6 月 29 日，第一份全国性的廉价报纸《每日电讯报》出现在街头。参加围城战的士兵居住的小木屋的墙上，贴满了从插图页上撕下来的版画。一些不光彩的战斗在停战前把事情搞砸了。有一次对雷丹堡垒的进攻计划流产了，因为当时英军士兵拒绝离开自己的战壕。一名指挥官温德姆上校抱怨说，“这是英国士兵有史以来最大的耻辱”。这不是一场好看的战争。

1856 年签署的《巴黎和约》的条款，使英国军队不用再继续完成使命。参会者决心摆脱战争的泥潭，但其目标却互相冲突。俄国人希望从屈辱中争取一些利益和尊严。法国和英国希望保护奥斯曼帝国免受攻击，以将其作为对抗俄国的堡垒，同时两国之间又重新开始了历史悠久的竞争。但是和约的条款缺乏果断。土耳其的完整得到保障，多瑙河开放航行，黑海中立。总共就这些。《巴黎和约》使那些相信英国是为了道义而参战的人感到失望。英国人对这种在他们看来充满不确定性的、无效的和平感到吃惊甚 192

至是害怕。报信的人在圣殿酒吧旁宣布这一消息时，得到的是围观群众的嘘声；没人敢把自己的窗户点亮来庆祝胜利，因为很可能会被砸。所有的爱国主义，所有的期望和热情，所有正义事业的想法都化为乌有。

俄国的扩张将在14年内受到遏制，但这并非英国民众想要的胜利。这场战争没有使英国获得任何军事声誉，而且战争本身还是源于对一次从未被计划过的攻击和一种几乎没存在过的威胁的恐惧。里顿·斯特拉奇说，“它的终结和它的开始一样难以解释”。这是一场充满不祥之兆的战争，既不是正义的，也不是必要的，而是在一种盲目的乐观情绪下被舆论所煽动的。最后得到的和平本身也过于仓促，并且是对敌人的过度迁就：在中立航行和对俄贸易上做了让步。英国人本来以为会在谈判桌而非战场上获得重大胜利的。阿伯丁漂向了战争，帕麦斯顿漂向了和平。在奥斯曼帝国统治下的各欧洲民族将不得不继续煎熬下去。

战争的其他影响很难估计。对和平的失望突如其来，出乎意料，让许多微妙的影响难以探寻。它对军事改革有推动作用，“科学队伍”对提高效率的巨大贡献有目共睹。一所参谋学院也得以建立。据说士兵们的榜样鼓励了对英雄主义的崇拜，在1859年的志愿军运动中有所体现，那次运动是为了抵抗拿破仑三世发出的虚幻的威胁。这令我们难以相信。也是在这个时期，香烟——那时还被称为纸雪茄——通过海外归来的英国士兵流传到了国内。

帕麦斯顿觉得那是一场“好的战争”，主要是因为他和这场战争没什么关系。格莱斯顿在兴奋冲动的气氛中变得更加孤立，他把当时的议会事务形容为“一艘已经落锚的船的摇晃”，有“动静但没有进展”。迪斯雷利则把保托利的任务描述为“维护本国贵族阶层的稳固”。贵族阶层的确衰落甚
193 至丢脸了，但他们在日后的几十年里会再度杀回。总之，国内没有发生什么大事。1855年4月拿破仑三世对英国进行国事访问的一个瞬间，也许可以给人留下一个与此相称的印象：国歌结束时，法国皇后向后看了看，以确定座位已经摆好；维多利亚女王则立刻坐了下来，根本没有转头。她生来就是要不带犹豫地统治国家。

不过，虽然克里米亚战争令国家无光，但还不至于到耻辱的地步，因为弗洛伦斯·南丁格尔和她的护士们的努力令人倍感安慰。她对军人的关爱，她的忘我奉公，安抚了这个国家痛苦的精神。毕竟，这是可以做到的。《泰晤士报》刊登了一篇她的报道，也许有些夸张，但相比于对拉格伦和卡迪根的空洞宣传，人们还是更喜欢读到以下这些文字：

> 毫不夸张地说，在这些医院里，她就是一位“爱心天使”。她纤细的身影在走廊上静静地走过时，每个可怜的人一看到她，脸上都会露出感激的表情。当所有的医务人员都已休息后，一片寂静和黑暗降临在一长排卧床不起的伤病员身上时，也许就能看到她独自一人，手里提着一盏小灯，来回巡视。

南丁格尔并非唯一一位投身于解救士兵苦难的女性。另一位这样的女性就是来自英属西印度群岛的“混血儿”玛丽·希科尔夫人。面对性别和种族歧视，她毫无惧色。像许多令人敬畏的女性一样（海丝特·斯坦霍普夫人就是不久之前的另一个耀眼的例子），她有一种坚定而强烈的信念。她写道：“在我的一生中，我一直是凭着冲动来做事。我不喜欢在一个地方无所事事，也并不追求四处漂泊，或是拥有足够坚强的毅力去实现我的愿望。”这与维多利亚时代把女人当囚犯一样关在家里的观念背道而驰，“家中的天使”在多大程度上是一种男性强加于女性的幻觉呢？也许她们也拥有像玛丽·希科尔一样强大的冒险精神呢？

她在牙买加的英国陆军医院学到了很多技能，在那里，黄热病导致了许多人死亡。当谈到她如何下定决心去为克里米亚战场的士兵服务时，她 194
回答道：“天知道这里面有什么远见。”但她又回忆说：“我天生的热情，会把我带去受直觉指引的地方，也是因此，我宣布要去克里米亚。”她起初并不受欢迎，因为弗洛伦斯·南丁格尔对非白人护士有顾虑，军事和医疗部门也拒绝了她。最后她决定绕开当局，自行其是，开一家伤残者旅馆。她在战区印制和分发了许多卡片，宣传她打算在那里建一所“英国旅馆”，

“为生病和需要康复的军官准备一张餐桌和一处舒适的住所”。

她作为疗愈者和护士的名声很快传开。她称她的病人为“儿子”，而她则被大家称为“希科尔妈妈”。到达克里米亚半岛后，她很快得知“医院已经人满为患，物资匮乏和露宿成为所有人的命运”。她建立了一支女护士队伍，称“只有女性在从事这些令人忧烦的工作时可以做得更多些；这并不是因为她们的心会更软，而是因为她们的双手就是为这项工作而生的”。如果没有女性那些未获承认的帮助，男人们将无法幸存下来；这么理解应该不算过分。玛丽·希科尔后来回到英国，并于1881年5月去世。

阿伯丁在蒙羞后倒台证明，“公众”是一种巨大到不容忽视的现实存在。这就是卡莱尔所讽刺的“舆论的面孔”。这群“识字公众”想要看到越来越多的新闻。在社交聚会中，人们常常从报纸上朗读演讲词。罗斯贝利勋爵回忆说，当他还是个男孩的时候，他的家人也在早餐后坐下来朗读演讲。街头民谣是19世纪生活的重要一部分，而它常常是用有节奏的韵文形式讲述新闻的片段或提要。

克里米亚战争结束时，这个国家因阶级对立而比以往任何时候都更趋
195 分裂。贵族军事精英们的盲目自信和无能完全摧毁了工人阶级对上层领导的信心。1855年夏天，《限制周日营业法案》在下议院三读通过；根据这一法案，售酒将受到限制，周日的交易也会被禁止。激烈的抗议立刻爆发了。一张宪章派的大字号招贴在伦敦被到处展示：

> 新的《限制周日营业法案》禁止读报、刮胡子、吸烟、餐饮、喝酒以及其他各类身心娱乐和休养，而穷人们仍然需要在这一时间进行这些活动。周日下午，我们将在海德公园举行一次由工人、手艺匠和普通的“下等人”参加的露天集会；让我们来看看，贵族们会怎样如罗伯特·格罗夫纳勋爵在演讲中所说的那样严格遵守安息日规定，以及他们找不到仆人和马匹有时会多么焦虑。集会将于下午3点在九曲湖右岸肯辛顿花园一侧举行。快带上您的妻子和孩子过来，让他们能从“更好”的榜样中受益！

在海德公园，富人的马车连续三个星期天遭到了“围攻”。没有马车的人围住了有马车的人，这和“穷人围攻富人”不完全是一回事，但也差不太多了。这项限制性立法被撤销，这是19世纪50年代阶级意识变化的标志，也是克里米亚崩溃后困扰政府的紧张恐惧情绪的体现。

人们普遍认为，这场战争将消除困扰国家的一切物质主义和自私自利，而一种新的“全国团结一致，共计大业”的氛围，将解决刊物上经常报道的“英格兰状况问题”。但是，这个最有希望的希望却是第一个消失的。1859年，也就是战争结束后的第五年，《泰晤士报》发表如下论断：“那场糟糕的战争把50万英国、法国和俄国人永远留在那里，基督教欧洲再也不欠土耳其什么了。我们从来没有对如此毫无价值的目标做出过这样大的努力。要让我们承认这样巨大的牺牲完全徒劳，会是一件相当令人抗拒的事情。” 196

然而，战争加速了发明和改进的过程，使其一步步地朝早先所设想的方向前进。正如伊桑巴德·金德姆·布鲁内尔所言，这些发明在很大程度上都和“环境偶然创造的需求”有关。1856年，贝塞默技术获得专利，人类第一次迈出了走向钢的时代的脚步。一次猛烈的爆燃会将生铁中的碳和硅燃尽，此时再加入锰，它就变成了钢。钢轨最终变得比铁轨更加便宜和耐用。同年，一位化学研究者发明了“苯胺紫”（mauveine），这是第一种人工合成的染料，它改变了全世界的服装和装饰。

1854年克里米亚的悲剧发生后，一个命运多舛的行政改革协会成立了。它仅仅是一个象征，所表明的是“效率和现代组织远远比个人的勇敢或英雄气概更重要”这一事实。战争是一项根据商业原则经营的业务。这可能是来自克里米亚的教训。宣扬崇高理想的趋势，与对现有政治体制的厌恶结合到了一起。同年，《诺思科特-特里维廉报告》强调，公开和竞争性的考试是寻找公务员合适人选的最佳途径。换言之，这里有一个隐含的建议，即中间阶层应在国家管理中发挥积极作用。塞缪尔·斯迈尔斯的《自助》（1859）在克里米亚战争后的流行，也许是一件值得注意的事。“此时此刻，”纳撒尼尔·霍桑在1855年初写道，“要是说贵族们还在觊觎一年前悄悄让给他们的职位，那会被认为是荒谬的。这一年做了以往要用50年才能做完的事，或者更准确地说，长期蕴藏的东西都爆发出来了。”

显而易见的是，一个由中间阶层组织的讲究节俭、自助和效率的国家出现了。地方自治仍然被认为是行政进步的关键所在。1855年，伦敦工程委员会成立，3年后，议会通过了一项法案，要保持“那条崇高的河流”——泰晤士河的清澈，因为其状况“不符合一个伟大国家的地位，并严重损害了伦敦居民的健康和舒适感”。于是这项工作得到了高效的完成。
197 1863年，伦敦地铁的第一期工程路段开放运行；1862年，工程委员会获得授权，在泰晤士河北岸从威斯敏斯特到黑修士桥的区间修建堤岸。工程也需要统计数据。从1876年至1884年，工程委员会计划重新安置22 000人，为28 000人提供新住房。

就在《巴黎和约》签署后几个月，阿伯丁的继任者帕麦斯顿再次因为广州港发生的一个小事件而向战神献祭，谋求发动战事。一艘完全由中国海员操控的船只“亚罗号”为便利行事悬挂了英国国旗，船长也是英国人，因此它是顶着帕麦斯顿子爵的威严在航行。另一艘过往船只的船长认出了“亚罗号”上有一名船员是海盗，并且通报了官府前来捉拿。“亚罗号”受到了登船检查，然后英国国旗似乎被扯了下来。这是一种侮辱，香港总督包令爵士下令立刻炮轰广州。英国报纸都站在他这边，似乎可以以此发泄对克里米亚战争的失望。这场战争被称为“第二次鸦片战争”。在前一次事件中，英国秉承“炮舰外交”的精神，占领了香港，签署了一项不平等条约，并以此让自己拥有了广泛的贸易特权。但这还不够，第二次战争是找借口发动的，目的是要中国进一步向外国商人开放，从而从鸦片贸易中获得更大的利润。

在本质上，这是一个现代工业大国和一个认为入侵者只不过是野蛮人的古老文明体系之间的冲突。反过来，中国人也被英国人丑化为谋杀妻子和殴打儿童的民族。潘趣先生曾说过：“中国人和我们有什么关系？他们远在天边，无足轻重。”两种文明从未有过相似之处。1859年1月，当额尔金伯爵抵达上海时，他说：“[他]不请自来，而且并不总是用温和的办法，打破了这些古老国家试图用以与世界相隔绝的屏障……他们衰落文明的腐朽破败。”但他所做的并不止这些，他把一个大国介绍给了西方。 198

第一次广州之战发生于1857年，随后英法联军占领了广州3年。保守党人和一些激进分子一直想推翻帕麦斯顿的威望，他们起草了一份反对在广州的这团乱局的议案。1857年春，帕麦斯顿在投票失败后立即解散了议会。凭借精明的管理和自信的自我宣传，他已经成为当时的英雄。随后的大选，他以85席的绝对优势战胜保守党人。科布登和布莱特都是杰出的和平主义者，但他们都为选民所反对。国际道义似乎永远无法战胜民族爱国主义。中国皇帝的圆明园被烧毁了。正如德比勋爵所言：“这是一位保守党的首相，采用激进的手段，在外交上保持辉格主义风格”的结果。换句话说，帕麦斯顿遵循的是英国外交的传统。

英国人也正在另一条战线上前进。印度的莫卧儿帝国正开始分崩离析。1613年，“伦敦商人公司被允许在孟买以北拥有一座贸易站”。这是一切的开始。1707年，莫卧儿帝国四分五裂，被皇帝的儿子、孙子、莫卧儿官员以及印度教贵族所瓜分。英国人没过多久也加入进来了；在东印度公司的庇护下，他们很快就成为这一地区占支配地位的贸易和武装力量。1849年，达尔豪西伯爵作为总督，将旁遮普并入英属印度；接着是孟加拉邦正北的锡金和下缅甸的勃固，再接着又是德穆斯的奥林王国。结果，“新”的英属印度比之前大了三分之一到一半。

一位英国行政长官说：“我们正在缔造一个印度民族。迄今为止，那里只有上百个部落，却谈不上有一个民族。”在这一进程中，有各种各样的屠
杀和背叛的故事，尽管值得注意的是，这些暴行大多都被算到了土著头上， 199.
而英雄主义的事迹则都涉及的是少数的欧洲人。这种自鸣得意的口气实际上掩盖了英国殖民者对土著人民的许多野蛮行径。而达尔豪西离开印度时，则较为冷静地提醒道：“任何一个谨慎的人，只要对东方事务有所了解，都不敢大胆预测印度的和平会长期持续下去。”但达尔豪西也写道：“只要我们保持强大并被认为是如此，我们就绝对安全了。”克里米亚的模糊结局表明，英国人可能不像以前所假装的那么强大了。

印度独立战争（尤其是1857年8月的事件）的原因是多方面的：从克里米亚战争表明英国人不再擅长打仗，到本土军人不愿意前往缅甸和波斯服役。东印度公司既是一个商业帝国，同时也是一个军事大本营。1757年普拉西战役后，印度英军总司令罗伯特·克莱武攻占了加尔各答、马德拉斯和孟买，这些城市由印度本地步兵驻守，并由英国人控制。这并不是一种完美无缺的配置。致命的高温降临了，老鼠一样大的蟑螂在加尔各答的寓所门下乱窜。这就是印度战争的背景。饮酒成了唯一的慰藉。

在1856年和1857年，士兵哗变的谣言很快传遍全国。在印度，唯一能盖过铁路狂热的就是宗教狂热，问题就出在这里。人们普遍认为，有新发的米涅步枪的弹壳被涂上了猪油和牛油，而这是对当地习俗的极大漠视。这个故事并不是真的，但它反映出了当地居民对他们的统治者有多么反感。牛对印度教徒来说是神圣的，而猪是穆斯林的禁忌。对印度教徒来说，这意味着让人在今生和来世都永远丧失种姓。

1857年1月，一位将领报告说，在当地士兵有着“不愉快的情绪”。5月初，驻扎在密拉特的85名骑兵因拒绝接触涂有油脂的弹壳而被判处十年苦役。穆斯林曾以《古兰经》起誓，而印度教徒则是以恒河的圣水起誓：
200 不可犯亵渎之事。现在这些囚犯当着全军的面脱下制服，戴上镣铐，就像是重刑犯一样。对其中的一些人来说，这比处决还要糟糕，这是堕落，比死亡更糟糕。印度兵们群情激愤，有人看到他们“上下跳跃，奔走号呼”。当地的英国妇女和儿童成了第一批受害者。士兵们喊道：“快！去德里！快！去德里！”他们即将踏上前往莫卧儿旧都的道路。

紧接着的周日，该军团哗变了；他们打开监狱，释放囚犯，随后开始清洗英国人的住所，杀死了所有居民。随后，叛军向仅仅40英里外的德里出发。恐慌和谣言向风一样四散传播。德里的国王巴哈杜尔·沙哈很早就归顺了英国，但他现在四面楚歌，束手无策。从集市到牛棚，上至房顶，下至井底，到处都发生了屠杀。

城北两英里驻扎着三个土兵步兵团，但他们袭击了白人军官，杀了很多人。总司令安森将军远在北方，他得到的信息是：由于交通不便，无法采取任何措施。两天之后他死于霍乱。对印度人的审判和处决迅即开始，但值得注意的是，这些人沉着无畏地接受了命运的不幸。

骚乱在西北省迅速蔓延，地方官员被叛军追杀，该省很快便陷入了无政府状态。

恒河西岸的坎普尔在纳那·萨希布的温和统治下被认为是安全的，但他也不再觉得有理由支持英国人，并开始对他以前的盟友采取有限的惩罚措施。在炎热的6月和7月，太阳猛烈地炙烤着大地，欧洲人的队伍也因饥荒和疾病而倒下。纳那答应让他们安全地通过坎普尔，条件是他们放下武器，走向恒河上等待他们的船只。然而，他们的登船却成了屠杀开始的信号，男女老幼都遭到屠杀。只有四个人幸存了下来。 201

坎普尔的屠杀就像是一把火，它向勒克瑙的叛军发出了信号。1857年，亨利·劳伦斯爵士驾车进入勒克瑙的住所，遇上了令人极为绝望的情况：管理不善和愚蠢的惩罚引发了动乱。英国军队被士兵打了一个措手不及，并被围困在住所里。不过，住所的防御还算不错，里面的人击退了围攻。

英国人走到哪里，鲜血就流淌到哪里。人们习惯于称印度人为叛乱分子，但他们并非那种人。如果要用类似事物来形容的话，那么他们就像是反抗诺曼入侵的“觉醒的赫里沃德”的军队。然而，这种说法在当时并不会令人满意或信服。英国公众对暴力的欲望并未因克里米亚的伤亡而得到满足，一股杀戮欲又爆发了出来。当时的一本小册子宣称，作为首要措施，每一个叛乱者都应该被追捕和杀死，并补充说，“只要这些人还有一个活着，印度就不会安全”。英国人准备制造一片不毛之地，然后将这称为良好统治。一个英国人建议，那些即将处死的人应该被强迫去舔那些被他们杀死或砍倒的人的血，因为他坚信，这样一来，这些人“就会带着‘自己邪恶的灵魂在死后转世投胎到猫和猴子的身体里’的确信离开这个世界”。成千上万的人以绞首、肢解、窒息或其他方式被处死。当地许多水井里都能找到血迹和碎骨。我们可以引用一位情报官员亨利·霍德森的描述：整个乡村变成了“一片蒸腾着热气的沼泽……蝎子像龙虾一样在潮湿的铺盖上爬来爬去”，而人的嘴唇上落满了苍蝇。

数月的血腥镇压和零星战斗在混乱得到控制前是不可避免的。这种局面也不能永远持续下去。一位年轻的军官约翰·尼科尔森被派到德里去强化那里英军的信心。1857 年年中，英军开始进攻克什米尔门、拉合尔门和喀布尔门。在他们得手之后，又是另外一连串的混乱、酗酒和死亡。英军
202 实施了戒严，在此期间，德里国王的 3 个儿子都被枪杀。勒克瑙和德里一样，也成了一片荒原。

东印度公司被解除了政治“责任”——也许只是掠夺财富的另一种宣传形式——其权力被交还给女王的印度事务大臣和一个委员会。因此印度及其人民开始受维多利亚女王统治，她的这种影响力后又因取得印度女皇的头衔而得到增强。英国组建了印度事务大臣办公室，还有一个包括 15 名顾问的委员会。1861 年，印度军队和英国军队合并。

人们普遍相信，一个“优越”的国家实施的征服会带来“秩序”，这完全是一种空想，并且终究会一无所获。马德拉斯的总督托马斯·蒙罗爵士在 1824 年的一份说明中说：“我们不应把印度看作一份暂时的财产，而应将其视为一份我们要永久占有的财产，直到未来某个时代，土著人抛弃了他们的大部分迷信和偏见，变得足够开明，能够为自己建立一个正规的政府并进行管理和维护。”他们就这样碾碎了另一个世界的希望。仍然幸存的叛军被迫退入尼泊尔，而印度其他地区的零星骚乱则很快被镇压。1859 年 7 月某个幸运的日子，英国宣布“战争结束，叛乱被镇压了”。它得到控制了。它被扑灭了。这个国家的大部分人依旧忠心耿耿。地主一直远离村民。军队的叛乱仅限于孟加拉，王公们都很满意。然而，人们仍有一种不寒而
203 栗的感觉，因为大英帝国已经暴露了它的黑暗之心。

# 16

# 黑暗的世界

1855 年是维多利亚时代中期的鼎盛时期。这是盎格鲁–撒克逊研究复兴的时期，丁尼生向亚瑟王史诗学习，建筑师普金则从中世纪建筑中获得灵感。所有人都在回顾早期的社会，这些社会以有机统一、集体意志和共同信仰为特征。这一时期许多最著名的作家——拉斯金、莫里斯、卡莱尔——都追忆了英国的封建或半封建时代，当时人们对等级制度和权威仍怀有崇敬之情。当然，这完全就是些神话，当然神话也很重要。生命很重要，生命应是真诚的。约翰·基布尔和爱德华·普西的高教会派复兴与中世纪英国有着密切的关系。1848 年出版的《麦考莱英国史》一书开篇时，作者说："我将讲述……秩序与自由的联姻是如何孕育出繁荣的，这在人类编年史上没有先例。"但企业竞争和个人成就的胜利被卡莱尔斥为"猪的繁荣"，没有哪个时代像那时一样被干劲和怀疑所困扰。

沃尔特·白芝浩一直都在对此发表评论，他说："在当今人类面临快速变化的时期，保持与过去的延续性，保持他们的习惯标准，以及社会
环境能让他们找到出路，这是至关重要的……"维多利亚时代的人们不 204
会总是在谈论马洛礼或中世纪的修道院，但他们仍然在寻找同样的永恒、安全和稳定。在 1855 年的皇家美术学院画展上，画作被称赞为闪耀着

“活力”、“激情”和“信念”。乔治·艾略特和一位同伴谈起了上帝、不朽和责任，这在当时也许被认为是神圣的三位一体。她“极其认真地宣布，第一是多么不可思议，第二是多么令人难以置信，而第三又是多么确定和绝对”。我们大概会再次想起克里米亚的士兵们在雾中凶猛砍杀的场景。

在红木餐桌上摆一张全家福，这个习俗一直流传到爱德华时代。没有不带框架的图画，没有不做装饰的椅子，没有不悬挂流苏的屏风和窗帘，没有不盖桌布的桌子，没有不带小物件的盒子，没有不穿围裙的女仆。家庭佣人是必需的，西伯姆·朗特里在约克完成了一项调查，他认为至少保留一名仆人是中间阶层区别于下层阶级的重要标志。拜访和外出就餐时有发生，每当月亮高悬时，这些人也被称为“月亮”。好客是一种社会责任，那些不和邻居交流的人被认为是非常奇怪的。和熟人打招呼伸出两个手指，和好朋友或家人打招呼则伸出三个手指。合唱团、学术机构、社交俱乐部、体育协会可能会得到医生、律师、会计师、高级职员、高档商品店主、公司董事和市政官员的光顾。这些人一般被统称为专业人士，整个英国的中间阶层都聚集在一起消费。

他们不乏崇拜者。《利兹水星报》可以被视为中间阶层的代表性报纸，该报的编辑写道：“在太阳底下的任何国家中，没有人比英国的中间阶层更可贵和有价值，他们受到了更多表扬也更值得受到表扬。”詹姆斯·米勒在1862年就写道：“这个国家中间阶层的价值，其不断增长的人数和重要性，得到了所有人的认可。上层社会很早就认为这一阶级是英国的光荣，而且
205 这种认同绝非勉强。”亨利·布鲁厄姆也持同样的看法：“我说的人民是指中间阶层，是国家的财富和智慧，是以英国为名的荣耀。”

但社会早就开始分化和分裂了。1820年，《布莱克伍德杂志》的一位匿名撰稿人注意到，“很明显，社会上层越来越倾向于将自己与那些因自然、天意和法律的原因而置于其下的人隔绝开来”。在其他的阶层中还有无限的等级，如果要研究中上等阶层、中等阶层、中下等阶层还有地位较高的下等阶层，我们就得写一本包含着一套复杂行为系统的书，这实际上对于每

个人来说都是独一无二的。任何单一的“阶层”都是教条主义者和社会统计学家制造的幻象，阶级阶层的变动是错综复杂的，正如当时的一位作家所观察到的那样：“在中间阶层中，我们注意到了一种普遍的地位不固定的现象。每个人都在上升和下降，或在期待上升，或在惧怕下降。”也可以推测，“工人阶级”与他们所谓的上层阶级之间的斗争，和生活水平与收入水平不同的工人之间的竞争完全是两回事。

不过，群体活动的确塑造了某种集体认同感。法律、医疗和其他专业机构开始出现，后来又有了土木和机械工程师、设计师和会计师。在上个世纪，主要的职业只有五个，但现在体面庄重的职业数量有之前的二十倍之多，且在相互竞争。现代公共服务的理念也在日益凸显。

教堂中，人们仍然保持着男女分坐的社会礼节。较富裕的人有自己的长椅，穷人们习惯在礼拜之后恭候富人们先走。一些大胆的妇女戴上棕色草菇帽，这是她们“礼拜天盛装”的一部分，这一习俗从 1856 年以后开始流传起来。家中的男性穿礼服、戴高帽，乘坐公共马车去工作。在那里他会见到邻居，尽管不一定相互打招呼。我们可以设想一下，他在伦敦城里工作，跻身雇佣无数身着黑衣的职员的老板行列，那些职员与街头小贩、 206
本地商人形成了鲜明的对比。

午餐的价格从 10 便士到 1 先令 6 便士不等，包括牛肉、火腿、小牛肉和啤酒。如果赶时间，顾客会从街头小贩那里买一个馅饼，鸡骨头直接扔进排水沟。如果有更多的时间和金钱，他可能会去一家小餐馆。有时他不得不透过窗户凝视着外面的大雾，那是伦敦的气息。路灯则在中午定时打开。美国大使记录道：“我从窗户看不到街上的人。我忍不住想问，英国是怎么靠着这么少的日光来变得伟大的。”劳动时间是很长的，每周多达 52 个小时，但周六有一个“英式”半天假期，一家人可以乘轮船或有轨马车去公园或更为自然的郊野；而周日，教堂自然会吸引虔诚和传统的人。其他人则懒洋洋地躺在床上，或是去当地的小酒馆凑热闹。

在描述当时的一位家具匠的片段中，居家的生活被赋予了一种不那么舒适的基调：

> 城镇的绝大多数家庭都没有什么快乐的时间。一家之主必须起早贪黑……他的孩子们都还在熟睡。他偷偷看了他们一眼……看到妻子也令他痛苦。亲爱的，你怎么了？噢，没什么。可怜的她也在劳作中，想多挣一点让全家看起来体面些。就算日常不必加班，爸爸径直回家，而不是在路上喝一杯啤酒，他的衬衫也会被汗水浸透，因为奔波而筋疲力尽，快乐又能从何而来？

下等阶层也是一个令人困扰的问题。弗里德里希·恩格斯认为工业体系是万恶之源，沃尔特·司各特怪罪于蒸汽机，而托马斯·查默斯则把怒火倾泻于可怜的法律。利物浦勋爵指责“具有煽动性和亵渎神明的出版物”削弱了“下级对我们政府和宪法的依附”。“具有煽动性和亵渎神明的出版
207 物”是早期全民阅读时代道德家们的陈词滥调。

休息而不工作被认为是大罪。有个诱人的形容词叫“勤勉尽责”。前拉斐尔画派那些严肃且稳重的细节可以说是勤勉尽责。绘画本身被认为是劳动和学习的成果，画家耐心的工作被认为是精髓所在，体现在对细节的精致再现和高深技巧的展示上。每一个数字都是研究得来的。拉斯金在《威尼斯的石头》中（1851—1853）写道，任何人只要“关注，付出时间和努力”，都可以获得绘画的力量。夏洛蒂·勃朗特的《雪莉》（1849）中的人物，得到的建议是积极乐观地对待生活，“认真地、勤勉地研究生活中的难题”。维多利亚时代的人喜欢皱着眉头，攥紧拳头。拉斯金在道德上的忧虑最终导致了他精神错乱，对他来说，正如《威尼斯的石头》所言，精神错乱就是“关注，付出时间和努力”的结果。这个世纪后半叶比较聪明的人对此有不同看法。他们并不反对工业主义和科学，但反对过于严肃。无论是王尔德的机智，吉尔伯特和沙利文的神采，还是刘易斯·卡罗尔的荒诞，难题和勤勉尽责全都被忽视了。他们拒绝接受一个世界，在这个世界中，乔治·艾略特关于上帝和责任的要求被认真对待。

“维多利亚时代的人”这个词到1851年举办博览会的时候才开始广泛流传，似乎只有到那时才能看到文明的成果。在那个时候要成为“维多利

亚时代的人”，就要与时俱进，对一切机械的、先进的东西都感兴趣，就要接受一个与上一个时代的一切都格格不入的时代。蒸汽机、汽船和城市建筑物比以前的任何东西都更庞大、更宏伟。“维多利亚时代的人”在家居上也是现代化的，条纹墙纸、布鲁塞尔地毯、沙漏、玻璃罩中的蜡制花和蜡制水果。哈里特·马蒂诺说“和平精神的传播，是对残忍的暴力说不”，住房和卫生条件正在改善，贫穷并不意味着犯罪。决斗现在已经不流行了。如果我们的祖先知道了“维多利亚时代的人”后来代表着压抑、野蛮和不健康，他们大概会感到惊讶的。当然没人能选择自己生活的年代。这就是 208
在欣赏维多利亚时代的绘画和小说时会产生的矛盾感。现实也许令人厌恶，无法接受，正如一个“维多利亚时代的人”看到的21世纪初一样。

有一些细节可以标志这个时代。度假开始流行起来，这在威廉·鲍威尔·弗里斯1854年的画作《拉姆斯盖特的沙滩》(又名《海边生活》)中有所表现。当然，里面那些妇女都穿得严严实实，穿着披肩系着围裙，戴着手套和帽子；这也告诉人们，下等阶层是既没有时间也没有钱去旅游的，在接下来的25年里他们也不会到海滩来。男人们穿着平时一贯穿着的深色西装配马甲，高筒帽在沙滩和大海之间也并不罕见。没有人在游泳，这是不体面的，最多只是蹚蹚水而已，但有卖艺人和小贩来吸引人。没人想晒太阳，即便是脸上的腮红也是不雅的。人们总有一种防御的心态，这是维多利亚时代人的一种矛盾。在行动中充满自信和活力，同时又透露着脆弱。马修·阿诺德的诗歌《多佛海滩》中描写了陆地和海洋的融合交汇，成为面对永恒时的忧愁的伟大象征之一，那海浪

> 涌起，停息，再重新涌起，
> 以缓慢而颤动的节拍
> 送来永恒的悲哀的声响。

人们好像排队一样挤在沙滩上，然而他们似乎并不开心。他们显得犹豫不决，那是因为这占用了他们的工作时间。工作才是重要的，工作是命

中注定的。他们看起来好像一接到通知就随时要准备回去。卡莱尔说："工作是一种永恒的高贵，甚至是神圣的。"它仿佛会带来救赎的希望。

绘画的道德意味从未被忽视。例如，有人从弗里斯的海滩画中找到缺漏，比如说，画中缺少一名忧心忡忡的母亲俯视病中的小孩。德国人嘲笑
209 英国艺术家在表达激情时的胆小和保守。英国画家在描绘人类情感方面做得最多的事情是表现那些欲言又止的人，如威廉·霍尔曼·亨特的《觉醒的良知》(1853)和福特·马多克斯·布朗的《最后的英格兰》(1855)。一些外国艺术家欣赏这种风格。泰奥多尔·席里柯凭借《美杜莎之筏》成名，但他在评论大卫·威尔基的《切尔西退休人员阅读滑铁卢快讯》时留下了自己对英格兰（或苏格兰）式沉默的欣赏：

> 我只想说一个在我看来最完美的人物，她的姿态和表情令人忍不住落泪。那是一个士兵的妻子，思念着她的丈夫，用一双不安、憔悴的眼睛搜寻着阵亡者的名单……这里没有丧服和哀悼，相反，每一张桌子上都放置着美酒，天空也没有被象征不祥的雷电所污染。但它自然而然地达到了极致的悲怆……

关于餐桌礼仪，有记载说："在饮酒时不与别人举杯是不可以的。当你举杯时，要注视着共饮者，然后低下头，非常认真地把酒喝下去。"单词和短语也有自己的生命。像"you know"(你知道)一样，"nice"(好)是永恒不变的；"spoony"指的是有点软弱的人。在一个瞬息万变、无情变革的时代，人们会对过去或"bygones"(往事)有一种持久的伤感。"非常好"是"A1"，"坏"是"shoddy"或"very bad shoddy"，"bunkum"那时是"buncum"，"of course"(当然)是"in course"，"麻烦"不是"trouble"而是"hobble"。其他的热门词汇和短语比比皆是："she would play old gooseberry"(她要成为第三者)；"I think he is coming round to cotton to me"(我想他会回心转意来接受我的)；"antediluvian"(大洪水以前的时期)；"levanted"(逃之夭夭)；"a screw loose"(精神古怪的人)；"he is a

Bohemian who hates the decencies of life"（他是一个讨厌体面生活的放荡不羁的人）；"in a blue funk"（陷入忧郁之中）；"there are moments when we try to give a child any brick on the chimney top"（总有想慷慨一下的时候）；"chaff"（开玩笑）；"poltroon"（胆小鬼）；"tata"（再见）。

不管怎么说，维多利亚时代的人们可以从几位作家那里得到指南，这些人可以说囊括了19世纪的思想。在散文时代，他们被认为比诗人更为杰出，和他们相比，小说家不过是卖艺者而已。托马斯·卡莱尔被认为是一位现代的先行者，他创造了一种慷慨悲歌的语气，新颖而强烈。他不是一 210
个使用大众语言的人，对他来说，议会里的辩论显然是国家的耻辱，选举改革就像"跳下尼亚加拉瀑布"，结局糟糕透顶。田里的牲畜也没有选举权，为什么能在主人旁边恭顺地站着？"选举的神圣戒律，"他说，"成了男子的普选权（马权、狗权却没有）。"他认为中间阶层已经攫取了权力，他对他们没有同情，从贸易自由到言论自由的所有中间阶层的万灵丹都为他所憎恨。他的政治英雄都是些强权者，喜欢独断专行。他认为奴隶制无关紧要，只有强者才能生存。他被一些人奉为先知，是因为19世纪有许多人接受他的观点，认同他对"黑鬼慈善家"和其他自由派声音的厌恶。他完全不认可沙夫茨伯里或威尔伯福斯；如果他知道这两位杰出的人道主义者将比他更能代表维多利亚时期的文明，一定会大感诧异的。

他准确地认识到，他的时代是一个建立在计算和约束基础上的机械与功利主义的时代，触及经济理论、宗教、教育和物理科学。功利主义者的哲学只会导致"警察部门更加完善"，其理性的真理之网束缚了这个世界和其中的所有人。这个时期的放任主义哲学已经成了群丑的真理，用冷冰冰的"金钱关系"代替了特定的义务，将人类降格到了统一体的水平。"我认为，人的不幸源于他的伟大；这是因为他心中有一片无限，竭尽所能也不能把它完全埋葬在有限之下。"他的语言几乎总是情不自禁地充满了英雄气概，凶狠、传神、引人注目。

在对散文节奏和韵律的运用上，他与维多利亚时代的其他伟大作家并没有太大的不同。无论我们在哪里挖掘，都会找到金子。托马斯·麦考莱

将18世纪的千头万绪的事实转化为一部令人信服而简明的历史，其文章清
211 澈而明亮。还有乔治·艾略特，她虽然严肃，但也很温柔，并且用阿克顿勋爵的话来说，是“一位顶尖的心理病理学专家”。约翰·拉斯金也可与之并驾齐驱，他的思想结构反映了一种对于建筑和石头的特别活跃的情感。“我注意到，”他写道，“在所有的新建筑中……教堂和学校以一种适当的，也可以说是较高的比例和你们的宅邸、厂房混建在一起，我还注意到教堂和学校建筑几乎总是哥特式的，而宅邸和厂房都不是哥特式的。”这看起来也许不足为奇，但他对维多利亚时代的分析值得借鉴。

查尔斯·达尔文不止一次在本书中出现，因为他是所有著作者中最纯粹地体现维多利亚精神的人。物竞天择的概念非常适合这个时代，就像从岩石中找到了一颗巨大的宝石。“人是神的特殊创造”已经遭到摒弃，意味着神话的时代已经过去，留下一些比之前更令人感到不适的东西。1859年出版的《物种起源》中富有想象力的景物描写同样引人注目。这真的是一个黑暗世界，主宰这世界的是劳动的必要性和对权力的渴望。甚至连蜜蜂都在“急于节省时间”，达尔文还赞扬了“北部那些更有效率的工厂”。大自然本身被描述成节俭的，甚至是吝啬的，不断地渴望“节约”。达尔文还提出了“大毁灭”的必要性，潜台词是“让强者生存，让弱者死亡”。他用对蜜蜂的论述来称赞暴力死亡的壮观景象。他写道：“我们应该钦佩蜂王这种出自本能的强烈仇恨，这种仇恨促使她去杀死年轻的蜂王，即她的女儿们。”战斗和屠杀成为这个世界的主要组成部分。他想象地球上所有的生命都是由一个“共同的父母”或“原型”繁衍而来的；这个“原型”的后代再逐渐进化成各种动物或植物，这些动物或植物反过来又相互争斗以“走向完美”。所以“进化”可以恰当地解释为一个维多利亚式的神话。这就是查尔斯·狄更斯在《董贝父子》（1848）中所说的“竞争、竞争—发明、发明—变革、变革”。所有的东西都是一模一样的。

这种情形持续了很久。比阿特丽斯·韦伯在《我的学徒生涯》（1926）
212 中谈到她母亲的信念是：“提高自己的社会地位是每个公民义不容辞的责任；无视那些不如自己的人，牢牢地瞄准社会阶梯的最高层。只有依靠每

个人对自身和家庭利益的不懈追求，文明才能达到最高的水平……”这就将叙述又拉回了工作的世界。一位法国人说：“一进办公室，你就能看到‘只允许讨论业务’。”卡莱尔强调：“上帝给他创造出来的人类的命令是：工作！”

在维多利亚时代，“文人”是一个非常广泛的学术领域的缩影，涵盖了社会思想家和政治经济学家，以及哲学家到历史学家。一个矛盾的现象是，这个产生了最优雅、篇幅最长的散文的世纪，读者却很少。据估计，1861年，所有学生中只有5%的人在11岁以后还在上学；所以我们可以自信地断言文盲率很高。不过，对于能阅读的人来说，文学的全部精神都被赋予了道德用途，散文家和历史学家可以被视为传教士而不是学者。在一个充满宗教的世界里，拉斯金、艾略特和卡莱尔的作品因其道德规劝和精神慰藉而备受推崇。到19世纪40年代，哥特式小说和戏剧性的浪漫已经被探索现代世界精神问题或探究社会结构和社会地位问题的小说所取代。现实主义（英国的而非法国的）和道德提升之间并不一定存在巨大鸿沟。维多利亚时代还有其他的装饰音，那就是严肃和自信，带有一种近乎教条主义的确定性。

在一个识字率稳步增长、印刷文字很快就会变得无处不在的社会里，这种旨趣不可能保持下去，也就是约翰·斯图尔特·密尔所描述的“肤浅知识的传播”。马修·阿诺德写给亚瑟·休·克拉夫的信中说：“这些该死的时代——一切都是对立的——知识的大量涌现，奢侈品的传播，我们身体的衰弱，伟大天性的缺失，与百万小人物、报纸、城市、放荡不羁的朋友不可避免的接触……”这是一种维多利亚式的感知——伟大天性的缺失被强烈地感受到了。人们总在说，各种改革法案最终将创造一个中间阶层
和中下等阶层的世界，以前的价值观不再适用了。一个辉格党老贵族批评 213
阿尔伯特王子参加了改善劳工阶级状况协会的一场会议，王子回答说：“一个人有责任为最广大的劳动阶级服务……”这是普遍的看法。科学的胜利和世俗主义的兴起有效地中断了拉斯金或卡莱尔的传统。我们知道，就算
去阅读他们的作品，也无法改变任何东西。 214

# 17

# 相当时髦

维多利亚时代对英国本土文化最大的贡献之一就是音乐剧场。有一种大众流行的、通常是淫秽的娱乐传统，可以追溯到伊丽莎白时代舞台上的吉格舞和滑稽歌曲，以及集市上的“歌唱棚”。18 世纪开始有了“和声会”、酒馆和“下流音乐厅”，但音乐剧场的真正兴起要从 19 世纪 40 年代坎特伯雷阿姆斯和萨里的音乐剧场开始，伴随着杜松子酒味、汗味和橘皮香味。到 50 年代，晚餐更为丰富，提供牛排配荷包蛋和加红椒的调味腰子。接踵而生的酒馆音乐会和“夜场酒窖”通常名副其实。梅登巷的“苹果酒窖”和斯特兰德街的“煤洞”尤为出名，前者的著名歌曲是《山姆·霍尔》，副歌唱道：“你该死的眼睛！”。这些歌曲就像那水晶大厅一样充满了维多利亚时代的气息。

从商店街到亨格福德市场，音乐剧场成了流行娱乐的主要形式。从 19 世纪 50 年代起，伦敦东区的音乐剧场特别繁荣，而那里的生活条件即使不算恶劣，也很艰苦。仅在贝纳尔格林就有 4 个这样的音乐剧场——罗德尼
215 剧场、纳尔逊勋爵剧场、东方剧场和阿波罗剧场。

特殊的表演者，如“喜剧名流”、“严肃喜剧”的女性演员和“时尚艺人”总是很受欢迎。他们喜欢练习“叫卖歌曲”和一些用行话或伦敦方言

写成的歌曲。但“主持”也会吸引很多注意力，他会介绍演员，开一些时下流行的玩笑，并鼓励观众开怀畅饮。如果门票的价格包含一杯饮料，会被称为“湿钱”。他们的歌曲，如《为什么我们不能在伦敦拥有大海》和《影子是我唯一的朋友》，没有纪念意义，但它们是时下观点的真实象征，是穷人的歌、希望的歌。没有他们，19 世纪的历史将是不完整的。

最著名的艺术家之一是丹·莱诺，他于 1860 年出生在圣潘克拉斯附近。像卓别林一样，他的职业生涯始于木屐舞演员。木屐舞是维多利亚时代特有的，这种舞蹈起源于工厂生活，为了取暖，纺织厂的工人按照机器的节奏用脚叩击着地面，很快变成了舞蹈的一部分。木屐舞比赛在英格兰北部非常流行，莱诺的速度和风格出类拔萃，某种程度上他已经和这种舞蹈融为一体。他 4 岁就登上了舞台，但在之后的七年里，他没有创作他的个人表演，在此期间他被宣传为“爱尔兰风格的叙事歌手”。直到 1885 年，他赖以成名的演技才臻于成熟。他的第一次“转型”是饰演一个疲倦的女人，并演唱《去给双胞胎买牛奶》。

对 19 世纪 60 和 70 年代“美好时光”的怀念是不合适的，因为莱诺一家经常濒临饥饿和绝望。莱诺的记忆主要是从一个城镇到另一个城镇寻找工作，这是一条漫漫长路。然而，就像最好的哑剧一样，他的命运在巨大场景的切换中被改变了。1880 年，他在利兹的公主宫剧院赢得了“世界木屐舞冠军”，他的速度和精准击败了所有竞争对手。一位评论家说：“他在舞台上跳舞，在基座上跳舞，在石板上跳舞，赢得了一次又一次喝彩，但在整个表演过程中，他一句话也没有说。” 216

他 5 英尺 3 英寸的身材，苍白而紧张的脸，紧闭的嘴唇，沙哑的声音和突然向后的跳跃成为他表演的标志。他把奇特而难以捉摸的“啪嗒”声和突然爆发的疯狂雀跃融合在一起；他可以不逊于任何人地放声大叫，然后带着困惑的表情陷入沉默。他是人性的化身，是人性最本色的体现，是怜悯、同情和欢乐的代表。现存的几个记录片段并没有充分表现他的表演，因为令他变得高超的是和观众的交流，他成为观众。他对日常熟悉的生活保持着最大的忠诚。一位戏剧评论家说：“只要他在舞台上，无论是剧院还是音乐剧场，他都牢牢地控制着观众。他们离不开他。他君临天下。”马克斯·比尔博姆在《周六评论》中的评论最佳：

> 我敢说所有人对丹·莱诺都会一见钟情。当他怀着那种疯狂的决心跳跃的时候，每一个肢体的扭动都流露着势必要发泄出来的深深怨恨，没有一个人的心是不属于他的……那个可怜的受了打击的小人物，他“吱吱”的声音和夸张的手势如此做作，却又如此勇敢；虽被压弯但没有断裂，虽然力不能支但仍在拼命追赶，他是生活在这个根本不值得生活的世界的意志的化身……

到19世纪后期，音乐剧场变得更加华丽，有镀金和石膏，有楼厅和舞台包厢，就像那个时期的公共建筑装上了镜子和灯，变得更加宏伟，它们很快就越发符合劳动阶级的“宫殿”概念。还有更为文明的剧场，利物浦的剑桥音乐剧场建于1866年，里面有“科学”、“音乐”和“四季”的壁画。它在伤寒流行和美国棉花封锁期间开放，因此即便是最幼稚的娱乐也受到欢迎。酒和音乐剧场是人们的慰藉，代表了在一个根本不值得生活的世界里活下去的意志。当一切都失败了，就演一出哑剧吧。

丹·莱诺于1885年来到伦敦，在那里他开始了艰苦的生活，在贝纳尔格林、德鲁里街和威斯敏斯特大桥路表演。一个晚上三场演出并不算过分
217 （有些人演六七场），人们开始熟悉“我必须赶紧去下一个剧场”这句话。乔治·罗比回忆说，莱诺“夜复一夜地从一个剧场跑到另一个剧场”。人们看到他从马车里走出来，还在流着汗，看上去很累。但是当他出现在舞台上，出现在观众面前时，他就变了。他一直是一个忙碌的、不安分的人，一位当时的演员回忆道：“老实说，我从未见过他彻底休息下来。他总是在做一些事情，然后还有其他事情要做。或者他刚刚去了某个地方，然后还要去别的地方，还要赴几场约会。”

他演过很多角色，大部分都是下层或中下层人民，正如查尔斯·狄更斯所说，“他有整条街的钥匙”。他最熟悉的四个角色是服务员、店员、松

饼师和女房东，他常用的吹嘘或威胁是“年轻人又上当受骗了”。他们是莱诺想象中伦敦下层社会的一个缩影，那里有炸鱼店、酒店、当铺、海鲜摊、旧衣店和集市。只有在这些地方，他才无拘无束。

丹·莱诺勉强熬过了以他自己为代表的维多利亚时代。他最后表演的《鹅妈妈》可能导致了他精神崩溃，因此他被送进了佩卡姆精神病院。在那里他被诊断出患有梅毒，这改变了他的精神状况。从小到大长年饮酒对他的体质一无是处，酗酒是演艺界人士的祸根，有许多艺术家死于肝硬化或相关疾病。他出院后，怀着对康复的微弱希望继续演出。在生命的尽头，他又陷入了精神混乱，有人看到他排队等候一场自己的演出。1904 年 11 月初，前来为他送葬的队伍创下了这一时期他的观众的数量之最。

到 19 世纪 80 年代，音乐剧场里粗俗喧闹的幽默被中间阶层日益增长 218
的体面冲淡了。漫画书和散文是被称为潘趣学派（Punch school）的作家们写的，他们讽刺挖苦，有时很尖刻，但并没有什么颠覆性。1841 年，也就是第一部《改革法案》颁布 9 年后，《潘趣》作为一份周刊发行，其撰稿人包括萨克雷、托马斯·胡德、道格拉斯·杰罗德、亨利·梅休以及以狄更斯为首的一群幽默作家。不过，它最出名的是讽刺一周新闻和政治的五花八门的卡通漫画。

其影响更久远的一项贡献是乔治·格罗史密斯和韦登·格罗史密斯的《小人物日记》，该书于 120 多年后仍在印刷。其内容是一个出身低微但渴望受人尊敬，甚至进入上流社会的中年职员查尔斯·普特尔的私人日记。格罗史密斯兄弟都是舞台艺人出身，乔治主演过吉尔伯特与沙利文的合作歌剧。但他们于 1888 年春在《潘趣》改行进入虚构历史。最初的评论反响不是很热烈，也许在某些方面过于触到人们的痛处，看起来不像是个喜剧。它所说的内容始终是时下最新鲜的。后来它的名声逐渐扩大，到 19 世纪 90 年代，它被认为是维多利亚时代晚期最重要的贡献之一。

《牛津英语词典》从中收录了许多新的短语，包括“I've got the chuck”（“我被开除了”）、“dead cert”（“绝对可靠”）、“a good adress”（“一个好地址”）。普特尔家的实际地址“月桂居”，位于霍洛韦的布鲁克菲尔德台地

（由韦登·格罗史密斯绘制，是一个两层台地上的最后一栋带一个小花园的房屋），这是伊斯灵顿的一个地方，在19世纪下半叶变得繁华起来。可以说，这里是一个新的郊区，但伦敦很快又将它包围。这个故事很可能是根据观察写成的，招魂术和餐桌降神被忠实地记录了下来，还有当时报纸上的一个问题："婚姻是一种失败吗？"这座郊区住宅的室内设计非常精细，从棕色石膏鹿角到摆放花瓶的蓝色羊毛垫子。菊花、自行车和鸟摆件都是当时常见的东西。格罗史密斯兄弟还对"家"进行了剖析，认为它象征着
219 维多利亚时代人们所满意和追求的东西。

从不同的角度来看，《小人物日记》可能被认为是对新时髦的"现实主义"小说的重大贡献。英国现实主义大师乔治·吉辛曾写道，他想记录"那些基本上毫无意义的、绝大多数受微不足道的环境支配的人的日常生活"。这也是《日记》的目的和内容。在这个狭小的圈子里，吉辛和格罗史密斯兄弟提出了同样的问题：向上流动，子女和婚姻，以及世纪之交缓慢地对阶级重新定义。

这是《日记》中一些恰当的评论：

> 今晚又玩了"后果"游戏，不像昨晚那样成功，高英好几次越过了好品位的界限……无论如何，爸爸是一位绅士……我感到一阵忧郁来袭，想着可以去看看波莉·普蕾丝维尔，"英格兰的亮火花"……因为我是这里的一家之主，也许你该让我来处理……我不认为这是一种端庄的举止，她应该……用一点蕾丝盖住她的肩膀……我的感觉好得就像一把从劳瑟拱廊买来的小提琴，只要再加点"银子"，就会像500镑一把的"斯特拉迪瓦里"小提琴……噢，我要去涂指甲油了，现在这很流行。

书里记录了当时的一些典型：3先令6便士的一口价帽子、业余戏剧演出、二手礼服、对于寻开心和餐后游戏的热衷、即兴歌唱表演、暴躁的马车夫、每年一周的布罗德斯泰斯度假（与马盖特稍稍类似），还有没完没了

的双关语。于是在“这个小小的、一切都刚好的小岛”上，一个小世界就运转起来了。这类短语和表达都是新创造出来的，让读者尽可能贴近维多利亚时代晚期受人尊敬的阶层的用语，他们无论表达幽默还是反感都是温和的，坚持良好品位的标准，对任何非主流行为都感到恐惧。不过，《小人物日记》也表明，那个时期的习俗和用语也被使用它们的人所嘲笑。

无论我们走到哪里，都会发现有新的机构、社团和俱乐部，这曾激发 220
了丹·莱诺所说的对伦敦塔“长久以来的期盼”。大英博物馆的阅览室于1857年向所有愿意埋首书山的人开放。从卡尔·马克思到奥斯卡·王尔德，任何一个有志于研究学术但又无路可循的人都可以获得入场券。自1759年起，大英博物馆就有一个附属的阅览室，但那是一个“潮湿黑暗的房间”，里面堆满了鸟类摆件。1857年，它变成了我们熟悉的样子，直到1973年被大英图书馆接管。它的圆形形状出于偶然或故意代表了一个巨大的头盖骨，只不过它的直径有140英尺，高度为106英尺，这也是维多利亚时期的一项伟大工程，比罗马万神殿低2英尺，超过圣彼得教堂和君士坦丁堡的圣索菲亚教堂。

它至少可以被评为维多利亚时代中期由所有计算、结论和理论来驱动的思想发电站。卡尔·马克思在30年中每天都来，仔细研究经济史中的洪流旋涡。斯大林来了，列宁来了，托洛茨基来了，他们都在寻找历史智慧的源泉。离图书馆不远的整个布鲁姆斯伯里都被共产主义理论所吸引，各种会议、活动、俱乐部和委员会如雨后春笋般出现在这个大圆顶周围。19世纪中后期的英国有足够的空间去容纳一个政治上的敌人。所以，乔治·萧伯纳将他三分之一的财产留给了“伟大的共产主义事业”是很正常的。

图书馆似乎对周围的人有一种镇静作用，因为在邻近的街道上还出现了神智学、斯维登堡派、巫术和招魂术组织，它们似乎一下子就为人们所熟悉和接受了。这是19世纪英国的另一个显著特征，例如，金色黎明的赫尔墨斯结社就将它的总部设在了图书馆的对面。

图书馆建成后，书籍通过捐赠、遗赠和直接购买的方式大量增加，但
最主要的途径是通过为出版立法，要求每个出版商提供他们出版的每一本 221

书。这当然会被谴责为“高压手段”，但它体现了国家走向官僚化和管控的动向。存储问题可能是图书管理员面临的最大难题，阅览室本身可以容纳 303 名读者。另一个大问题在于照明。人工明火是不允许的，下浓雾时图书馆只能关闭，把读者驱赶到外面的黑暗中。终于，到 1879 年 11 月，当第一批电灯点亮时，穹顶四周回响起了热烈的掌声，乔治·吉辛也记录了“白光四射的电灯和不间断的嗡嗡声”。但穹顶下的气氛显得很沉重，一些人会产生所谓的“博物馆眩晕症”，阿尔加侬·斯温伯恩就犯过这样的病，一头撞到了桌子上。

多年来，它被认为是最后才能动用的图书馆，只有当读者在其他地方找不到要看的书时，他们才被允许进入。到下一个世纪，这一规则才被放松，不过，这非但没有带来多少好处，还让别的形形色色的人得以进入。查尔斯·狄更斯评论道，许多“寒酸的上流阶层”被这些书所吸引，也许是因为里面比较温暖，也许是因为比较舒适，也许是因为附庸风雅的快乐，也许是其他的因素吸引了他们。它给人一种置身于某项庞大事业的感觉，读者个人也是这事业的一分子。这是一种维多利亚式的体验。乔治·吉辛在《四季随笔》（1903）中写道：“当我在伦敦挨饿的时候，当我似乎没法靠笔杆子谋生的时候，我在大英博物馆里兴味索然地看书，就这样呆了多少天！”

阿诺德·贝内特描写读者包括“主教、政治家、科学家、历史学家、贫困的学究、有马车在外面等候的流行作家、记者、医科学生、法科学生、助理牧师、雇佣文人、剪短发系黑色围裙的妇女、闲逛的人——都是沉默不语的近视眼”。然而，图书馆并不完全是沉默的，打开和翻阅书籍的声音，就像秋天树叶熟悉的沙沙声。身体单薄的人经常咳嗽、打喷嚏和吸鼻涕。偶尔有人会提出丢书或者迟迟收不到书的问题。有时候会听到一本书
222 掉落的声音。不断有人走动的脚步声是如何消除的呢？有一个完美的维多利亚式解决方案，地上铺设了一种由软木和橡胶制成的“橡皮地毯”。

这里还出现过虚构的人物。在马克斯·比尔博姆的小说《伊诺赫·索姆斯》（以 1895 年为背景，出版于 1916 年）中，这位英雄在和恶魔达成协

议后，在他死后一百年再次出现，为的是看看他的名字有没有出现在书籍的总目录里。在布拉姆·斯托克的《德库拉》（1897）中，乔纳森·哈克就在这大穹顶下研究特兰西瓦尼亚的地图，但是没找到德库拉伯爵的城堡位置。人们对于图书馆的鼎盛时期有不同的看法，但它大致和穆迪流通图书馆的繁荣时期差不多。

穆迪的借阅图书馆位于博物馆街拐角处，离大英博物馆的前门只有一分钟的步行路程，可以被认为是大图书馆的一项商业附属设施，在那里顾客可以租借大图书馆里还没有的最新小说。当时的阅读需求十分旺盛，19世纪的后几十年真是一段田园诗般美好的日子，那时，作为维多利亚时代象征的三卷本小说一度非常流行，但现在已经被人遗忘了。

1842年，查尔斯·爱德华·穆迪在22岁的时候开了他的第一家门店，订户每年交1几尼，一次可以借一本书，若交2几尼，每次可以借4本。他很快发现小说是人民的鸦片。由于购买小说开销巨大，穆迪的借阅经营很快大获成功。但他拒绝购买“不道德”的和“人物刻画有问题或质量低劣”的书籍，那些待售的新小说不得不对此加以留意。

不过，穆迪的确对科学书籍的流通产生更有利的影响，例如，他购买了500本达尔文的《物种起源》。他的读者不仅限于个人和家庭，那些书还被送到研究所、读书俱乐部、书会、商业俱乐部和其他许多地方。日常大约有350万册书在流通之中，它们遍及欧洲、美国和大英帝国本身。1870年，安东尼·特罗洛普称：“我们已经成了一个阅读小说的民族……从首相到最末一个洗碗女工莫不如此。”

散文诗当然是18世纪最为流行的体裁，但19世纪是小说的天下。穆 223
迪声称要把阅读艺术推向大众市场，在此之前，阅读是一种专业的爱好。神学家、哲学家、历史学家和传记学家的确一直受人关注，但也可能是从穆迪或其他图书馆涌出的书籍大潮把他们抬得更高。通过穆迪流传的许多小说质量不高，被一些人斥为垃圾，但印刷文字在全国的传播对识字和教育产生了影响，最终形成了一个被称为“一般读者”的阶层。亨利·詹姆斯用耸人听闻的语言描述了小说的兴起：“眼下洪水汹涌澎湃，就要淹没整个文学领域，这似乎会变成常有之事。”散文诗本身是平铺直叙、具备因果关系的，里面充满了各种含义和征引；它可以用来描绘、命令、阐释、通告和取缔，这是权力的语言。

穆迪出租托马斯·哈代、乔治·梅瑞狄斯和亨利·詹姆斯的三卷本作品，尽管这些作家没有一个人喜欢这种形式。这只是出版商赚钱的一种新办法——可以三本打包而不是一本，一套定价 31 先令 6 便士，这也刺激了出版社的大量订单并保持了作者的稳定收入。然而，他的道德审查方式总是令人感到恼火，因为他认为自己不能保留任何会让年轻女士脸红的内容。这一下子把很多小说拒之门外，尤其是来自欧洲大陆的小说。单卷本被认为是一种低级的形式，相比于庄重的三卷本，单卷本更适合在街头摆摊。铁路书店出售被称为“黄背”的廉价重印本，他们靠着“先令惊悚者”（耸人听闻的售价一先令小说）大赚了一笔。其中一些也被称为“感官小说”，顾名思义，创作它们就是为了“刺激神经”。这些小说中许多角色都处于紧张状态，向读者传递他们的恐惧。例如，威尔基·柯林斯关注双重人格和双重身份、偏执狂和妄想症，追踪无意识联想和封闭记忆的路径，这些都
224 是在弗洛伊德开始研究这些主题的 30 年前。

然而，也有作家不喜欢三卷本这种形式，并与之对抗。三卷本中充斥着长篇对话、长篇描写、长篇道德反思，还有双重情节之类，1853 年，本世纪最成功的小说家之一查尔斯·里德抱怨说：“三卷本小说是我国的智力污点——它是我们祖先冗长乏味、离题万里的最后残留……三卷本小说的原则是：不要只写你不得不说的话，也要写那些你可说可不说的话。”然而这些小说被放在桌子上、沙发上、扶手椅的扶手上、卧室的桌子上，直到
225 1895 年，它们才死于营养不良，当时其他形式的文学作品已经兴起。

# 18

# 斗　鸡

帕麦斯顿在印度独立战争结束时的地位并不像看起来那么稳固，他个人的凝聚力也不如从前了。他的政党被称为“棒束”，却再也抓不住这束棒子了。紧紧团结的话，他们是牢不可破的；单独来看则很容易折断。有一张这一时期帕麦斯顿的画像，“他看起来像一位老绅士，一个在50年的斗争中耗尽力量的人。但他知道如何培养自己的意志力到一个恰当的程度，让他残余的力量像曾经全盛之时那样发挥作用。他看起来像一个决心统治到底的人……他的嘴唇上没有微笑，额头上没有欢乐。”在皇家文学基金会的一次晚宴上，屠格涅夫发现帕麦斯顿的脸“木讷、僵硬、冷漠”，维克多·雨果也有同感。但帕麦斯顿其实很有幽默感，他说巴西政府就像一个“做了点坏事被警察抓去的比林斯盖特渔女，她连踢带骂，还喊其他坏人来帮忙，死也不去拘留所，那样只会死得更快；但她如果感到警察的强力控制，明白警察是认真的，她就会像小羊羔一样安静地走了，尽管在每条街拐弯的地方还会骂骂咧咧”。他仍然有本事把外交事务变成潘趣和朱迪[①]的 226
舞台，他自己就是那位好斗的潘趣先生。

① 人物原型出自《潘趣与朱迪》，一部英国传统木偶剧。

对他的反击来自一个意想不到的地方。1858年1月，意大利民族主义者菲利斯·奥尔西尼策划了一个刺杀拿破仑三世的计划。由于警方监管不严，奥尔西尼得以顺利招兵买马，他本人去了英国，在那里说服了一个富有同情心的枪炮匠，制造了六枚奥尔西尼自己设计的炸弹。暗杀事件发生后，法国人认为英国人背信弃义，因而开始歇斯底里。帕麦斯顿害怕他的国家背上革命者天堂的名声，为了在法国皇帝面前挽回面子，他提出了一项《阴谋法案》。该法案在二读时未获通过，“帕姆”栽了个大跟头。一位名叫威廉·怀特的记者注意到，“‘伟大的首相’昨天还在最受欢迎的巅峰，现在的声望却如此之低，以至于他以前的朋友几乎没有一人说‘上帝保佑他’，人们预测未来时也不会再想到他”。自从1817年发明万花筒之后，人们常常把政治模式形容为“万花筒”。

反对派和政府一样都对此感到吃惊，迪斯雷利和德比——俗称“犹太人和赛马手”——在意料之外上了台，迪斯雷利在新的保守党政府中担任财政大臣。他们的第一步走得步履蹒跚。迪斯雷利提出了自己的印度法案，其中包括印度议会部分由英国大城市的居民选举产生的设想。每个人都嘲笑他，当时的威廉·弗雷泽写道：“如果看议会议事录，没有人能看明白到底发生了什么。欢呼、呻吟和大笑令人难以置信。我们认为自己应当用乱喊乱叫的办法来使对方的雄辩陷于无用之地。”也就是说，粗鲁的噪声和尖厉的喊叫就是当日的主要情形。德比已经当上了首相，但他仍然只是少数派的领袖。

1858年，首都的卫生状况再次引起人们的关注。那是一个“大恶臭”（Great stink）的夏天，粪便和其他动物杂质形成的污水四处横流，在泰晤
227 士河和这座城市上空形成了一片瘴气。所有房子都排污到河中，污浊在那里汇集和停滞。用来饮用和洗涤的水呈“褐色”，臭味铺天盖地。有人看见迪斯雷利在下议院的走廊里弯下腰，用手帕捂住脸。维多利亚和阿尔伯特想去河边散心，但被气味逼了回去。所有这些气体都被认为是疾病的根源，伦敦不久后的霍乱暴发也被认为是气体喷发的结果。其毒性与无处不在的马粪不相上下，长期以来，马粪一直是这个城市特有的气味来源。

海滩上积满了粪便，在泰丁顿船闸的上游，污泥有六英寸厚，“像墨水一样黑”。和克里米亚战争一样，没有人对此负责。这不是谁的错，是系统自己阻塞了。然而，在某个地方，还是有人决定做点什么。1863年的一项议会法案确定，应该建立一个庞大而复杂的下水道网络。土木工程师约瑟夫·巴扎吉特被选为伦敦的救星，他凭借其设计的巧妙的排水系统做成了这件事。

除了“大恶臭”外，1858年还有另一场恐怖。公众和媒体突然意识到，在一些贪婪的亲属的驱动之下，有些正常的人突然“消失”，去了精神病院，从而引发了当年的“精神病恐慌”。威尔基·柯林斯等人研究了这种做法的简便之处。《劳埃德周刊》在1858年8月报道说，“很容易证明一个讨厌的亲属是精神病人，但持续的不良治疗更容易加重原本不重的症状”。

在一个贫困和痛苦的世界里，发疯可以变成流行病。人们普遍注意到“大脑紊乱”的病例明显增加了。《爱丁堡评论》推测，这是社会和商业生活中激烈竞争和焦虑的结果；它指出，疯狂“源于所有阶级都在不断争夺地位甚至争取活命时的极度紧张”。甚至有传言说，维多利亚女王遗传了其祖先的疾病，性格非常暴躁，以至于她不得不被限制在一个有软壁的病房里。这是一个经常在杂志、小说和医学教科书中出现的主题。它和霍乱一 228
起被视为19世纪医学的标志性形象。其对症药物一般是鸦片酊，被冠以“巴蒂滴剂”或“妈妈贝莉的平静烈酒”之名。

德比担任保守党首相长达15个月，但其间的重头戏在幕后，帕麦斯顿、罗素和其他雄心勃勃的自由党领导人正在争夺控制权。罗素谴责帕麦斯顿“轻浮傲慢”，警告他不要公开反对保守党。德比从未获得多数席位，但他并非没有想法。1859年3月，他和迪斯雷利提出了一项议会选举权法案，为的是给城镇和乡村选民带来某种平等的选举方式，以努力帮助保守党选民。但是自由党和皮尔派一起否决了这个提议（该提议在1884年重新得以通过），德比被迫辞职。在随后4月的选举中，保守党发现自己多了30个席位，但仍然只占少数。

格莱斯顿在4年前就已说过：“这种奇特状态的最大特点就是，政治分歧不再存在于不同政党之间，而是存在于政党内部。”1859年6月6日，自由党、激进分子和仍被称为皮尔派的残余势力聚集在圣詹姆斯街的威利斯厅，举行了一次决定性的会议，自由党在那里接受了正式的洗礼。名义上，他们是为了“意大利问题”走到一起的，即支持意大利人反抗奥地利统治者，但会议的实质可以在《泰晤士报》上找到：

> 约翰·罗素勋爵在会议上发言，强烈反对政府继续被少数派掌控，称这是违宪和极为危险的。他表达了强烈的愿望，如果帕麦斯顿上台，就与帕麦斯顿合作；如果自己上台，就请帕麦斯顿支持他。勋爵在演
> 229 讲中提到了自由党的状况，并表达了他的观点，即在自由党组织政府时，该党的三大部分，即老辉格党、皮尔派和后来的自由党，在其中都应该有代表。

从那时起，自由党成为主导政党，直到迪斯雷利时代。可以肯定地说，现在只有两个政党：自由党和保守党，剩下的皮尔派正在逐渐减少。自由党领袖罗素和帕麦斯顿被女王称为“两个可怕的老头”。最后一个真正的皮尔派大概就是她正在生病的丈夫了。

当月，对德比的不信任投票通过，帕麦斯顿在75岁时第二次成为首相。这是个奇迹。对一些人来说，他似乎只不过是一个在白厅走廊里虚弱地晃来晃去的上了年纪的傻老头；但有些人因他年轻的外表而称他为“丘比特勋爵”。对后者来说，他代表了一种特别的英式活力，一直到最后都活跃着。他已经成了一样“固定装置”，一块顽固的岩石。他拉拢格莱斯顿进入财政部，但他们不能算是战友。一名议员回忆说，每次会议时格莱斯顿都带着一堆意见建议来到内阁，这时帕麦斯顿就会低头看他的文件。直到格莱斯顿讲完，帕麦斯顿才拍着桌子说：“现在，我的阁下们、先生们，让我们开始干正事吧。”据说他还对沙夫茨伯里勋爵说：“格莱斯顿很快就会随心所欲地胡来。一旦他坐到我的位置，我们就会有奇怪的事要干。”这不是政策问题，而是个性问题，这才是政治的根本问题。

出于一些顾虑，德比和迪斯雷利不想把帕麦斯顿赶下台，所以他们与首相达成了为期 3 年的“休战协议”，当然也不会放弃作为强硬反对派的立场。德比建议迪斯雷利去鼓励帕麦斯顿利用保守党的支持，“考虑到帕麦斯顿日渐衰老和虚弱，在大厅中对付激进运动时，这种支持越多越好”。他向帕麦斯顿传达了一个信息，即每当他受到激进要求的威胁时，他可以依靠保守党。然而，到了这个阶段，帕麦斯顿的人气可能已经恢复，渡过了难 230
关。奥辛顿子爵说，一次帕麦斯顿和同僚在博览会水晶宫旁边散步，当他出现的时候，整座建筑内的男女老少立刻像遭遇了电击似的喊道：“帕麦斯顿勋爵！帕麦斯顿勋爵来了！太棒了，万岁！永远的帕麦斯顿勋爵！”

威斯敏斯特的头脑们无疑都卷入了“意大利问题”以及反复无常的奥地利统治者之中，尽管没人真的对冲突的某一方有好感。外交事务总是如此，一条经常被忽视的原则就是不要卷入海外的纠纷，这类纠纷通常是没有结果的。作家约翰·特里劳尼甚至提出，外交可以让政府在一个充满威胁的世界中保持运转，“大多数人都对当下变革的影响深怀恐惧，美国、法国、意大利、波兰、匈牙利——危险无处不在，谁将为这场死亡之舞率先揭幕？”现实是拿破仑三世向奥地利宣战，他有了新的盟友撒丁王国，这个王国希望能从奥地利人手中夺回更多的意大利领土。奥地利人在蒙特贝罗和索尔费里诺战败，被迫达成协议。按照惯例，土地从一个霸主转移到另一个霸主手中。这些都是世界大事，农民仍然在仰望天空，祈盼雨水。

1861 年以《年鉴》的致意开始：“1861 年来临时，国内总体上是繁荣平静的……农业和制造业的状况……显然是健康发展的。之前出现的宪法改革呼吁似乎已经完全平息了。”然而，对于那些预言平静富足的人，用那个时期的一句话来说，“注定要有风吹在他们的脸上”。春夏之交，关于法国将要入侵的消息在容易轻信的人群之中造成了恐慌，如果不是格莱斯顿力排众议，这个国家的财政就会陷入混乱。这一年他还取消了纸张消费税，用格莱斯顿自己的话来说，这使“这个国家的廉价出版物活泼、有力、持久、繁荣地运转起来。对于社会大部分阶层的人士来说，这就像生活中的一盏新的明灯、一个新的时代，有关公共事务的信息……前赴后继地扑面而来”。 231

对法国的恐惧被对美国分裂的恐惧所取代。1861 年 5 月，美国内战爆发，在威斯敏斯特，对究竟应该偏向哪一方产生了分歧。当 7 个蓄奴州脱离联邦时，英国政府的问题变得尖锐起来，并因公众舆论的分歧变得更加激烈。一个重要的机构支持南方，因为与南方做买卖很容易而且有利可图，奴隶制的问题则并不在考虑之内；其他人则倾向于支持更“现代”的北方，因为其商业成功且对经济与社会进步有敏锐直觉。然而，内阁中的多数派（或者也可以说是最大的少数派）支持南方，因为他们认为北方不可能击败邦联。

尽管英国声称保持中立，但当两位著名的南方政治家前往英格兰时，一艘北方军舰拘捕了他们，于是这一立场遭到了严重破坏。幸运的是，当时缓慢的信息传递没有使局势升温。越来越多的人认为，不要卷入这场纷争才是当务之急，他们轻易地忘掉了是英国政治家和英国议会把奴隶制引入那个遥远的地方。工人支持北方，工厂主则支持南方。曼彻斯特等地的棉花工人因为此类商品的严重短缺而失业，可以说他们对这件事有着复杂的感情。帕麦斯顿支持南方，认为北方永远不会赢，并开了很多北军的玩笑。狄更斯也喜欢南方，认为只有南方人才能限制黑人人口数量。格莱斯顿在某一个不清醒的时刻宣称：“杰斐逊·戴维斯等南方领袖创建了一支军队，他们似乎还在创建海军。他们创建的远不止于此，他们创建了一个国家。”然而，北方的军队逐渐占了上风，提醒帕麦斯顿支持失败的一方是愚蠢的。

阿尔伯特王子为平息这场棘手的矛盾做了很多工作，这也差不多是他
232 最后一次为自己的国家尽义务。1861 年 12 月，他在结婚 21 年后去世。就在 4 年前，他受封为亲王，似乎这是为了巩固他在英国统治层中的地位。据说他和女王看上去就像国王和王后，尽管女王可能不会欣然接受这个说法。客观地说，阿尔伯特负责的是他的妻子不太感兴趣的各部事务。

但是女王很后悔把这样的重担压在她口中的“他可怜的胃”上。多年以来，王子患有胃病，无法很好地消化，会引发痛苦的痉挛。现在人们认为他患有消化道癌症或克罗恩病。他还患有牙病和疖子。他可能知道末日即将来临，但这消息无法向女王明示。“我没有把握住生活，”他对她说，

“但你把握住了，而且非常有把握。”

维多利亚女王被叫到他卧床的温莎城堡的蓝厅。“哦，是的，这就是死亡，”她说，“我知道，以前见过。”他慢慢地不行了，只是靠白兰地来维持精神。墨尔本曾经对她说：“英国医生会要你的命；法国人则任你死去。”英国医生总是对症状感到困惑，用安慰的话来缓解症状。

丈夫去世后，女王立刻用丧服裹住自己，多年都没有脱下，仿佛一只黑蝴蝶的蛹。她取消了所有的公共和私人约会。从街角小店到新百货商店，整个国家笼罩在一片漆黑之中。剧院、音乐会和所有公共娱乐都被取消了。女王两年来完全退出了公众生活，只是难得出去为阿尔伯特的雕像或半身像揭幕。这是一场亚瑟王式的哀悼，这是一场丁尼生式的哀悼。她哀叹现在再没有人叫她维多利亚了，她失去了完全依赖的支柱。她成了一个小小的黑球，露出一张可怜的脸，人们只能在马车的后座上瞥见她。她什么也不做，哪里都不露面，直到有人怀疑她是否还有什么别的想法。

如果她的大臣斗胆向她提出参与公共活动的建议，他们会遇到无法克服的困难。维多利亚写道： 233

> 罗素勋爵和帕麦斯顿勋爵都强烈认为，作为一位没有丈夫的女士，政府的所有重担都压在她的身上，身体又很虚弱，无法承受招待会的劳累，她不能像以前那样招待亲王。因此她不能邀请他们，无法承担该做的事让她感到很沮丧，但是目前她还没法做到。

她有一个继承人阿尔伯特·爱德华，小名“伯蒂”，她认为他一无是处。有一次，她激动地在日记中写道：“他一点也不好看；他的鼻子和嘴巴太大了，头发粘在头上，穿着可怕的衣服——他没一个地方好看。”

她决不会向自己的儿子寻求安慰或建议。她进入了一种近乎麻木的悲伤状态，如果有人胆敢劝慰她，她会愤怒地回应。她唯一的想法是用雕像、公园和纪念碑来纪念她的丈夫。阿尔伯特在统治的艺术中教给她的温和一面似乎都白费了，到 19 世纪 60 年代中期，女王陛下的顽固给了英格兰的共和主义者第二次教训，说她已经退休了是完全错误的。不管她喜不喜欢，她在欧洲的家族网会说服她参与到世界中来。她有一件事留在心里，她写道：“我渴望重复做**一件事**，那就是我坚定的决心，**不可更改的决定**，那就是**他**的愿望——**他**的**一切**计划、一切看法都将成为我的**法律！**”

格莱斯顿正在巩固他在内阁中的地位。他提出了谨慎的预算，在自由贸易和捍卫帝国的问题上态度坚决。他明白自己没有机会把帕麦斯顿赶下台，只能耐心等待帕麦斯顿去世，这肯定要不了很久。对于格莱斯顿热心支持的进一步选举改革，首相暂时搁置一边。不用着急，改革总是好事多磨。罗素曾经尝试过两次，但都没有成功，帕麦斯顿也没有兑现他的承诺。
234 不过，当公众似乎对此缺乏兴趣时，再次提出这个问题也许是明智的，不会出什么大乱子。1832 年的改革法案没有出什么乱子，现在的新法案也没有理由会出什么乱子。无论如何，继续无限期地阻挠产业工人阶级是不明智、不适宜的。

既然变化迟早要来，那就越早越好。因此，呼声在慢慢增大。1858 年 10 月，恩格斯写信给马克思说：“英国工人阶级实际上变得越来越资产阶级化了。”这对当局来说未必是一种安慰，显然，工人阶级越是“资产阶级化”，他们就越是希望获得某些公民权利。19 世纪中期的另一位观察家亨利·梅休可以补充这一点，他写道：

> 工匠和狂热的政客几乎别无二致。他们受过足够的教育，有思想，能够意识到他们在国家中的重要性……而普通工人是一个不同的阶层。到目前为止，他们像仆役一样不关心政治，他们没有接受暴力的民主观点，似乎没有任何政治观点；即便他们真的有政治观点，那也是倾向于保持“事物本来的样子”，而不是朝着对劳动人民更有利的方向改进。

帕麦斯顿定期访问这些地区，接见那些人，声称自己被他们的热情所“打动”和“慰藉”。他就像一只斗鸡，还要多来几轮才能赢得比赛，但他还没
235 有做好准备。

# 19

# 出乎意料的革命

帕麦斯顿子爵和他的外交大臣约翰·罗素勋爵遵守外交事务的一贯原则：不惹麻烦。他们远离了意大利，更重要的是，他们远离了美国，因为那里有着无穷无尽的麻烦。当拿破仑三世建议组建一支军队越过大西洋时，外交部吓坏了，直到最后他才意识到这是完全不可能的。旧的因素依然存在，法国仍然是敌人，不管怎么说，在那个所有人都是亲戚的大陆上，英国和德国之间还存在“姻亲关系”。但不参与欧洲的战争并不意味英国的军队是摆设，陆军和舰队没有一年不在阿富汗与祖鲁兰抵御对帝国的威胁。对此，人们达成了一个政治共识。迪斯雷利声称：“保守党只有代表大众的原则才会处在正确的立场，那才是真正不可抗拒的。这样他才能维护王位和神坛，以及帝国的威严、国家的自由和大众的权利。”

1863 年 1 月，当俄国声称对波兰拥有主权时，波兰革命者挑起了激烈的内战。英格兰对此感到害怕，但除了发出一些模糊的威胁外什么也没做。236
罗素和颜悦色地询问奥地利大使，奥地利是否有可能对俄国动武，大使回应了这个问题。“正如我所预料的，”他写道，“罗素勋爵告诉我，这种可能性还没有被审查，他还没准备好回答我。他恳求我只当他没有提出这个问题。”这就是对纠缠的恐慌。

后面的两到三年里，情况没有改变，德国和奥地利军队在欧洲横行以宣示他们的责任。在这个似乎被科学和商业进步彻底改变的时代，欧洲自身在动荡中实现了变革。奥托·冯·俾斯麦是个麻烦，但不一定是威胁。1861 年，意大利王国统一了，俾斯麦的意志带来了德国的统一，他将各种各样的德意志公国和王国结合在一起，置于普鲁士控制下。这和英国历史无关，我们不是在玩一个超大的“后果”游戏，但重要的是要注意俾斯麦是局势的真正主人，英国在 19 世纪后期欧洲的缔造中发挥的作用是微不足道的。

伦敦的工人承诺支援波兰起义者，工人阶级与争取独立的民族主义者的团结间接支援了他们各自在国内的事业。另一种信任感的表现是合作生产，是社会主义和自我救助的结合。1863 年，北英格兰工业和储蓄批发合作社成立，打破了原先批发商的苛刻控制。这是一个友好社会、建设型社会和储蓄银行的时代，它们以节俭、自助和共同安全的理想为基础壮大了自己的力量。起初，它似乎许诺要以缓慢和非暴力的方式引入社会主义，但这些理想被证明是虚幻的。劳动人民不希望社会革命，只是希望他们的境况得到改善。

1864 年春天，人民对体面的新追求对政治的影响力越来越大。5 月 11
237 日，格莱斯顿向下议院解释，“每个人……从道德意义上来说都有资格参与宪政”，除非由于“个人不称职或某些政治危险因素”而不能实现。格莱斯顿成了排头兵，他似乎在宣传投票是一种基本权利，而非一种特权。他接着说，所有阶级的联合，极为令人向往，促成这种联合的办法是“在适当的时候，选择一部分人民，公正地授予他们每一项利益和特权，如此合理地扩大范围”。迪斯雷利说格莱斯顿说这些话听起来就像是托马斯·潘恩。帕麦斯顿批评他宣扬的是“我永远无法接受的普选原则”。有趣的是，帕麦斯顿把格莱斯顿的改革政策与其日渐活跃的公众形象联系到了一起。帕麦斯顿对格莱斯顿说：“如果你利用接待工人代表团的机会鼓励他们为议会改革闹事，这会令人感到遗憾——政府的职能是安抚而不是煽动。”1864 年 5 月底，《潘趣》出版了一部漫画，其中格莱斯顿是赛马场上唯一的骑手，帕麦斯顿是发令员，他大声喊道："嗨！格莱斯顿！民主！抢跑了！抢跑了！你还不能出发呐！"

格莱斯顿开始认识到工人阶级中蕴含着能量，他们似乎很温驯。他看到团结更广泛的民众的可能性，在今后的岁月中，他会向他们发出呼吁。他对一个代表团说，"选举应该扩大到工人阶级"。当年秋天，他走进工厂区，慢慢地摸索着进入一个民主的新领域。《纽卡斯尔每日纪事》已经在暗示会出现一个以格莱斯顿为领袖的"人民大党"。他特别喜欢提及 1862 年的大棉荒，当时美国内战使英国北部必要的原材料紧缺。格莱斯顿特别称赞兰开夏南部的人们"自律、克制、尊重秩序、吃苦耐劳、信赖法律、尊重上级"。他们理应是民主的理想成员。无论格莱斯顿走到哪里，都会收获欢呼和款待。当然也能看到，当帕麦斯顿会见工人代表团时，迎接他的只有沉默。

帕麦斯顿还是待在他的议会更为合适。他阻止了上议院就石勒苏益格-荷尔斯泰因割让给德意志邦联而发起的不信任投票，那是一场只对直接相 238
关者非常重要的纷争。帕麦斯顿曾说过："只有 3 个人真正了解石勒苏益格的事情——阿尔伯特亲王，已经去世；一位德国教授，已经发疯；还有我，已经全忘了。"事实上，英国背叛丹麦激起了极大的愤怒和厌恶，这是对待盟友之道吗？结果是普鲁士人变得更加自信，而英国失去了很多影响力。马修·阿诺德认为，帕麦斯顿曾经让这个国家排名世界第一，却又让它迅速衰落。虽然后果也许并不那么严重，但对丹麦的背叛的确带来了很大的坏处。

帕麦斯顿在不信任投票中幸免，各方都松了一口气。现在还没有人看好本杰明·迪斯雷利，他还在静静等待，等待德比勋爵的退场。理查德·科布登甚至还嘲笑保守党希望帕麦斯顿下台，帕麦斯顿有时被认为比德比还保守：

> 我认为你试图赶走勋爵大人是个严重的错误……他给改革抹黑；他嘲笑准备无记名投票的 220 位先生；他花的钱更多，远比你在任时

> 我们允许你花的要多。此外我还一直觉得，在彻底搞垮自己的政党之后，他会在表明自己政治意愿的时候把职位移交给你，让你做他的残局继承人。

科布登说完话后，按照习俗把高筒帽戴回了头上。

1865年，有两本倾向完全相反的书籍出版。沃尔特·白芝浩的《英国宪法》在1865年至1867年间以连载形式出版，是一部宣扬沉闷的书。维多利亚时期著名的历史学家G. M. 杨格称白芝浩为“维多利亚时代最伟大的人”，“一个属于他的时代中独一无二的人……他的影响在健康的心灵间传
239 递，能够发扬维多利亚文明中最珍贵的元素，那就是强健和阳刚之气”。沉闷是一种义务，俗话说，聪明过头就是愚蠢。这引起了怀疑。白芝浩写道：“一个自由的民族最重要的品质……就是相当愚笨。”不要研究太多，不要渴望太多，这是维护自由的方式。白芝浩认为“引导大多数人行为的是人类单调的传统习惯……行政事务中的沉闷是一个好的迹象，而不是一个坏的迹象——尤其是代议制政府的沉闷，是对其是否优秀的考验，也是其成功的标志”。兴奋会导致无度，创新滋生焦虑、麻烦和冲突，更不要说革命了。这是维多利亚时代英国总体稳定的关键因素之一。

然而，情况发生了变化。在前几代人中，议会的先生们用类似于茶余饭后的闲谈来取笑或羞辱他们的同僚。现在，报纸的时代已经来临，它汇集了各种事实和观点。威斯敏斯特的演说家们（如果还能这么称呼他们的话）按白芝浩所说的“耐心的解释、精心的细化、详尽的研究”来处理大法庭改革和公司注册制等事务。白芝浩进一步推测道：“正常的商业造就正常的政治家——安静的习惯、清醒的想法、平实的目标是他的鲜明特点。”伟大的理想变得平凡，或至少看上去如此。“如果一个人能够持久地观察现实生活，他会发现人们从来不会去想自己对生活会有何助益。”这可以看作对维多利亚时代公众价值观的一个公平结论。

对于这一体系，可以找到罕见和独特的例外。在《英国宪法》开始连载的同一年，詹姆斯·克拉克·麦克斯韦的《电磁场的动力学理论》也出

现了。在当时它很少被人提起，很大程度上是因为外行人对此很难理解。麦克斯韦的主要成就是揭示了电磁理论，这一理论被描述为继牛顿之后的“第二大统一理论”，其中电、磁和光被视为同一现象的不同表现。其本身可以被视为标准的维多利亚时代的发现，意义重大。另一位物理学家理查德·费曼在20世纪60年代写道：“以长远的角度看待人类历史的话——比如从现在起一万年后——毫无疑问，19世纪最重大的事件就是麦克斯韦发 240
现了电磁动力学定律。”可以说，维多利亚时代的科学理论超越了同时代所有的宗教和社会信条。

然而我们也许会注意到，在麦克斯韦发表他的见解的时期，社会上更大的热情——尤其从19世纪50到80年代——被倾注在批判《圣经》上。神学得到了更加开明的发展，教义的定义更为自由，世界变得不安定了。种种原因引起了激烈的愤怒和讽刺，参与者互相争斗，好像这是性命攸关的事。异端审判和诉讼案让不信国教者反对圣公会，长老会反对公理会，德国神学家反对英国神学家，主教反对牧师。圣经叙事是受神的话语启发，还是各个时期学者合成的作品？地质学是对《创世记》传统的野蛮攻击吗？纳塔尔的主教J. W. 科伦索出版了一系列对《摩西五经》和《约书亚记》的探讨，发现了许多不一致和不合理的地方。科伦索写道：“我们的责任当然是跟随真理，不管它把我们带到哪里；而后果则交给上帝。”

福音派和高教会派这样虔诚的教徒被激怒了，一个主教怎么能公开提出这样的观点呢？曼彻斯特的李主教对于“我们信仰的基石，我们希望的基石，我们最亲密的慰藉”感到忧惧。有人呼吁进行异端审判，尽管火刑已经没人再提。科伦索的上级开普敦主教召开了一次会议，废黜了科伦索的主教职位。科伦索随后向伦敦枢密院提出上诉，枢密院宣布废黜无效。尽管如此，开普敦主教还是任命了另一位主教，而科伦索继续不顾一切，制造了持续数十年的分裂。类似的情况在英国教区多了起来，自由派神职 241
人员挑战极端保守的主教，极端保守的主教对于自由派神职人员也是一样。过去的确定性到处受到“客观”和“科学”手段的侵蚀。

宗教教义的衰落在某种程度上与托马斯·哈代和莱德·哈格德关于乡

村传统在1865年左右终结的看法有微妙的联系。和旧世界、旧英国的最后联系终于被切断了。这一切发生时几乎没人注意到。当年,《双周评论》首次刊行，其宗旨是鼓励“进步”，并以广泛的科学和世俗观念进一步阐明“现代思想”。

也是在这一年，马修·阿诺德在《文章评论》之一《批评在当前的作用》中写道：“集中时期不可能永远持续下去，扩张时期会在合适的时候接踵而来。这个国家看来正在开启这样一个扩张时代。”对阿诺德来说，传统思维模式的瓦解就意味着“扩张”。他还写道：

> 首先，外国思想对我们的实践施加敌对的强制性压力而带来的所有危险都已经消失了；就像寓言中的旅行者一样，我们的斗篷可以穿得宽松一点了。然后，伴随着长久的和平，欧洲的思想逐渐友好地渗入并融合在一起，尽管每次都只是少量融合。同样，尽管我们狂热的物质进步具有深刻而无情的影响，但在我看来无可置疑的是，这种进步有可能最终导致精神生活中的阴暗面；一个人，在他自己过得非常舒适，并在当下必须决定下一步该怎么做之后，可能会开始想起他是有思想的，这个思想也许会成为快乐的丰沛源泉。

物质进步被认为是“狂热”的，这也许很有趣。

242 1865年春天举行了一次选举，主要的前提是经济稳定运行。结果是意料之中的，帕麦斯顿勋爵领导下的辉格党取得了相对于德比以及保守党的多数票。“当他在人生道路上蹒跚而行的时候，”格莱斯顿那样说自己，“我相信上帝会仁慈地看待他那可怜的、负担过重的子民。”事实上这次他的确马失前蹄。他被牛津的选民拒绝，因为他是一个热忱的自由主义者，还带有一点激进。为了选票他不得不匆忙北上，他一直受到兰开夏南部人民的欢迎。有6 000人欢迎他，抚平了他在牛津受到的创伤。“最后，我的朋友们，”他说，“我来到了你们中间……我终于可以开口说着话来到你们中间了。”对此的解释是格莱斯顿现在准备积极推动改革。不管他的意思是什么，这些话不会得到他的首相的赞赏。

很清楚，帕麦斯顿不可能无限期地继续下去，政治舞台的观察家们看到格莱斯顿正在获得越来越多的选民。然而帕麦斯顿似乎服用了一种神秘的药剂，与他共进晚餐的奥辛顿勋爵看到：

> 晚餐他喝了两盆海龟汤，接着上了一大盘蚝油鳕鱼，他吃了一块。后面上了两道非常油腻的主菜，他干掉了一盘烤羊肉，然后面前又摆上了一块火腿。我从未见过在贵族的餐桌上有这么大而且硬的火腿块，但它也消失了。就在此时管家问他："阁下要点沙锥肉还是野鸡肉？"他立即回答："野鸡！"

可能是吃得太多了。到1865年春天，他开始像他的年龄那般衰老，到秋天，他去世了。

他不能因任何惊人的创新之举而受到指责；除了这个国家的繁荣之外，他没有什么别的伟大事业。他是那个时代的一部分，稳固的地位是他通过谨慎（就像一匹狼在跟踪猎物时小心翼翼）、好运和机敏的判断获得的。或许，与格莱斯顿和迪斯雷利相比，他经历了痛苦——既没有其中一个人的庄重德行，也没有另一个人的灵活性。《亨利·亚当斯的教育》（1918）更生动地描述了政治形势： 243

> 帕麦斯顿的最后一届内阁任期（1859年至1865年）是公认的休战期——也是停滞的时期。英国的体系和法国一样，处于瓦解的最后阶段。英国人的思维从来没有表现得如此脱节、如此混乱，像在海面上各种各样的历史沉船中挣扎一样。怪癖可以自行其是，国家和教会中充满了矛盾，英国花费了三十年的艰苦心血只是清除了一部分碎片……

特罗洛普在《菲尼亚斯·莱杜克斯》中更简洁地指出："在这个国家里，一个政党必备的性质就是避免考虑任何涉及重大变化的问题，只要这些问题能被避免。”

帕麦斯顿的去世被认为是一场严重的国家灾难，但这的确搬走了妨碍政治或社会进步的一块石头。政治改革又一次悬而未决，它被封存了这么久，现在似乎要爆炸了。“休战时期已经结束，”迪斯雷利写道，“我预见到动荡时代的到来，以及公共生活的巨大变迁。”1864 年，“全国改革联盟”成立，次年，“全国改革同盟”提出了争取男子普选权。法律与习俗之间的紧密联系已经逐渐解除。某些特权的削减和废除以及宗教障碍的消失缓和了气氛，为更为人道的立法开辟了道路。工会慢慢被接受为劳工世界的一部分，市政改革提供了公园、学校和公共浴室。在 1858 年“大恶臭”之后，卫生已经成为全国性的当务之急。

据说，帕麦斯顿一直工作到去世。首相从 81 岁的人变到 73 岁的人，约翰·罗素已经成为罗素伯爵，他接受了挑战。有些人很惊讶罗素会再次挑起重担，但正如比利时国王告诉维多利亚女王的那样，“这些政治家从不会拒绝”。无论如何，天没有塌下来，几乎就像什么也没发生一样。德比和罗素像两家竞争公司里的老搭档那样继续经营，很自然，人们的兴趣转移到了下一代领袖身上。而格莱斯顿和迪斯雷利还在更衣室里，为他们的角
244 色做准备。

帕麦斯顿去世的那一天，格莱斯顿给罗素写了一封信，承认这位老人是理所应当的继承者：“您以前担任过首相，以您的力量、经验、辛劳和声誉，毫无疑问您会被派去继任。”格莱斯顿继续担任财政大臣和下议院领袖。他已经成为英国历史上最令人敬畏的大臣，在同僚之中他排名第一。他始终坚持谨慎的财政政策，控制军费开支，小心翼翼地尽可能降低税收和关税，设法在年度获得盈余。他强调了“该国工业的发展与过去四分之一世纪内推行的立法程序之间的重要联系”。这是他在全国各地的演讲中所鼓吹的计划的一部分。他是推行新改革法案的合适的大臣，并以此作为新政府的首批措施之一。

改革就像是一个玩偶盒子，每当你打开零钱盒子，它就会咧嘴笑着跳出来，“我们又来了！”1866 年 3 月，欧沃伦格尼票据经纪公司倒闭，引发

金融恐慌，变革的气氛似乎变得更加紧迫。尽管格莱斯顿准备提出一项法案，但他不确定如何领导这一进程。约翰·布莱特写信给他说：“你有三个月的时间来起草一份议案，任何一个了解这方面情况的人都可以在一周内写完。”1866 年 3 月，格莱斯顿终于公布了他的提议，但没有人对此满意，他陷于辩论中踌躇不决。这些议案就像在炒冷饭。自由党的微弱领先急剧下跌，罗素政府于 6 月辞职。他所在的党有人建议立即举行大选，但其他人认为这行不通。因此内阁同意辞职而不解散议会，保守党不战而胜。

政府在一场类似于“以牙还牙”的游戏中被击败了。迪斯雷利加入了一个自由派团体，他们发自内心地坚决反对改革；他们后来被称为“亚杜兰人”，得名于大卫躲避扫罗的亚杜兰洞。“山洞”成了党内有党的别称。 245
觊觎已久的保守党接手政权，公众普遍认为改革已经不太可能。但他们没有注意到本杰明·迪斯雷利，他似乎有一种不可思议的预测甚至塑造政治气候的能力。

罗素和格莱斯顿政府于 6 月 18 日倒台，9 天后，大约 10000 名抗议者聚集在伦敦市中心，手持铜管乐器和红旗，以“格莱斯顿和自由！”“永远支持格莱斯顿！”等口号抗议改革停滞。很明显，他是众望所归之人。

海德公园、维多利亚公园和林肯市酒店广场的大规模示威活动仍在继续。曼彻斯特、利物浦、伯明翰和其他地方都组织了游行。警方试图压制抗议者，但不太成功，街上的人们取得了道义上的胜利。不过他们和之前伦敦的示威者完全不同，戈登暴动只是遥远的回忆。海德公园的一些花被踩坏了，还有一些栏杆被弄断了，这场暴动的规模仅限于此。马修·阿诺德在贝斯沃特路边的阳台上目睹了这一场景，并受此启发写了《文化与无政府状态》（1869）一书。但是处于无政府状态的是新闻而非文化，由此造成了不必要的恐慌。如果公众回忆起大展览时海德公园的人群是多么平静，他们可能会松一口气。那些曾经担任过军事教官的人很好地组织了游行队伍。一些抗议者还戴着礼帽。他们呼吁的是“男性普选权”或“户主普选权”，这与全民民主根本不是一回事。这些都是半个世纪以来的老生常谈，实际上是与财产的概念联系在一起的，特别是房屋，因此国家的进步会给

有产阶级带来更大的利益。妇女、穷人和流浪者被含蓄地排除在这一进程
246 之外。严肃而组织有序的游行和演讲给格莱斯顿留下了深刻的印象，他比以往任何时候都更加确信改革的时刻已经到来。然而事实却是，他在选举改革问题上被击败，并被赶下台。

德比伯爵认为保守党的时刻已经到来。与他站在一起的是当时的头号操纵者本杰明·迪斯雷利。这是德比的第三届保守党少数派政府，但他告诉在上议院的同僚们，“他不打算让第三次上台仅仅成为权宜之计，直到自由党忘掉他们的纷争那天为止”。他决心通过某种不可思议的举动，让他从少数派变成多数派，或许还可以想出一个改革方案来吸引大批追随者。

他还不太确定谁会来支持他的改革，他咨询了“亚杜兰人”的主要人物，他们是他敌人的敌人。他们不会反对他，毕竟，虽然他们不支持改革，但仍然是自由派。沙夫茨伯里勋爵以支持人道主义事业而闻名，但他也拒绝帮助他。保守党本身是一个庞杂的团体，里面有自由保守派、保守自由派和保守党激进分子。不过改革已经成为必然。那些失败的举措、错误的开始，以及那些反对变革的人采取的拖延战术反而激起了一种对立的势头，现在对这种势头再也不能视而不见了。德比写信给迪斯雷利：“我很不情愿地得出结论，我们必须面对改革的问题了。”

迪斯雷利也在犹豫，他看到包括格莱斯顿在内的其他大臣为一个似乎没有明确解决办法的问题而烦恼。这需要考虑周全，但不能完全逃避，否则，迪斯雷利说：“保守党一定会像雅各布派或是教会拒绝宣誓效忠国王者那样失败。”“我决心，”他补充道，“维护党自由的权利，不让他们被辉格党和激进分子关进笼子里，被限制在一个他们不冒生命危险就无法走出的魔法圈里。”但是公众对此缺乏热情。百分之九十的人喊道：“我们必须有一个改革法案！”但是百分之九十中的百分之八十会小声地问：“真有人想要一个吗？”这是布尔沃-利顿的看法。

247 不过，德比不会回避这个问题，因为他告诉迪斯雷利：“女王前几天跟我谈过这件事。她说，她非常渴望看到这个问题得到解决，如果她能亲自做些什么来汇集意见，她会很乐意这样做。”这不是一个正式的皇家命令，

但也不容忽视。迪斯雷利认为王室所提的将保守党和自由党联合起来的建议是个“幻影”，但他也清楚向未知的领域推进选举改革的危险。没人会相信保守党是认真的，除非他们提出一个比格莱斯顿和罗素更大胆的计划。他们无法承受反对党的“出价”，不得不提出一个使格莱斯顿等人相形见绌的主张。

然而最终迪斯雷利会赢得更大的荣誉，并且有着将在时机成熟的时候取代德比的意味。他的政治敏锐和精明可能不合某些人的口味，但他也让许多人眼花缭乱。人们根本不清楚他那些不可告人的计划是什么，只知道他想尽可能长时间掌权；为了给选举改革让路，他放弃和回避了一些立场。他的目标似乎只是为了成功，用那个时期的一句话来说就是“打垮辉格党”——利用辉格党自己扩大选民来击败它。一旦大门打开，就再也关不上了，最终从混乱和迷茫中诞生了一个再没有受到严重威胁的有效的民主。

迪斯雷利是一位伟大的即兴演奏家、出人意料的大师和高超的战略家。他建议通过接受户主普选权来大大扩展选举范围，并在一些桀骜的辉格党人帮助下，击退了所有限制或阻碍扩大选民范围的企图。修正案增加了选民人数，到了初夏，无公职议员支薪得到通过。居住要求从三年减为一年。“10 英镑”租客获得了投票权。1867 年，德比就与“大西洋彼岸的伟大合众国”保持良好关系并向上议院发表讲话，意思是共和国并非都是一群豺狼。他宣布迪斯雷利将提出一些需要“共同忍耐”的计划。在迪斯雷利提 248
出计划的那一天，印度事务大臣克兰博恩子爵计算了一下，结论是百分之六十的选区都给了新选民。

在收到克兰博恩的消息后，德比立即给迪斯雷利写信：“刚才收到的附件，简直五雷轰顶。我们究竟该怎么办?”调和的方案没有让任何人满意，然而得到迪斯雷利支持的德比拒绝了妥协。他将不惜一切代价向党内推行户主普选权。这事关荣誉，而非原则。现在规定了任何有两年居住权并缴纳低额税金的人都有权投票，但这仅仅是稳步扩大选举权范围的若干修正案的第一步，因此德比也不知道最后受到影响的人群有多少。开始时这只是一个更改市镇选区的计划，现在变成了实现户主普选权的方案。

迪斯雷利已经成为这一立法的领导者，他明白，只要重新夺取政治主动权，不被辉格党的反击吓倒，保守党就会听他的。因此，格莱斯顿被完全忽略了，迪斯雷利似乎接受了更为激进的扩大选举权的建议。鉴于推行户主普选权对于保守党来说是无所谓的事，他们也应当会热情地支持这个建议。

德比因健康状况不佳而日渐衰弱，但保守党正在经历一场热烈爆发的激进主义运动。他们想比格莱斯顿更格莱斯顿，他们一直想完成这一壮举，而对细节和统计数字则早已厌倦了。迪斯雷利简练而锐利，但更重要的是他难以捉摸。格莱斯顿让许多同僚感到厌烦，他们想结束这一切，并通过这一过程把保守党变为一股更有吸引力的力量。“毫无疑问，我们正在进行一项伟大的实验，并‘在黑暗中迈出了一大步’。”首相在《改革法案》通过后说：“我对同胞们健全的智慧有最大的信心。”实际上，“健全的智慧”意味着议会中激进分子的数量是五十还是一百都无关紧要，议会对男性普
249 选或全民普选权没有特别的兴趣，他们的兴趣在于促进工商业改革。

这并非没有先例，从多重目的、错误和误会的混乱中诞生了一些最为持久的立法，正如误会和错误的结论甚至比政治家的谎言更应该为战争的爆发负责。因此没有可以认定的原因和人，一切都是在猜想的迷雾中发生的。最成功的政治家是能够驾驭猜疑和谬论形成的大潮的人。“生活在这个飞速发展、精彩纷呈的时代是一种特权，”迪斯雷利写道，“认为这是一个功利主义的时代是多么严重的错误啊！这是一个无限浪漫的时代。”维多利亚时代对童话有着前所未有的热烈感情。一位同时代的人形容迪斯雷利“不像人们见过的任何生物……没有比这张脸更像一副面具的了，他和普通人之间的区别极为明显。我立刻就会想到他和哈姆雷特，或者李尔王，又或者‘流浪的犹太人’坐在一起”。

纳撒尼尔·霍桑也在这个时候给迪斯雷利画了一幅肖像。

> 不久，来了一个相当瘦高的人，穿着黑色的外套，扣子扣得整整齐齐，穿着黑色的长裤，步子虽大却无精打采。他的肩膀显得圆圆的，

> 或者说他有习惯性的驼背。他鼻子高高的，脸型瘦削，肤色蜡黄，很不健康。如果我是在美国见到他，我会以为他是个忙碌的报纸编辑，疲惫不堪，经常熬夜，缺乏运动，英年早衰。那就是迪斯雷利，我从没见过还有哪个英国人长得像他。

最终，大约938000名选民在最后一刻的协商、误会、错谬、固执、懦弱和某些阴谋的共同作用下获得了选民资格。这是英国政治史上最出人意料的革命。

克兰伯恩子爵应当在这个时候来到故事中，他很快将变成索尔兹伯里勋爵。他对数字很在行，但更重要的是，他知道如何利用它们来为党谋利。250
他近视，身材高大，有点驼背。他不是一个阴险的人，但也不多愁善感。他始终不赞成迪斯雷利那种肤浅的“速战速决”的观念。他很聪明，不会被迪斯雷利所迷惑。克兰伯恩是维多利亚时代为数不多的显要人物之一，在进入下议院之前，他追求的是新闻事业。他连续在《季度评论》上撰文，不顾一切地崇拜帕麦斯顿，称之为“认为议会成事不足、败事有余的愤世嫉俗的哲学家之一”。他在社会和政治观点上直言不讳，令人钦佩。他说：“国家不是出于慈善而救济穷人，而是为了维持公共秩序。”他憎恶议会中的游戏和争吵，讨厌固执己见和自以为是的人。他坚决反对更广泛的选举权，认为“当一群无知者成为统治者时，财产法就不那么安全了”。他从来不会高调地表扬别人，这种惯用的竞选手法令他感到恐惧；在选战中，他既害羞又孤僻。

相对他人而言，他笃信在没有更好的选择情况下，宁可什么都不做。当以格莱斯顿为首的自由党越来越好高骛远时，他也越来越感到沮丧。不管怎样，他如果待在威灵顿和皮特的年代会比与迪斯雷利或德比在一起要愉快。他认为大多数与他同时代的著名人物都不过是政治骗子，装腔作势满怀自信地讲着那些时髦的大道理。下议院的看门人在1863年写道：“他傲慢自大，脾气暴躁，不能服从党的纪律……”另一位当时的人评论道：“他不太尊重下议院的意见。”

到处风传克兰伯恩会成为一位理想的首相，就在他去参加一场国际会议之前，格莱斯顿给他写信说：“你应该亲自了解那些统治世界的人，身临其境去评价他们的性格、力量和弱点是一件好事。”索尔兹伯里非常倾向于被称为老派外交的那一套，而不喜欢大胆的计划和阴谋诡计。他曾告诉布尔沃-利顿：“英国的政策就是懒洋洋地顺流而下，偶尔伸出船篙以避免
251 碰撞。”

1867年底，75岁的罗素放弃了自由党领袖的职位。作为一个守旧的辉格党人，他已经落后于时代，和潮流格格不入。根据《潘趣》的说法，他“不知天高地厚，但德布雷特的贵族从来不知道失败”。现在到了1868年，格莱斯顿大概已经继承了他的衣钵，然而，在选举改革中，迪斯雷利又用扩大选举权的“奇招”打败了他。格莱斯顿被这场败仗羞辱了，一度考虑从领导层退休。他似乎真的担心迪斯雷利会给所谓的“剩余”或最底层的人投票权，认为迪斯雷利会为了追求权力而无所不为。但迪斯雷利考虑的不在于此，他只是关心保守党对各郡选举的控制，在那里投票权只授予缴纳年租金在12英镑以上的房屋居住者，而非农村的穷人。迪斯雷利知道他已经取悦了最恭顺的选民，一点也不担心城市中是否有冗余的选票出现。他名义上的上司完全同意他的意见。斯坦利在日记中写道，他的父亲德比勋爵“决心不惜任何代价继续掌权，并准备为此做出最大的让步”。

双方都同意这一点，即必须不惜一切代价保持政治权力的平衡；每一个版本的改革都旨在稳定政治结构，而不是推翻或取代它。然而，事情也许没有那么简单。新的选举改革的后果之一是增加了下议院中城市代表的人数，推翻了几个世纪以来农村的主导地位。第二个意想不到的结果是城镇逐渐政治化。很快，各政党开始呼吁他们为自己掌握的城市投票，特别是保守党开始组织工人协会。随着选民越来越多，政治成了一项运动和壮观的表演。格莱斯顿的面孔出现在花瓶和勺子上，迪斯雷利壶和带有他肖像的八角盘子放在一起。他也成了漫画家的宠儿，这些漫画家可以对他的独特相貌进行无穷无尽的改变。这些新涌现的英雄的肖像还可以在茶壶、
252 咖啡壶、各种罐子和鼻烟盒上找到。政治的本质被淡化了。

一个新的前景逐渐显露出来。议会改革与通常被称为“大众”的兴起有关。这并不一定令人担忧。一些观察家一直不相信那种认为下层本质上是激进的和颠覆性的传统思想，现在是证明他们是正确的时候了。例如，埃德蒙·柏克暗示说，他们实际上有着本能的保守态度。用当时的比喻来说，他们是田野里默默反刍的野兽。不知何时出现了这么一句话，这个国家对“保守的民主”持开放态度。大约与此同时，“户主普选权”对于想尽量扩大选举范围的人来说非常有吸引力，只要那些居民不是激进分子就可以。这不是一个计划，而是出自本能。正如《泰晤士报》所言：“迪斯雷利看到保守的工人，就像雕刻家看到封禁在大理石块中的天使一样。”

这时德比接受了医生的建议，他不能继续在办公室承担繁重的工作。他不仅面临着改革的阵痛，而且各种麻烦和暴力事件更加紧迫与危险。爱尔兰发现了芬尼亚组织，这是一个主张爱尔兰独立、武装革命是唯一途径的“兄弟会”。结果，人身保护令中止，有一千名所谓的芬尼亚组织成员被关押了一年。芬尼亚组织在美国集结了一支军队，进攻加拿大，结果令人失望，1866 年 6 月的里奇韦战役成了他们的落幕之战。

在国内，他们试图在切斯特城堡搜寻武器弹药，但没有成功。女王每次驾车出行，都有两名携带左轮手枪的侍从跟随。1867 年底发生了一场意料之中的爆炸，芬尼亚组织试图炸毁臭名昭著的克莱肯威尔监狱，那里关押着他们组织的一些成员。这一行动再次失败，却杀死了一些伦敦市民，
12 人死亡，百余人受伤。可能正是此事后来促使格莱斯顿决心“安抚爱尔 253
兰”。谣言到处传播，据报道，“一名线人说，仅在伦敦就有 155 个芬尼亚组织和共和主义俱乐部，警方对此一无所知。有几个组织宣称要炸毁议会大厦，暗杀女王”。据说一艘满载芬尼亚组织成员的私掠船要从纽约启程来刺杀她。配有发条定时装置的炸药装在标有“水泥”字样的木板箱中，并已从纽约运出。女王在精神上很孤独，又变得苦恼和紧张，她要求民兵为任何暴动做好准备。

对许多人来说，更糟糕的还在后面。牛瘟正在全国蔓延。在 1866 年的一篇农民日记中提到：

> 福尔斯克的W. 卡森，他连一只牲畜都不剩了。它们要么病死了，要么被杀死了。R. 布里斯科爵士和詹姆斯上尉坚持要消灭疫区所有的牛，不管它们是健康的、生病的还是正在康复的。我怀疑他们是在剥夺上帝的权力，上帝会怜悯我们，让我们活着，但R. 布里斯科爵士和詹姆斯船长不会。

根据当时最近的人口普查，英国仍然是一个以农业为主的国家，牛瘟几乎是一场人们无能为力的灾难。这比埃及暴发的瘟疫还要糟糕，几位神职领袖呼吁进行一天的祈祷和禁食来安抚全能的上帝。

当牙买加总督艾尔被指控在对待黑人的问题上一贯野蛮时，一场激烈的争论也降临到了帝国头上。只要有一个人谴责艾尔如此对待黑奴，就会有另一个人为这一行为欢呼。“我们对野蛮人太温柔了，对黑人比对自己人更温柔，”丁尼生对格莱斯顿说，“黑鬼是老虎，黑鬼是老虎。”这样的评论出自一位伟大的文学家，可见种族主义在这个帝国渗透的程度。在加尔各答的后街、布里奇顿的小巷或尼日利亚南部的田野中所发生的事是经不起
254 拷问的，帝国真的可以称得上是法治社会吗？这也是1868年2月德比在医生的建议下辞职的原因之一。他保持了22年的党内领导地位，这一记录至今无人能及。

现在只能是迪斯雷利了。女王写信给她的女儿、普鲁士的太子妃：“迪斯雷利先生成为首相！一个‘从人民中崛起’的人获得了骄傲！”他是否真的是从人民中崛起可能不一定，好像他刚刚擦去脸上的煤尘似的，但公主知道她母亲的意思。无论如何，他从德比那里继承了少数政府，并且必须坚持到一场可能改善他的命运的大选。“是的，”他说，“我已经爬到抹着油的杆子顶端了。”

下议院的一名看门人描述了迪斯雷利是怎样出现在议会的。他“走上议员的专用楼梯，庄严而缓慢地穿过大厅，通常是独自一人，不跟任何人言语”。进入房间后，他“坐下，双臂交叉放在胸前，保持这个姿势不动，眼睛盯着地面，直到站起来说话”。和大多数同僚不一样，他从来不在房

间里戴帽子，没有表情，也不笑和欢呼，像一尊不动声色的雕像一样坐着。虽然他是党的核心人物，却似乎不像他们中的一员，而是像他的民族之于世界那样特立独行。他演讲时总是开头很糟糕，但很快就活跃起来。他的首相理论，（如果算得上的话，）就是在《恩底弥翁》（1880）里对罗汉普顿勋爵的描述："看看罗汉普顿勋爵。他不在乎收入是增加还是减少，他思考的是真正的政治、外交事务，以及保持我们在欧洲的力量。"他在口水战中鲜有匹敌者。当格莱斯顿演说临近结束时，迪斯雷利经常假装睡着，但他其实一直保持着警惕。一旦格莱斯顿犯了错，迪斯雷利就会立马纠正。

他的确在想办法让一些适当的立法得到通过。公共绞刑被废除了，铁路得到了发展。邮政局可以收购所有电报公司，这是国有化的第一次行动。这是国家架构整齐划一的重要阶段。然而，在1868年亨利·詹姆斯第一次 255
到伦敦时，几乎还没有看什么进步的迹象：

> 天气变湿了。低矮的黑房子像好多排煤斗那样死气沉沉，除了一个角落里有一座小酒馆，那里有一束比黑暗更残酷的光……整个地方瞬间变得可怕起来，令我感到恐惧，我突然间无比思念家乡。伦敦丑陋、邪恶、残酷，压倒一切。

迪斯雷利无疑知道这种遥远黑暗的事情，但这还不在他的考虑之中。他说，在他与女王的会见中，他从不否认，也不反驳，有时只表示忘记某些事了。他对女王陛下特别关心。维多利亚告诉女儿："他充满了诗意、浪漫和骑士精神。"新首相肯定都是用他自己的方式来讨好和奉承女王的，他定期给女王的关于议会事务的信件是以一种结合了《康宁斯比》和《马米恩叙事诗》的风格书写的。他后来说，"让女王保持好心情本身就是一种工作"。任性、自我关注和天生的紧张，她有着所有女王应该有的样子。所以他花了大量精力来表达忠诚和服从。他把女王当作英国在地球上的代表，从某种意义上来说也确实如此。有些人觉得他们俩过于投缘。德比写信给他说："没有人能比你更好地对付这位女士；但是，是否存在这样一种风险，那就是鼓励她过于看重自己的个人权力，而对公众的期望漠不关心？我只是问问，由你来判断。”有人称他为梅菲斯特，后世也许会称他为斯文加利。不管怎么说，迪斯雷利唯一的竞争对手是格莱斯顿，女王觉得他非常不讨人喜欢。

时间紧迫，他是首相，旧的未经改革的议会将于 1868 年 5 月关闭。然
而，议会和政府在旧的选民登记册仍然保留的情况下就离去是相当尴尬的。
256 迪斯雷利的政府只运行了三个月，各种建议纷至沓来。他向女王咨询，她
对格莱斯顿的厌恶是众所周知的，不想让格莱斯顿再来一次。于是迪斯雷
利决定只要情况允许就留下来，议会事务也还有好多没有完成。5 月初，迪
斯雷利提议议会休会，并建议女王“在公共利益允许的情况下”尽快解散
议会。这实际上意味着政府将保留到选民登记完成，预计是在 11 月初。尽
管迪斯雷利促成了改革，但人们普遍认为格莱斯顿和自由党会再次获胜。

1868 年 11 月的大选是一场艰苦的斗争，《年鉴》称：“人们担心腐败、
酗酒和道德败坏”和以前一样恶劣。来自布里斯托的富有议员被迫在一把
张开的雨伞下面向他的选民发表演说。竞选活动中死去的猫和狗还没有被
埋葬，贿赂和勒索也没有。结果正如所料，自由党获得 112 票，占多数，迪
斯雷利立即辞职，从而开创了选民的头脑比议会的程序更重要的先例。显
然，格莱斯顿赢得了民众的忠心，他唤起了他们的公平意识。“不要年复一
年地重复痛苦——为了使用武力去镇压大多数爱尔兰人而剥夺了个人的自
由，这个过程令人厌恶。我几乎想说这是个耻辱。”他还呼吁改革后的选民
承担新的责任，“现在你们被赋予了自我管理的特权”。这些话可能解决了
问题。当人们把结果告诉他时，他正在哈瓦尔登的乡间庄园里砍树。他停
257 了一会儿，宣布：“我的任务是安定爱尔兰。”

*20*

# 她过不下去了

迪斯雷利不相信格莱斯顿能引领未来，这两个人根本不信任彼此。他们之间的矛盾可能部分是因为这两位领袖都担任下议院议员，但其实他们有着更深层次的分歧，这是显而易见的。格莱斯顿讲究信念和原则，而迪斯雷利是一个简便和务实的人。表面上是如此，当时的人们也是这样认为的，但我们可能沿袭了传统的看法，没有对他们两人做出公正的历史性评价。迪斯雷利的轻率背后是对犹太信仰的深深热爱，或者说他对于自己是犹太民族的一分子有着深入骨血的自信。他自视不亚于英国贵族，而且表现出来的也是这样。他不去模仿贵族的礼仪，而是决定保持自己的独一无二。格莱斯顿也参与了实用和机会主义的政治——无论他如何掩饰——可以说他在制定自己的政策时，一只眼盯着上帝和救赎，一只眼盯着有利可图的机会。上任之时，迪斯雷利对棘手的困境颇有微词，而格莱斯顿的评论则是："我走了一条越来越陡的小路，担子越来越重。全能的上帝似乎为了他自己的某个目的支持并宽恕了我，我知道这是非常不值得的，荣耀归于他的名下！"

格莱斯顿出人意料地轻松获胜。大选结果是在英格兰基本打了平手， 258
在苏格兰和爱尔兰却是一边倒。迪斯雷利本可以光荣地结束他的政治生涯，但他拒绝离开舞台。德比伯爵于1869年秋天去世，这似乎只能让迪斯雷利的职业生涯更为稳固。有一个问题在到处流传：“为什么格莱斯顿像一个望远镜？”“因为迪斯雷利把他拉出来，看穿了他，然后让他闭嘴。”

迪斯雷利在选举改革上获得胜利后，自由党的确陷入了混乱，格莱斯顿自己也对形势的转变感到困惑，但后来，他发现了一件可以团结他的政党的事情。爱尔兰已经成为怨恨和暴力的发源地。如果他的“使命”真的是安定这个国家，那他的新政府就必须循序渐进地推进此事。他可以从宗教问题着手。“是时候了，”他说，“爱尔兰教会作为一个国家教会必须走向终结。”不像罗马教会牢牢控制着信徒，爱尔兰教会几乎是多余的。它收取什一税，却很少办事。人民的所有宗教义务和仪式都受它的庇护，但它几乎没有什么权威。

在爱尔兰之外，英国人似乎更为成功和自信，1868年，罗伯特·纳皮尔率领的军队入侵埃塞俄比亚，救出了一些英国人质，使人们备受鼓舞。这被认为是一件光荣的事情，也暗示了帝国的本能。实际上这是一个帝国从相对冷漠逐渐转变为积极热情的时期。与澳大利亚建立了电报联系有助于灌输新的团结意识。显然，其他国家正在努力打造自己的帝国，而德国尤为积极。德国、意大利和美国都自己实现了国家统一，为什么英国及其帝国不能组成一个类似的联盟？1867年选举权的扩大产生了大量拥护帝国主义的城市选民。下议院一名议员对于新政府“没有认识到大多数人，特别是工人阶级，对祖国和殖民地之间的关系怀有极大的兴趣”感到遗憾。
259 另一名议员表示，“政府对于殖民者的愿望毫不关心，下议院对他们的要求无动于衷”，对此他深感遗憾。

事实上有很多人认为格莱斯顿及其同僚希望剥离殖民地，把殖民地看作解决国内和爱尔兰问题的障碍。劳动人民向女王递交了一份极具分量的请愿书：“我们听说有人建议女王陛下同意放弃殖民地，对此深表震惊和愤怒。”“帝国主义”一词在1878年才被创造出来，但在几年前人们就预见到这一切了。1868年夏天，殖民协会成立，宗旨是反对任何分裂主义的举动，当时英国有资助移民前往澳大利亚等地的政策，极大地鼓舞了协会。那届政府中主要的积极分子之一 W. E. 福斯特说："我相信，总有一天，政治家们将能够通过某种方式建立起一条纽带，将目前我们的殖民地中讲英语的人民团结在一起——将他们与祖国团结在一个伟大的联邦下。"拉斯金在1870年做了一次演讲，他以另一个帝国主义倡导者的面目出现："这是英国必须做的事情，不然她将灭亡。她必须尽可能快地扩展殖民地，并由最有活力、最有价值的人去完成。占领每一片她能踏足的肥沃荒地，并在那里教导殖民者们，告诉他们最重要的美德是效忠他们的国家，最重要的任务是在陆地和海洋加强英国的力量……"

格莱斯顿的陆军大臣爱德华·卡德维尔完成了军队改革的任务，他为军官制定了专业标准，坚持认为晋升应当取决于功绩而不是金钱。然而，这进一步恶化了女王和首相之间的关系，因为维多利亚认为那些军人是她的士兵。卡德维尔废除了和平时期的鞭刑，并且制订了一部征兵法案，减少了服役的时间。和卡德维尔管理陆军一样，休·查尔德斯也通过类似经济有效的办法来改革海军。他减少了远方的兵力投放，把舰队拉回更接近本土的地方。

格莱斯顿当首相是什么样子依然是一个谜，作家艾米丽·伊登给他画了一幅简洁的画像： 260

> 我敢说他很聪明，脾气也很好，想尽办法把思维水平降低到我这种程度，但是他失败了。他永远对我居高临下，然后他就不和我交谈了——而是喋喋不休——他说得越多，我越听不懂。还有一些关于高教会的话，我无法确定他们是什么人，当我和他们在一起时才感觉到是一些类似耶稣会的人——他们永远不会放纵自我……简言之，他对我来说过于严肃。如果把他泡在开水里，不断冲洗直到把他拧成一根绳子，我也不认为会榨出一滴乐趣来。

他策划了一场为期4天的辩论，讨论了三项有关爱尔兰问题的决议，其中一项决议废除了强制征收的教会税。他强行通过了一项《爱尔兰教会法案》，不但废除了爱尔兰国教会，还剥夺了它的收入。尽管这个复杂的法案充满了争议，但它消除了罗马天主教徒和长老会教徒的不满，有助于安抚爱尔兰。提出它的初衷也是为了推动与爱尔兰人和解的进程。他讲了三个小时，据迪斯雷利说，没有一句是废话。

事实上，格莱斯顿对爱尔兰了解并不多，也从未去过，但他确实对时机或者说环境有着很好的感觉。他曾经说过："我最惊人的天赋就是洞察一个特定时代的事实及其和另一时代的关系。"换句话说，他有一种高度发达和带着深刻直觉的历史感，并依靠它来择机行动。

1870 年，他准备了一份《爱尔兰土地法案》，这份法案有着格莱斯顿式的复杂，但仍然信守了他在砍树时的承诺。房客改善住房可以获得补偿，如果他们由于除了不付房租以外的原因被驱逐，可以要求赔偿。从长远来看这些并没有产生多大的影响，但格莱斯顿为之花了很大的力气，才使其在上议院得到通过，上议院天然地反对任何有利于房客的措施。值得注意的是，迪斯雷利对这一可能不利于保守党的立法没有发表任何意见，对此
261 充耳不闻。格莱斯顿还向女王建议，她应该在爱尔兰建立一处行宫，以取悦爱尔兰人民。维多利亚女王惊恐地拒绝了这一建议，黑暗阴冷的宫殿她已经拥有太多了。

格莱斯顿的第一任政府还通过了其他法案，其中包括 W. E. 福斯特的《教育法》，该法案使得一场深刻而有益的革命可能在教育实践中进行。废除教会学校原先似乎是不可想象的；他们是教育资源的主要来源，而且往往是唯一的来源。教育系统由两个主要的宗教团体资助的学校组成，这两个团体是"英国和外国学校协会"（非国教）和"国家学会"（国教）。

福斯特反其道而行之，他增加了国家对受资助学校的拨款，但更重要的是，他建立了一个由校董制学校或者说地方委员会管理的非教派性质的学校组成的系统。成立地方委员会是为了建立公立学校，在这些学校中，每天都有非教派的礼拜活动。它们由地方政府出资，并可酌情获得补贴。这是福斯特和格莱斯顿能做到的最大限度，因为这一系统将非常昂贵；不过，他们已经做得很多了。当 1870 年《初等教育法案》通过的时候，英

国只有不到 9 000 所学校，20 年后，这里总共建成了两万多所学校。全国的教育系统终将一体化，这是不可避免的。改革最激烈的反对者之一罗伯特·劳也承认：“我认为绝对有必要说服我们未来的主人去学习他们的字母。”但是他们必须学习的不仅仅是字母，他们必须学会尊重，必须学会服从，还必须学习读写和算术，如劳所说，“一种能令他们适于职业的教育”。托尼曾说，他们必须接受足够的教育才能理解命令。

格莱斯顿的政府还采取了其他的改良措施。大学的宗教“考试”被废除了；无记名投票开始实行，这样每个选民都可以放心地投票；另一项反对市政腐败的法案通过；《矿业管理法》也得以通过；债务监禁部分废除。解决这些事情的速度很快，尽管约翰·布莱特提醒说“你不可能一次赶着 262
20 辆马车通过圣殿酒吧”，但实际是“把圣殿酒吧拆了吧”（实际的拆除是在 1878 年）。

随着冰河时代的缓慢瓦解，其他改革接踵而来。公务员体系被置于竞争性考试制度的保护之下，以加快清除仍在祸害英国的裙带关系。三个普通法法院被一个最高法院和上诉法院所取代，大法官法庭也被废除了，《荒凉山庄》（1853）中詹狄士告詹狄士的情节再也不会出现了。地方政府委员会取代了《济贫法》委员会，随着国家职能的巩固，这个委员会最终变成了卫生部。实际上从这个时候开始，地方的政府机构被建立起来管理当地的事务。1871 年的《地方政府委员会法》缔造了一个核心部门，负责从公共卫生到公共改良的所有事务，以后还会出现各种负责住房、卫生改革和教育监督的官员。这一系列法案，有的被证明是成功的，有些则没有。我们可以加上格莱斯顿在 1868 年 3 月的一封信的摘录：“但最重要的是，如果我们是正人君子，我们就将以真理和正义的名义前进，记住这一点——若事实证明时机已到，那么迟来的正义就不再是正义了。”

1870 年后，新的官僚机构和行政人员毫无疑问推动了国家的完全成熟。到 19 世纪 80 年代，“国家”这个词开始流行，它会在多大程度上干涉个人自由在当时仍是一个悬而未决的问题。

这个词在 1870 年夏天引起了更大的反响，当时普鲁士如风卷残云般彻底击败了法国，这正是一个高度组织化且高效的国家才能做到的。俾斯麦想从法国这一宿敌赢得决定性的胜利，他利用德国南方数州的争议为对手设下了陷阱。1870 年 7 月，法国向普鲁士宣战，但被军事化的普鲁士敌军击败。高度专业化的普鲁士军队和组织不善的法国人打了一场速决战，不到六周就确定了胜局。9 月初，在色当的最后一战中，拿破仑三世被俘，他
263 的妻子欧也妮逃往英国流亡。德国人推举出了全德的皇帝，并从法国（包括阿尔萨斯-洛林）攫取金钱和领土作为战利品。德意志帝国是从法国的毁灭中崛起的，英国人只是旁观者。事实上维多利亚偏爱普鲁士人，并视其国为一个光荣国家，这并没有起到什么积极作用。法国的大国神话已经一去不复返了。现在，在法兰西第二帝国崩溃后，巴黎的激进分子和工人阶级公社可能会成为影响英国工人阶级的源头。但更重要的事情很清楚：新德国在欧洲拥有霸权，没有人能拿它怎么样。

在巴黎协和广场，代表斯特拉斯堡的雕像被黑色绉纱覆盖，周围放着花环，成为它被德意志帝国吞噬后持续哀悼的象征。这个奇观是一个值得托马斯·哈代笔下的“众神之王”出来看看的“新世界”。

那是一个炎热的夏天，正如特罗洛普所说，“人们开始抱怨泰晤士河”。半数内阁成员感到身体不适。格兰维尔伯爵评论道：“格莱斯顿昨天告诉贝斯伯勒，他的头有时向他发出警报。在开最后一次内阁会议时，卡德韦尔紧靠着炉火坐着，看上去好像想割断自己的喉咙。”人们的情绪很低落。历史学家弗劳德宣称：“英国人的意见已经无足轻重了，英语国家遭到了嘲讽，我们在欧洲家庭中的影响力已经成为过去。”俾斯麦开玩笑说，如果英国军队入侵德国，他会派柏林警方逮捕他们。索尔兹伯里勋爵换了一种说法：“问题在于英国民族精神的本质发生了变化。他们不再像以前那样盼望国家强大，而是甘心于自己的岛民地位，把对欧洲的责任抛在一边……”

格莱斯顿在《爱丁堡评论》上写了一篇关于欧洲问题的匿名文章。他主张建立一个“道义帝国”或“一种新的国家间的法律体系”，以使“公共权利成为政府对欧洲政策的主导思想”。一如格莱斯顿的既往行为，这样的
264 高调没有什么明确的目标，而且总是有点不合时宜，但他已经成了“人民

的威廉”。他的内心仍有一个微弱的声音在低语：“威廉，当个领袖吧。”他已经意识到媒体的力量，早在1862年10月，他就开始了在北方的第一次公开演讲之旅。在那里，他的个人风度、对大量听众的掌控力以及戏剧性的演讲风格，创造了奇迹。如果群众没有听到他的演讲，还可以在第二天的报纸上读到。对于去过的人来说，报纸让演讲更有意义。约翰·布莱特曾说过：“公开演讲比下议院的辩论更能表达观点。”格莱斯顿的演讲经过精心的舞台设计和策划，模仿了科文特花园、干草市场和音乐厅，这些都是维多利亚时代的人能看懂的景象。

格莱斯顿不知疲倦，陶醉于欢呼、呐喊和掌声中，这些都是迪斯雷利所没有的。格莱斯顿有时被称为“梅里伯①先生”，而非他的原名“格莱斯顿②”。他同样也给格莱斯顿夫人留下了深刻的印象。“哦，我永远不会忘记那一天！”她谈到1862年在泰恩赛德的一次演讲，“那是他第一次得到应有的款待。”格莱斯顿在对荷马的研究中探讨了这一现象，他写道：“演说家的作用，打个比方就是从听众中捕捉如水汽般的动向，再以洪水般的气势向他们倾泻下去……他们既不能追随也不能树立理想，他们的选择就是成为这个年代所需要的人，因为人们需要被这些人打动，不然他们就什么也不是。”这是关于政治家如何对一个民族精神形态产生影响的最好描述。

格莱斯顿给人的印象是支持棉纺织工人，以及支持工会代表和领袖组成的小集团，他自认为是一个道德高尚、正直的劳动者。尽管如此，直到1871年，《工会法》才获得通过，该法案使得工会免于共谋指控的威胁，并且工会的资金得到法庭的保护。

还有很多问题有待解决。1871年，医疗卫生官在贝瑟尔格林的茅屋里发现了一个三岁的孩子在制作臭名昭著的路西法火柴。该年春天，财政大
臣罗伯特·劳提议对火柴征收间接税，激起了民愤。布莱恩特和梅的火柴 265
工人发生了骚动，他们不健康的工作环境没有得到应有的补偿。这是压垮

① Merrypebble，直译为愉快的卵石。

② Gladstone，原名为“快乐”和“石头”两个词的组合。

骆驼的最后一根稻草，在格莱斯顿的动议下，税收被匆忙取消，但整个事件在十七年后才到达顶峰。

那不是一段轻松的时光，自由党仍然支离破碎，上议院对他们充满敌意。格莱斯顿还在希望通过爱尔兰问题统一他的政党，他也许将自己太多的声望和信誉奉献于这个国家，而英国人却对此无动于衷。在减少官员和土地问题上的努力似乎没有给爱尔兰人带来什么变化，在英国政治家看来他们永远不会领情。格莱斯顿觉得他执政的最佳时期已经过去了，正如他告诉克拉伦登的那样：“就像蜜蜂知道自己会因为蜇了别人而死掉。”1872年春天，迪斯雷利谈到自由党的前排领袖时说：“你看到的是一连串枯竭的火山。”前一年，《泰晤士报》曾评论说：“本届下议院在公共事务方面的表现对其声誉造成的损害，超过了之前热火朝天的若干年中所有的缺漏。他们无所事事，立法陷入僵局。”夏天以来的负担越来越重，两名内阁大臣因焦虑而崩溃，被格兰维尔伯爵看到盯着火堆的卡德维尔，则被宣布为精神错乱。

格莱斯顿和女王的关系越来越糟糕。他所说的女王的“排斥力”通常都是直接针对他的。在威尔士亲王的第三个孩子出生又夭折的时候，她的脾气坏到了极点。《雷诺兹新闻》称孩子的出生是“又一件不祥之事”，在次日孩子夭折后又称之为“幸福的解脱”。报纸上写道：“我们非常高兴地宣布威尔士亲王和王妃的孩子出生后不久就去世了，这让英国的工人阶级免于在他们被迫供养的‘国家乞丐’的长长名单上再增加一个名字。”

政治家和君主之间的矛盾进一步扩大，因为格莱斯顿建议女王在伦敦待更多的时间：“这可能对稳固王位有很大的帮助，在当前的情况下我们应当
266 千方百计地去做到，如果可行的话我们可以将其作为一种新的手段，来推动王室公开地履行公共职责。”女王以一种常见的歇斯底里爆发作为回应：

真是令人极其厌恶……是什么害死了她心爱的丈夫？是过度劳累和担忧。是什么害死了克拉伦登勋爵？理由同上。是什么让布莱特先生和查尔德斯先生崩溃并且退隐了？还是同样的理由。还有女王，一

> 个不再年轻的女人，被认为反对一切，被驱使和虐待，直到她的神经和健康因为焦虑并影响到她的私生活而崩溃。

这里暗示格莱斯顿对大臣们的不幸负有责任，更不用说她自己了，但用这些来指责这位老人并不合适。女王总结道："我过不下去了。"但她当然可以，并且做到了。当然，她的控诉也有些道理。布莱特、查尔德斯和克拉伦登只是最近在相对年轻的时候死去或崩溃的公务人员，他们的前辈包括小皮特、卡斯尔雷、福克斯、利物浦和坎宁，都是在不到60岁时去世的。这与他们不得不生活在一种令人萎靡又狂热的气氛中有很大的关系。他们得不到休息，可能是维多利亚时代责任感和辛勤工作的早期受害者。他们的继任者也好不到哪里去。帝国新增的负担、工业国之间新的竞争以及农业的衰落都让已经焦虑的公务人员更加焦虑。

维多利亚女王依赖着备受尊敬的皇家仆人约翰·布朗的安慰和支持，他像对待一个任性的女儿一样对待她。随着她与家人甚至子女越来越疏远，她越来越依赖于周围的人。据说约翰·布朗有点好心过了头，有未经证实的报道说他们非正式地结婚了，当然这些都是说给孩子的故事。

格莱斯顿给自己强加的道德责任是为了将维多利亚从她所陷入的无所
作为和不受欢迎的深渊中拯救出来。但他的努力并不受女王待见。"她很和 267
蔼地看着我，"格莱斯顿的报告说，"但是在整个谈话中显然她欲言又止，在某个特定的地方停下来，又绕回到之前的话题。"她也收到了关于首相在夜间与堕落女性相会的报告。对格莱斯顿来说，她们似乎是他的使命的一部分，但旁观者肯定不会这么认为。

女王的情况也许没有她自己想象的那么严重，她的私人秘书格雷将军写信给威尔士亲王："无论是健康还是体力，她都不缺乏，这只是一种必然的倾向。这仅仅是一种长期的、不受控制的自我放纵的习惯——这种习惯使她在没有一定压力的情况下，如果要她放弃对某一个倾向或突发奇想的追求，她连十分钟都坚持不了。"她当然无法忍受格莱斯顿枯燥的解释，"他对我说话时，"她说，"就好像我是一场公众集会。"

格莱斯顿本人也在认真考虑辞职，他告诉维多利亚，自己不想在“无法解脱目前职位的永恒争论的压力下”度过晚年。他 1873 年提出《爱尔兰大学法案》的失败成为最后压垮他的重担，该法案实际上是要把天主教机构置于都柏林大学的控制之下。他准备辞职，但还有一个迪斯雷利的问题。女王曾要求迪斯雷利组建一个政府取代格莱斯顿，但迪斯雷利没有同意。他很想接受他君主的要求，但不是在目前下议院的情形下。他不想去领导另一个少数派政府，而私下里想的是给对手更多的时间来造成更多的分裂。迪斯雷利希望格莱斯顿政府就这样下去，越来越不顾一切。格莱斯顿别无选择，只能把枷锁继续扛下去。

女王已经基本上恢复了她的风采，拯救她的是她的儿子。要不是“伯蒂”在他父亲去世十周年时突然生了一场凶险的疾病，这场灾难可能还会旷日持久地继续下去。1871 年 11 月底，威尔士亲王患上了伤寒，这个时候也是当年他父亲患病的时候。他似乎在好转，但后来又复发。他躺在桑德
268 林汉姆庄园，维多利亚匆忙赶到那里。12 月 11 日，一家报纸带着不祥的语气写道：“亲王还活着，因此我们仍有希望。”三天后是阿尔伯特逝世的纪念日，全国人民都在焦急地等待着。他终于挺过来了。随着他慢慢地康复，这个国家倾向于支持女王。有人可能会问，一个愤怒的、一心批评君主制的国家是如何变成一个对她充满同情的国家的？是因为她不再被视为女王而是母亲吗？这话听起来很老套，但作为人间真理，它的确会引起一些共鸣。我们必须记住群众的变化无常和疯狂。

维多利亚也不再躲藏。她带着儿子和儿媳，坐着一辆敞篷马车去圣保罗教堂表达她的感谢。从那时起，她被誉为人民的“母亲”。另一个后果似乎随之而来，在感恩节的仪式上，格莱斯顿受到了人群的冷遇；另一方面，迪斯雷利受到了广泛的称赞，他已经开始向“保守党式的民主”前进。而格莱斯顿尽管在大选中获胜，却反而因此被不公平地认为是反对改革的堡垒。迪斯雷利成了一个“符号”，一个远大于个人生命的象征。在这之后不久，一个保守党人在卡尔顿俱乐部里见到他。他像大理石一样一动不动，凝视着天空，“就像一个人凝视着另一个世界”。“我来告诉你他在想什

么，”另一名同党对他说，“他想他会再次成为首相。”1872年春天，在博览会展馆的一次演讲中，他宣称新获得选举权的选民是“最纯粹、最崇高的”保守派，他们“为属于一个伟大的国家而自豪，并希望保持它的伟大”。他的目标是在格莱斯顿途穷时拿出一个连贯的政治方案来。他谈到“保守党（或者笔者冒昧地称之为国家的党）的三大目标”：国家已经建立的机构将存续下去；帝国必须得到维系；人民的生活状况必须得到改善。帝国主义和保持现状是他的主要命题。迪斯雷利在国内大环境下巧妙地将国家和君主制联系在一起：“英国是一个家庭的国度。在这里，家是崇高的，壁炉是神圣的，这个国家也由一个家庭来代表……在发生灾难的时刻，在公众焦 269
虑的时刻，这个国家团结在王室和国王周围，公众用爱戴来表达对其精神的激励和支持。”

当维多利亚从圣保罗大教堂回到白金汉宫时，一次失败的尝试让她本人进一步受到了人民的爱戴。当她的马车穿过花园门的时候，一个名叫亚瑟·奥康纳的年轻人挥舞着手枪，用微弱的声音喊道：“吃芬尼亚人一枪！”维多利亚在这种情况下一反常态地失去了平静。“我抖得厉害，一阵阵快速的震颤传遍我的全身。”她抓住一个侍女的胳膊喊道，“救我！”忠诚的仆人约翰·布朗擒住那个年轻人，很快制服了他，为此被授予一枚金质勋章。但是暗杀的威胁只是增加了女王的人气，尽管她承认“这个企图所造成的恐惧，我很久以后才感觉到”。年轻人被捕后在纽盖特监狱服刑。女王看上去似乎坚不可摧。

政治的天平开始向保守党倾斜，这可能纯粹是巧合。自由党首席党鞭暗示“现在，冷漠和政治怨念在我们大多数人中普遍存在”将变得危险，对自由党的日益不满是显而易见的。

这一年，明信片问世了。 270

# 21

# 蒂奇伯恩事件

此人在新闻头条和报栏上被称为“索赔者”。关于他的审判是19世纪最著名的审判，卡罗琳王后和奥斯卡·王尔德的官司相较而言也黯然失色。他不仅是英国人街谈巷议的热点，也为世界所瞩目。罗杰·蒂奇伯恩是一个富有的男爵爵位的继承人。1853年春天，他离开英国，坐船去了南美洲。第二年，他从里约热内卢乘船出发，在一次海难中幸存后，来到了澳大利亚的瓦加瓦加。根据他主张的故事，他以托马斯·卡斯特罗的名字开了一家肉铺。这是个好故事。在一个地位上哪怕出现最微小的分化都会引起强烈争议的世界里，从男爵爵位继承人到屠户的转变已是相当令人震惊了。

蒂奇伯恩老夫人的丈夫在1862年去世，小儿子在1866年也去世了，她心灰意冷。失踪的罗杰·蒂奇伯恩现在应该是第十一世男爵。她在《泰晤士报》和其他地方刊登了寻找长子的广告，她的呼声甚至传到了瓦加瓦加的居民那里。在那儿，大家都知道这件事，蒂奇伯恩（或者说是卡斯特罗）已经说过他的往事，所有人都要他去英国继承遗产。1866年12月25
271 日，他抵达伦敦。他的母亲似乎一下子就认出了他。“他长得像他父亲，”她说，“他的耳朵也像他的叔叔。”但家族中的其他人就不那么肯定了，也否认和他有任何关系。近亲们怎么会在身份问题上有这么大的分歧呢？难道是为了继承权？而蒂奇伯恩又为什么这么晚才来索要自己的那份遗产呢？这是一个谜团。有报道说这个“罗杰·蒂奇伯恩”其实是来自沃平的一个名为亚瑟·奥顿的肉商，这使得这个谜局更加复杂了。

在伦敦，打官司是常见的事情，有人已经开始给蒂奇伯恩捐助索赔所需的资金。给一个公认的准男爵投资是一个不错的选择。他的确引起了公众的同情。19 世纪 60 年代是所谓的“感觉文学”的高峰期，这种文学专门描写金钱、遗嘱、谋杀和表面上受人尊敬的家庭的黑暗秘密，充分运用了室内情景剧的手段。蒂奇伯恩一案可能被某篇“耸人听闻的廉价小说”所描写，它之所以恶名远扬是因为恰好被最时髦的虚构文风推波助澜。罗杰·蒂奇伯恩起诉了当时蒂奇伯恩庄园的主人卢辛顿上校。这场审判如此受到关注，以至于不得不从普通民事诉讼法庭移到更宽敞的王座法庭举行。审判从 1871 年 3 月持续到 1872 年 5 月，《时代周刊》抱怨说：“走进任何一家公司都会有人来找你讨论这件事。”杜莎夫人蜡像馆制作了索赔者的模型，人们沿街排着长长的队伍等候观看。

麻烦的事情还不止于此。这一案件被激进分子和所谓的“手工业”阶层所利用：有一个穷人，以前是个屠户，现在被一群贵族、地主和房产经纪人骗走了遗产；而他承认自己是男爵却无关紧要。当时流行的一句话是“公平竞争是一颗宝石”，就像卡罗琳王后一样，受害者被追捕的唯一原因就是他挑战了当局的权威。从技工学院到辩论社团，这个案件在各种群众集会和公众场合被讨论，还成为喜剧和音乐厅表演中的幽默形象。人们通过一个公众人际网为他筹集了一笔活动基金，而其他行业，从出租马车 272
车夫到家具制造商，都竭尽所能来帮助他。有两家报纸致力于报道他的事件。“索赔者”本人在全国发表了一系列公开演讲，表明他不想被人看作罗杰·蒂奇伯恩爵士，他只要求获得公平审判的权利。他甚至还领导了一次去沃平的游行，因为以前有人说他是那里的屠户。

“索赔者”又被指控做伪证，由三名法官组成的委员会审理此案，这次审判从 1873 年 4 月一直持续到 1874 年 2 月。大部分民众站在蒂奇伯恩这一边，他们发起了新的抗议。首席大法官考克伯恩说：“我相信，从对查理一世的那次审判以来，还没有哪一场审判像这次一样引人注目。”拉斯金以轻蔑的口吻说：“想想那群白痴花了几年的时间来撰写、印刷、宣读对蒂奇伯恩的审判书吧。”原告最终被判犯有两项伪证罪，被判处两个7年徒刑。他服刑的表现堪称优秀，在狱中赢得了支持。事情可能就此结束，但其他人的利益变得岌岌可危。

原告的律师爱德华·肯尼利因在法庭上的行为被取消律师资格；但是之后他的事业有了转机。他援引英国人民古老的自由建立了一个“大不列颠大宪章协会”，被称为“人民的朋友和可怜的‘罗杰爵士’的捍卫者”。他被正式选为斯托克的激进议员。整个事件否定了激进主义在宪章运动终结和社会主义诞生之交消亡的说法。蒂奇伯恩的主张唤起了那些反对强制接种疫苗，以及反对《疯人法》和《传染病法》的人的同情。在这些法案中，国家的义务凌驾于个人的权利之上。每当人民的自由受到挑战时，他的名字就会出现。复活节次日示威游行的横幅上写着“释放蒂奇伯恩，确保三年一次的议会选举和人民的欣欣向荣”。

出狱后，他开了一家烟草店，但随着大众的欢呼慢慢远去，他在事业
273 上没有获得成功，反而在贝克街附近因贫困而死去。然而，最初究竟是什么引起了轩然大波？蒂奇伯恩一案在一段时间内的确吸引了追求短期利益的人们的兴趣，因为它代表了所有的疯狂和怪诞。这一时期最耸人听闻的罪行都涉及欺诈和勒索，蒂奇伯恩案件使这些罪行曝光于世。公众痴迷于此的最主要的原因隐藏于表面之下，那就是一个被平淡的生活习俗掩盖了秘密和不正常关系的紧张世界。这是一个身份混乱的世界，没人有一个安全的家。这就是蒂奇伯恩式的世界。

这个案子还引起了人们更长远的兴趣，因为维多利亚时代的人们非常关心继承和遗传特征的理论，并借助达尔文的文字包装出最无耻的小报。屠户真的会是准男爵吗？准男爵真的会是屠户吗？它超出了体面社会的所
274 有界限——如果有人知道什么是体面社会的话。

# 22

# 天 使

“男人！他们与我们的清白和宁静为敌……他们夺走我们的身体和灵魂，拴住我们无助的生命，就像把一只狗拴在狗窝里一样，他们中最好的人又给了我们什么？”在威尔基·柯林斯的《白衣女人》（1860）中，玛丽安·哈尔库姆如是说道。妻子没有财产所有权，仅仅因为是配偶，就被剥夺了以前的身份；与此同时，她们还被圈禁在家中。婚后，女人的存在或者说是法律上的存在就终止了。丈夫可以拿走她的衣服或珠宝卖掉，她在这件事上没有权利。在许多社会评论中，妇女在法律上没有地位，但她们是房子的主人，这怎么可能呢？在19世纪的公众话语中，她们被忽视了，在私下里情况则完全不同。这是19世纪后期的一大缺漏。

18世纪末，系统性地倡导女权主义的先驱玛莉·渥斯顿克雷福特去世了，留给世人的是她的《维护妇女权利》（1792），其主旨是呼吁中间阶层妇女“努力获取身心的力量”。它并没有消逝，在当时新生的工会，特别是店铺主和制盒商工会中，妇女的比例很大。在始终繁荣的壁挂和花边家庭作坊中，妇女当然是活跃甚至占主导地位的。所谓“已婚妇女是壁炉的守 275
护者、丈夫是火把的持有者”的说法——实际上中间阶层关于“各司其职”这一整个概念——还没有诞生。

然而，到19世纪60年代，“劳动男性”的完整形象已经形成，但是其妻子、妹妹、女儿，甚至母亲呢？她们的身份还能被继续否认吗？未婚女子又该怎样呢？老处女和寡妇是被人们关注的对象，但她们至少有一个优势：相对而言，她们是自由的。19世纪初，已婚妇女没有不动产（主要是土地），原则上也没有动产。根据法律，她是丈夫的财产——用法律术语来说，是一个受庇护的女人，而不是独立的女人。每一次离婚都需要议会的特别法案，丈夫理所当然得到子女的监护权。妻子挣的所有钱都是丈夫的财产，女人钱包里的钱是其丈夫的。女人既不能起诉也不能被起诉，她的丈夫可以随心所欲地虐待她，因为男人相信自大的法庭会无视这一切。

这种情况并非自古以来一直如此。在诺曼统治时期，盎格鲁-撒克逊女性在婚后享有权利和自由，但直到1870年她们才再次享有这样的权利。在财产问题上，劳动妇女比中产或上流阶层妇女处于更有利的地位，原因很简单，因为她们本来也没有什么财产。事实上，在19世纪的前几十年中，许多劳动阶层妇女进行了便利的同居，没有结婚，也没有出现什么问题。

然而，“各司其职”的概念在公共话语中变得越来越明显。没有人能确切地说它是什么时候被创造出来的，或者是由谁创造出来的，但事实证明它有巨大的影响力。维多利亚时代中期典型的图像是一个男人看着窗外，双手紧背在身后，一个女人坐在精心装饰的椅子上，全神贯注于针线活，端庄地低着头。对女人来说，世界就是家；对男人来说，世界指的是外面的世界。

276 然而，在许多职业中，工作是按任务而不是按性别来划分的。在塞文河和什罗普郡，男人为小筏子搭建框架，女人则缝合蒙皮；在农业上，男人负责刈割，女人负责收集；而在捕鱼时，男人负责捕捉，女人清除内脏并将鱼出售。其他许多例子表明，这种二元垄断的情况反映了当时的性别政治。男管家和女管家，男挖煤工和女运煤工，女佣和男仆，男棉纺工和女织布工，都是各自独立但又互相联系的例子。只有在男女争夺同一个角色时男性才会抗议，因此在第一批女医生诞生时出现了激烈的反应。

维多利亚时代的女性在公开场合露面时会遭受各种各样的限制。巨大的裙子在19世纪50年代中期很流行，有男人被翻滚的裙摆挤出公共马车窗户的漫画，还有女人被卡在门口的漫画。她们中的许多人会在周末穿上笨重的衬裙，但在工作日，她们还是会便宜从事。在矿井工作的女孩会穿男人的裤子。渔妇们穿好几层裙子，裙子都被系紧了，这样她们的小腿和脚就看不见了。当她们准备把鱼上市的时候，就用大油布围裙裹住自己。济贫院的女囚穿着一件标准的印花布衬衫、一件法兰绒衬裙和一条灰色的林西裙子；再加上一条披肩、一条围裙和一双羊毛长袜，这就是一套廉价的制服。它不仅便宜，而且几十年从没变过，越来越过时。她们也可以互换衣服，女人们仅仅可以分到洗过的衣服而已。

还有其他的限制，贾米森夫人在《女孩自己的报纸》上写道：年轻女性早上必须先使用“纯净水盥洗；然后，她们必须克制所有的激情，特别是避免嫉妒，因为这会让皮肤苍白”。年轻的女人［尽管根据狄更斯的说法，“女人”（woman）这个词不能用于端庄的家庭］不能熬夜、打牌或在烛光下看小说。柔软体操本质上是挥动手臂，是唯一合适的体育锻炼项目。工厂规定女工每天都要做操。

女人的另一项职责是洗衣服，这是一项既费力又耗时的工作，如果女 277
性有经济能力，就会花钱请别人来做。在1861年的人口普查中，专业洗衣工人有167607人，其中99%是妇女。家庭医疗也是妇女的特权，男医生和男药剂师出售药物，由女店员按剂量准备药品。妇女还负责准备家庭药品，通常是草药之类。这是女人角色的一部分，就像烘烤和准备面包一样。专利药品的广告主要针对妇女的恐惧，例如“没有像伊诺水果盐这样简单的预防措施，生命的危险将大大增加”。泻盐和番泻叶也被建议用来保持“系统”正常工作。广告还会展示小型手动静电机，其每一对触点能够对应身体的任何部位，包括“阴道”，后者通常用于“歇斯底里”的女性。这都是那个时代的医学词汇。

1864年、1866年和1869年通过了三项传染病法案，允许强行逮捕被视为妓女的妇女；她们被抓进隔离医院，为期约六周，在那里接受阴道和其他体内检查。这与个人自由的信念或人身保护令中所写明的权利是完全相反的，据说激烈的抗议成为女权运动的开端。据说年轻的劳动阶级女性尤其易于遇到抓捕，遭受这种类似于合法强奸的迫害。这些法案于1884年被废除，除了给劳工阶级带来了焦虑和愤怒，没有起到任何作用。这是男权统治的一些特征。

随着城镇的增多，妇女的压力也在增加。一方面是手工纺织受到织布机的挑战，另一方面是那些离开了土地的人们被迫加入手工纺织的大军。糟糕的饮食、工作时间和劳动条件都没能阻止向城镇的迁移。妇女的困难因这一处境而加剧。男人们鼓励多次怀孕，即便这样会让妻子倍感疲惫。
278 这主要是出于经济上的考虑：孩子越多，家庭收入就越多。因此，出于人道主义只能考虑部分废除童工。然而，尽管劳动的儿童是无辜和受到剥削的，但他们却可以让他们的父母不工作，或至少能少挣点钱。

中间阶层家庭中更为体面的女士很少会面对这样的情况，她们面临的是像比顿夫人的《家政管理》（1861）和考文垂·帕特莫尔的《家庭中的天使》（1854）这样令人生畏的书本。这两本书有着截然不同的倾向，但都是给受家庭约束的妻子戴上镣铐。帕特莫尔的诗句写的不是天使、女人、女孩、主妇、女家长——也许写的根本就不是人。《家庭中的天使》描写了一堆人类的从属性，女性读者只能阅读，因它做梦或哭泣：

> 如果他曾经因羞愧而压抑，送上一句安慰的话：
> 她靠在他的胸前哭泣，似乎认为罪是她的。

弗吉尼亚·伍尔芙说过，所有女性作家的职责就是杀死家庭中的天使。

比顿夫人21岁时在《英国妇女家庭杂志》上开始了她著名的家政布道，但她的开场白是骗人的。她的大部分食谱都是从早先的烹饪书籍中摘取的。然而，她还写了优美清晰的文章，而且做了一件很了不起的事情，那就是把配料清单放在食谱之前。1861年10月比顿夫人的《家政管理》首次出版，其中包含了这些食谱，还在仆人和急救等问题上提出了一些建议。

对于每一个希望体面的中间阶层女性来说，这都是一本必备手册。在开篇中，她引用了奥利弗·哥德史密斯关于“各司其职”的本质的话：

> 端庄的女性、谨慎的妻子和细心的主妇在生活中比做作的哲学家、
> 咆哮的女英雄或强悍的女王要有用得多。她能使丈夫和孩子幸福，使 279
> 前者远离邪恶，使后者在美德中成长。这些品格比传奇小说中描写的女人要伟大得多，后者干的无非就是用有形或无形的箭伤人。

一些人可能会为这种观点叫好，另一些人则对此不屑一顾。

因此，我们不会惊讶于有成千上万的妇女在反奴隶制请愿书上签名，在当时这是有很大争议的一件事。可以看出，她们对被奴役者产生了直接而本能的同情。一位反奴隶制活动家乔治·汤普森在1834年说：“她们无论在哪里都能成事……总之，她们就是反奴隶制运动大厦的水泥——没有她们的帮助，我们永远不会团结。”然而，威尔伯福斯并不赞赏她们，他说：“女士们聚会，发表文章，挨家挨户地煽动请愿——在我看来，这些与《圣经》中描述的女性角色不相符。”事实上，《圣经》对这个问题并没有说什么。慈善家也可能是个老顽固。

1830年至1831年和1833年的两次女性反对奴隶制的请愿浪潮，由来自英格兰的108个、威尔士的4个、苏格兰的13个和爱尔兰的4个城镇和村庄的请愿者参加。其中不信国教的女性贡献了15000个签名。1833年卫斯理宗反对奴隶制的请愿书上有10万名妇女签名。谢菲尔德妇女反奴隶制协会称“这不仅仅是一个政治问题，而首先是一个道德问题。一个阅读放在他小屋书架上《圣经》的小人物，是一个比精通内阁阴谋的政客更好的政治家”。这是维多利亚时代女性的标准，在务实和热忱上一点也不比她同时代的男性逊色。

许多男性要求女性同工同酬，不是出于男女平等，而是担心她们会抢走自己的工作。在机械纺织行业，女性的员工数量要远远高于男性，一些纺织协会规定，除非一个家庭中所有从事该行业的女性成员都加入了工会，

否则不接受男性成员加入。

280 甚至可以说，工人阶级的妇女虽然在大多数方面处于不利地位，但也有一些安慰：她们常常不算真正居家的女主人。由于她们并不指望自己和家庭的地位会得到提升，所以也就没有同时代的中间阶层女性的痛苦和挫折感，她们没有土地、金钱和财产，甚至可能为了爱情而结婚。另一方面，上流社会的女人虽然只是婚姻市场的一个筹码，但可以安慰自己说，一旦结婚，她们会搬到一个舒适的家，充满娱乐和消遣；她们躲过了最可怕的抚养孩子的恐惧，还有机会旅行、写作或翻译。而中间阶层女性尽管表面上很舒适，但可以说是受限制最多的；没有真正的权威，维多利亚时代道德审视的所有压力都落在她们身上，其中知识分子由于受到教育，往往会加剧渴望和愤恨，这些妇女经常成为政治和社会解放的勇敢先驱。

有一名著名的女权反对者，就是那个最自由的女性。维多利亚写道："非常希望招募一切能够演说和写作的人……来反对'女权'这一疯狂而邪恶的蠢事，那些人可怜虚弱的性别被那些愚蠢行为所扭曲，忘记了所有女性的态度和礼仪……"我们也可以认为这是那个时期的传统观念的体现。

对此，安妮·贝赞特是最著名的挑战者之一。1877 年，她和查尔斯·布拉德劳以 20 年前通过的《淫秽出版物法》上的罪名被起诉。他们两人被描述为专业的煽动者，热衷于颠覆法律和世界。布拉德劳自称是一个无神论者，很快会在下议院掀起轩然大波；贝赞特是女工的支援者，在全国都很有声望。她一开始就很清楚自己的想法，也很有自信。"我讨厌各种做作，"她说，"我永远无法忍受那些可笑的女人，如果同行的男人不伸出手来，她们连一根稻草也不会跨过去。我总是会对男人说，'不，不，我自
281 己有腿，不必麻烦你'。"她的好恶之情溢于言表。

有人说贝赞特完全不通人情，这是不公平的，因为她进行的是开创性的努力，这是可以理解的。她很快就通过一位激进的律师威廉·普罗廷·罗伯茨的眼睛看到了她周围社会的罪恶，罗伯茨是一位著名的宪章主义者，致力于煤矿工人的事业。"我听他讲过是如何看到她们光着上身，穿着仅到膝盖的裙子，粗声粗气地说话，在践踏之下女性的体面和优雅荡然

无存。”这是19世纪的恐怖世界，所有“维多利亚时代的价值观”都滑入了这个深渊。贝赞特嫁给了一位年轻的牧师，但婚姻并不成功，因为她逐渐接受了无神论。1874年夏天，她在牛津街附近的城堡街合作协会发表了第一次公开演讲，题目是“妇女的政治地位”。从那时起，她在公共场合演讲时感受到了力量和快乐，这种力量和快乐能使她克服政治生活中所有的危险。

贝赞特和布拉德劳成立了一家出版公司，出版的第一本小册子《哲学的果实》被指控为淫秽出版物。这是一篇关于节育方法和优点的书，由于这一主题当时仍非常神秘，1887年3月至6月间便出售了133000册。对淫秽物的判断是“被指控为淫秽的事情是否会让那些思想容易受到不道德影响以及容易得到这种出版物的人变得堕落和不道德”，审判记录中有一段摘录或许能给人带来启发：

> 检察长：问题不在于这类作品是否可以提交到哲学院，而在于它是否可以在伦敦街头或别的地方以六便士的价格买到……
>
> 安妮·贝赞特：先生们，你们有没有想过，我和我的共同被告正在为出版诺尔顿博士这本6便士的书这个简单的问题而斗争……我们有更重要的东西要关心，它对公众的生活至关重要，值得我们花费毕生精力来努力维护……如果性本能能够得到满足而不伤害任何人，也 282
> 不损害公序良俗，那么它就没有害处……

马尔萨斯的名字在诉讼过程中被提起，作为人口过快增长应该受到限制的证据。

> 安妮·贝赞特：我已经尽可能清楚地向你们解释了“淫秽”这个词的含义，它将决定判决的结果：我已经解释了我们的意图是良好的，它有助于人类和社会的幸福。我向您展示了马尔萨斯的理论——他从未被驳倒过——也就是人口规律是什么……我看到过四代人挤在一

> 个小房间里，就这样分睡两三张床。我请求您，如果也有这样的经历，便会惊叹于我给那些苦难的穷人带去一丝拯救还要冒坐牢和罚款的风险。

然后她转向另一个维多利亚时代的不幸：早夭。她说曼彻斯特的早夭率是117‰，利物浦则上升为132‰。

> 你们面前的事实已经很清楚，让这些儿童降生，给他们虚弱的身体接种，令他们接受这些可以预防的疾病侵袭，而不是实行出生禁令，这样做是不是道德或正当的？你必须考虑如果拒绝实行这样的禁令，会不会由此出现一大批罪犯……

许多维多利亚时代偏见的根源就在这里，既有那些抨击鼓励节育的六便士小册子的人，也有那些认为大量的儿童是导致一系列致命疾病、资源负担加重和可怕犯罪的人。贝赞特说的某些罪行是特定的，其中一个是育婴堂，被遗弃的孩子被交给并不适合从事这项工作的男人、女人甚至是
283 孩子监护，贝赞特提到“一个3岁的孩子被雇为帮手，照顾其他八个孩子……”这样下去结果必然是早夭。另一个罪行是“压在”儿童身上，或者换句话说，压迫他们直至窒息而死。贝赞特告诉法庭：“福塞特教授计算这些孩子的数量为115万，当年想到这个数字，你会看到这是一个多么巨大和重要的问题，如果他们能出生在一个更好的环境中，就不会死去……”她认为需要“通俗易懂的语言”，于是接着引用约翰·斯图尔特·密尔的《政治经济学原理》，特别是密尔“向所有已婚的人士呼吁，要求他们承担限制家庭成员数量的责任”。

她接着描述了一个贫穷的大家庭的母亲，她在分娩几天后就开始洗衣服。“我该怎么办？”女人问她，“还有一张嘴要喂。孩子们等在那里，必须有人供养，我必须动起来。”“我必须动起来”，这是维多利亚时代的命令。

总检察长在总结本案时说：

> 这是一本肮脏而污秽的书，审查的结果是没有人能被允许有那样一本书放在他的桌子上；没有一个受过良好教育的英国丈夫会允许自己的妻子拥有这本书，然而，实际上是，任何人都可以在伦敦或其他地方买到这本书，而且只要支付六便士！……它的目的是使人们能够性交，而不是按照天意得到性交的自然结果。

贝赞特和布拉德劳被判处6个月监禁，但在上诉后被判为无罪。这里混杂着低教会派的虔诚、世纪中叶的道德主义、社会偏见和性虚伪，真是一个极致的维多利亚时代。 284

# 23

# 女 皇

迪斯雷利拒绝接手政府，使得格莱斯顿无法辞职，但他还有别的办法，他在等待借口和机会。格莱斯顿提出了一个削减陆军和海军预算的计划，遭到了相关大臣的反对，理由是军队已经不能再压缩了。这给了格莱斯顿一个再好不过的借口，当他向同僚们宣布解散议会时，众人大吃一惊。金伯利伯爵在他的日记中写道，内阁的大部分成员"以前从未听到过他有这样的打算"，这是一声"炸雷"。

1874 年 1 月 24 日，在这个星期六上午，迪斯雷利打开《泰晤士报》，读到格莱斯顿呼吁立即解散议会的消息；报纸上充斥着格莱斯顿的竞选演说，以及他废除所得税的承诺。迪斯雷利召集了他的高级顾问，夜以继日地工作，为周一的报纸起草了一份宣言。

当时的格莱斯顿还没有找到一个他可以和选民保持一致的话题，他最近的纪录一直黯淡无光。财政紧缩政策似乎是他精疲力竭的政府最后的办法，他唯一的口号是"免费的早餐"，即废除茶和糖的税收，但这是不够
285 的。他的技巧令他失利，迪斯雷利以 350 个席位上台（其中 100 个席位没有竞争），格莱斯顿获得了 242 个，他退到了后排座位上。

出于一些其他的原因，这次选举成为一场意义重大的选举。代表爱尔

兰民族主义者的“自治法案联盟”占据了58个席位，成为第三大政党，引起了上下两院的激烈竞争。这是第一次采用无记名投票的选举，这可能也是爱尔兰成功的因素之一。一些观察家还称赞了酒类贸易对保守党的好处：自由党和不信奉国教者只得去教堂和会议厅，而保守党垄断了酒吧——至少心怀不满的格莱斯顿是这么认为的。被称为“哈蒂·塔蒂”的哈丁顿勋爵接替格莱斯顿成为下议院的自由党领袖，上议院的领袖则是格兰维尔伯爵。他们的背景和态度更接近旧辉格党，许多自由党议员认为格莱斯顿有点过于倾向激进，他们对于摆脱了格莱斯顿感到很高兴。

保守党已经33年没有获得多数席位了，这个结果的确可以令他们惊讶一番。有些事情的确对他们有利，格莱斯顿在一年中最糟糕的时机召集了选举，迪斯雷利的选举改革法案似乎终于见到了成果，保守党本身的组织也大大改善了。迪斯雷利当然把持着一切，他趁机把一个更为直言不讳的对手索尔兹伯里勋爵打发去了印度事务部。这似乎让大家都暂时满意了，虚张声势或恃强凌弱是没有用的，一切都庄重而有尊严地进行着。他通过情感和举止而不是政策来掌控他的大臣们。大臣们认为他的思想很丰富，但正如新任内政大臣R. A. 克罗斯所说：“事实证明并非如此；相反，他不得不完全依靠他的同僚的建议，但是同僚们自己也刚刚上任，他们突然在起草女王的讲稿上遇到了一些困难。”

迪斯雷利的风格不在于细节，而在于粗线条的轻拂和戏剧性的横扫。维多利亚早就厌倦了格莱斯顿的态度和礼貌，对他拘谨的礼节感到愤怒，认为他的自由主义政策是反君主制的，而他本人是一个非常危险甚至疯狂 286
的老头。迪斯雷利不一样，他有本事从死囚牢里扬长而去，顺带偷走斧子。他不遗余力地赞扬和祝贺女王，并确保和女王不会发生冲突。他的夸张到了有点愚蠢的地步，在通信中，他甚至可能称女王为“仙子公主”或“仙子女王”。

格莱斯顿的第一任政府向前猛进，障碍也以同样的速度向他冲来，而迪斯雷利的第二任政府起初没有什么进展。迪斯雷利的反对声很微弱，格莱斯顿有可能永久退休，但迪斯雷利似乎不想在选举或其他任何方面进行任何激烈的变革。迪斯雷利看起来很老，他苍白瘦弱的脸与令人吃惊的黑发形成了奇特的对比。

1875年的议会相当有效率，《公共卫生法》巩固了以前关于饮水、街道照明和垃圾收集的卫生法规。《劳工住房改善法》为地方委员会提供资金，用于购买贫民区住房并进行重建。还有两项法案使雇主和雇员的地位实现了平等化。《农业租地法》对农村租户投入的改良措施进行了补偿，这就是所谓的"牛油布丁法案"，令农民感到放心，这是必要的。尽管动作不大，但这是迪斯雷利为改善劳动人民生活条件而提出的"同一个国家"的努力的一部分。他领导下的保守党为国家福利做出了显著贡献，但并没有引起煊赫的赞扬，他们很高兴在未来两年继续保持同样的做法。

1875年6月，迪斯雷利在下议院说：

> 宽松的法律是人民自由的象征。当你不得不与那些生来只知服从的人打交道时，采用强制性法案是很容易的，但在一个自由的国家，尤其是在像英国这样的国家，如果你想较大地改变人们的风俗习惯，你必须相信劝说和榜样是两大要素。

换句话说，政府的阻力很大，进展也是缓慢的。但是到了1876年，公
287 共健康卫生的主要措施已经得以通过，而且实际上迪斯雷利的心思并没有完全扑在国内的立法上，他的兴趣不在曼彻斯特、伯明翰和诺丁汉，而在柏林、巴黎和莫斯科。

在这个时期，发明似乎层出不穷。1876年，一条电缆横跨大西洋；同年，格雷厄姆·贝尔发明了电话。内燃机于1876年开始商用出售。电灯公司成立于19世纪80年代，涡轮发动机发明于1884年。第一辆汽车于1885年问世。人们似乎变成了赫伯特·乔治·威尔斯笔下的时间旅行者，穿越工厂系统进入机械时代。

格莱斯顿似乎变得更加和蔼可亲。格兰维尔写信给他："昨晚女王告诉我，说从来没见你这么愉快过。"那是他谈论退休的时候，即将从战斗中撤

退或许令他兴致盎然。他在给格兰维尔的信中写道："我认为继续担任自由党领袖不会对大家有什么好处。"然而他每每出场仍然令人敬畏。迪斯雷利在一次议会会议上向女王报告说："格莱斯顿先生不仅出现了，而且还卷入了辩论……当一只鹰在空中时，新议员就像小鸟一样颤抖和乱飞。"

迪斯雷利也在发生变化。尽管名义上由他负责立法，但事实证明他在政府中不如在反对派中厉害。一位同僚抱怨说："在日常事务中，迪斯雷利处处表现出自己没有能力领导下议院。"他是一个天生的反对派，甚至推进改革法案也被他解释为是对敌人的"控诉"。事实是他已经筋疲力尽了，他经常患支气管炎和痛风，在下议院的时光对他来说是痛苦的。每个人都看到了他面临的选择——退休或进上议院。退休是不可能的，于是1876年他成为比肯斯菲尔德伯爵。他在下议院的最后一次演讲主题是对帝国的忠诚。当他离开会议厅时，最后看了一眼为之奋斗过的地方，然后悄悄地走到议长的椅子后面。他穿着一件白色长外套，戴着"时髦的"淡紫色手套。一位政治对手威廉·哈科特爵士写信告诉他："从此以后当女王不在的时候， 288
这里的游戏便如棋局一般……"

一年前，他赢得了从埃及赫迪夫手中购买苏伊士运河大量股份的殊荣。那里是通往印度的通道，远优于开普敦航线，但不幸的是，它被法国人和赫迪夫所掌握。按敌人的说法，迪斯雷利凭借天才般的诡计，利用了即将破产的赫迪夫。当谈判陷入僵局的时候，迪斯雷利让罗斯柴尔德男爵的儿子加入来推动进程。当罗斯柴尔德同意借出400万英镑时，谈判结束了。迪斯雷利给维多利亚写道："事情完成了，您拥有了它，夫人。"然后他给一位红粉知己写道："仙子欣喜若狂。"有许多同僚不赞成迪斯雷利的行事方式，英国的财政大臣斯塔福德·诺斯考特说："人们会怀疑我们悄悄地给自己买下了一个关键位置，然后把这所有变成英国的财产，我不喜欢这样。"其他人则更尖锐。德比评论道："就我所知，这种购买是到处流行的。我甚至可以说，这似乎给人一种狂热远远超过交易的真正重要性的感觉。"不管怎么说，德比不清楚结果是什么，迪斯雷利也没有一个明确的外交政策，这一点越来越明显。据说，作为外交大臣的德比是不想做长远打算，而迪斯雷利是做不了长远打算的。他的手段充其量是断断续续的，他向一名记者承认：“土耳其和埃及的事情一天比一天糟糕……我们前面有很多麻烦，但也许会船到桥头自然直。”这大概是他外交传奇的另一个例子。

迪斯雷利的另一个传奇故事发生在1876年春天。上一年的冬天，威尔士亲王在印度旅行了四个月，民众对他的到访热情甚高，以至于迪斯雷利认为女王自己也应该成为印度女皇。事实上，这可能就是女王自己的主意。
289 这将成为英国权力的新的象征，使女王可以媲美俄国沙皇。她陶醉于这场盛会，非常喜欢她新接纳的那些王子公主赠予她的珠宝。在她的一些臣民看来，这基本上就是一种偶像崇拜，和罗马天主教迷信几乎没有区别。也有人认为，这是女王把头衔改成英伦三岛女王的预演。

现在必须为天赋和雄心的总和加上一个名字。约瑟夫·张伯伦像火车一样从伯明翰冲出来——他和火车是同时代的人。他是一个螺丝制造商和自由主义者，具有杰出的演讲和组织才能，这使他在1873年成为该市市长。几年前，他加入了伯明翰教育协会，但很快就跳出了那个小圈子，并于1867年成立了全国教育联盟。正当福斯特在起草他的教育法案时，张伯伦断言：“这个国家的绝大多数人都支持免费的全民义务非宗教教育。”张伯伦加入了论战，他的姓名广为流传，较早为他作传的作者之一亚历山大·麦金托什说：“他已经被各地工人阶级的激进分子誉为即将到来的民主领袖。”

张伯伦在这个阶段是一位激进的自由党人，对下议院中那些所谓的内阁的自由党没有什么好感。他被选为伯明翰圣保罗区的代表，并发起了改变和净化这座城市的运动。当选不久，他就制订了一个公共工程计划，被称为“市政社会主义”或“燃气和水社会主义”。他推广照明和净水设施，推进了贫民窟的清理和重建，伯明翰的城市生活设施得到改善，所有这些都使他在全国的声誉倍增。

他将不可避免地走向威斯敏斯特，1876年，他在伯明翰没有竞争对手的情况下进入了议会。很快，他天才般的组织能力将下议院的激进自由党人聚集在一起，成为一个特别的团体。他说：“气氛是奇怪的，缺乏善意，甚至充满了敌意。”传统的自由党人和张伯伦的支持者之间迅速出现了明显的分歧。后来，他的反对者之一赫伯特·阿斯奎斯说，张伯伦“态度无赖，言辞粗鄙”，用当时的话来说，他的语言可谓英语“choice”（即粗鲁无礼）。 290
他说迪斯雷利是一个“只有偶尔才说真话的人”，而索尔兹伯里是“一个阶级的代言人——一个他自己所属的阶级的代言人，这个阶级既不劳动也不纺织”。索尔兹伯里称这是一种“雅各宾”式的攻击。

但是国外的事情很快就打断了个人政治斗争。1876 年初，巴尔干的反土耳其帝国斗争日趋明朗，德国、俄国和奥地利等大国对土耳其施加压力，指责土耳其虐待其基督教臣民。当 1876 年保加利亚人起来反对苏丹和他的帝国后，遭到了野蛮的报复；据估计，约有 12000 名保加利亚人被土耳其的民兵杀害。迪斯雷利倾向于无视这些情况，认为它们只是在分散他的注意力，仅此而已。但格莱斯顿对此念念不忘，一旦他念念不忘，就会有冰雹大风，电闪雷鸣。在成为比肯斯菲尔德伯爵之前的最后几周，他要求迪斯雷利进行调查。迪斯雷利只关心对英国利益的维护，任何关于正义或人性的问题本质上都和他无关。“我们的职责是，”他说，“在这个关键时刻维护大英帝国。”

出自两位首相之口的理由看上去似乎都无懈可击，但格莱斯顿的出现成为这场辩论中一种无法忽视的道德典范。他说：“在政治上，没有热情就难以达到好的结果。如今出现了多年以来第一次正义的热情。”他似乎一直在等待时机。

数年以来，他一直认为政治只能通过“正义的热情”来实践和激励。这是他成为政治家和首相的根本原因。他可能认为表现出道德愤怒有助于群情激愤的选民重新开始欢迎他。《每日新闻》用鸡奸、斩首、开膛破肚和所有一切可怕的故事来提供必要的佐料。迪斯雷利认为这些报道是反保守党的报纸在夸大其词，并补充说“东方人很少诉诸酷刑，只是会立即同罪 291
犯不相往来”。这在他的评论中可不是什么好话。

1876 年 9 月，格莱斯顿花了 4 天完成了一本名为《保加利亚的恐怖和东方问题》的小册子；他的女儿证实“整个国家都在燃烧——到处都是集会”。一个月内，这本小册子售出了20万册。格莱斯顿紧接着在布莱克希斯举行了一次露天集会。在大雨中，他喊道：“现在让土耳其人停止虐待的唯一方式就是让他们离开。”在演讲中的每一次停顿都伴随着“祝你们长寿！”“我们需要你们！”的呼声。通过意志和智慧的力量，他能够将广大民众塑造成一个高度活跃的人群。会议结束时，人们不停地喊着：“引领我们！引领我们！”

迪斯雷利不为所动，他称格莱斯顿是“保加利亚恐怖”的罪魁祸首，并威胁俄国不许入侵土耳其。一首最令人难忘的回荡在音乐厅的歌曲传唱着：

> 我们不想战斗，但是上帝啊！
> 如果真要战斗，我们奉陪到底！

自由党的领导人哈丁顿和格兰维尔担心格莱斯顿会引发俄土之间的战争，届时英国将被迫卷入其中。女王称格莱斯顿为“半个疯子”。但格莱斯顿掌握了他的那些道德崇高的群众，重新和这个国家联系到一起是令人兴奋的。1877年春天，在伯明翰举行的全国自由联盟第一次会议上，他与约瑟夫·张伯伦结盟，从而进入了长期争论的阶段。他宣称，只有自由党才能实现这项“伟大的工作”，他把张伯伦看作同党，希望“扮演一个历史性的角色，而且可能注定要扮演这样一个角色”，张伯伦就好像是一个传教士式的同伴。但显然，他们俩都知道，这个年轻人想按照自己的意愿来塑造
292 自由党。格莱斯顿希望通过向党提出更多的道德要求来扩大自己的特权。

这个国家分裂为两个阵营，一边是格莱斯顿和亲俄派，另一些人则支持迪斯雷利和土耳其。迪斯雷利对女王说：“一个由12名阁员组成的内阁，在决定应该采取什么样的方针时却有7个不同的派别。”大部分讨论集中在各种外国势力的利益上，但也有一些是在讨论参与纷争的首相们的职业。德比说：“对于首相来说，最重要的是用大胆的动作和出乎意料的举动来取悦和给予公众；他宁愿冒严重的国家风险，也不愿听到他的政策软弱和平

庸。”1877 年初君士坦丁堡会议的失败导致了三个月后的战争，英国卷入熊与蛇之间的争斗。苏丹不是沙皇的对手，俄国人涌上了君士坦丁堡的城墙。出于害怕战争会扩大，英国被迫向君士坦丁堡派遣舰队。迪斯雷利关心东地中海和通往印度的航线，他在英国进行了动员，战争似乎迫在眉睫。最后，德比辞职，索尔兹伯里接任外交大臣。

1878 年的最初几周，双方在圣斯特凡诺签署了一项条约，但出现了一个更大的保加利亚，可能会威胁到它的邻国。随之而来的是更多的秘密谈判、秘密协议、贿赂、虚假承诺和背叛。三个月后，一切在柏林又重新洗牌，保加利亚又变得小很多。英国同意保护土耳其免受非法侵犯，苏丹同意实施必要的社会改革，在复杂的谈判中英国得到了塞浦路斯。如果俄国归还其在亚洲攫取的土地，英国也将归还该岛。按照当时的标准，这似乎是一个体面的解决方案。首相以胜利者的姿态回到伦敦。1878 年 3 月，停战协议签署。这是女王第一次看到在奥斯本宫安装了电话。

然而，对许多人来说，这算不上“光荣的和平”。罗斯贝利勋爵是上议
院一名崭露头角的自由党人，他严厉斥责了迪斯雷利及其盟友分割了土耳 293
其，为自己赢得了一块可疑的碎片作为战利品，却抛弃了希腊。“他们承担了巨大而未知的责任……”他忘记了迪斯雷利喜欢的就是巨大而未知的责任，这责任越大越好。

新任外交大臣索尔兹伯里勋爵曾与迪斯雷利一同前往柏林，尽管他并不完全赞同首相站在土耳其一边。索尔兹伯里现在已经是预备成为首相的几位主要领袖之一了。他轻蔑地看着迪斯雷利在柏林的表演，告诉妻子，迪斯雷利“对正在发生的事情一点也不了解——他把一切都看反了——并且还在不断地想象着阴谋”。关于他在内阁的同僚，他写道：“他们都是中间阶层，我一生都可以看到中间阶层害怕承担责任。”

这也许就是为什么索尔兹伯里作为外交大臣会卷入一些局部战争。他似乎对第二次阿富汗战争负有部分责任，这场战争持续了两年，并以坎大哈战役告终。1879 年初，当英国军队入侵祖鲁王国时，发生了更严重的冲突。1 月，在伊桑德拉瓦纳，一整支军队被屠杀，之后一支 9000 人的部队

又被派向此处。这是土著军队发动的一场最大规模的袭击，引起了英国人极大的恐慌。迪斯雷利说："这场可怕的灾难彻底震撼了我。"这场屠杀引起了同样令人毛骨悚然的报复，但并不为人所知。血腥的危机持续到夏天，祖鲁族军队在乌伦迪被击败。人们普遍认为，他们被查理·金斯莱在《奥尔顿·洛克》(1850)中描述的"自古罗马时代以来，英国人在地球上所有民族中拥有的那种独一无二的冷酷、认真、顽强的力量"打败了，但这仅仅是装腔作势和自我吹嘘，或者用当时的话来说是"皮革和枯草"(意为无关紧要的东西)。祖鲁人是贪婪、种族仇恨和嗜血的受害者。

帝国的建立并不如想象中那样美好，殖民地就如同坟墓，不仅仅是那些不知为何而战的军队被卷入其中。在西非，有半数抵达者在三个月内死
294 亡。塞拉利昂的死亡率为483‰，黄金海岸的死亡率为668‰，锡兰的死亡率比英国高五倍。维多利亚比她的大多数臣民或政治家更了解这个世界。在阿富汗战争最激烈的时候，她写道："我们在印度和殖民地的地位必须得到维护。"她告诉比肯斯菲尔德："如果我们要保持一流大国的地位，就必须与印度帝国以及广大的殖民地一道，做好在某个地方遭到进攻和开战的准备，一刻也不能松懈。"

在给伊利女士的一封信中，女王写道："但愿我能相信我的政府，不管是谁，他们事先都应该明白，如果试图撤回已经付诸实施的事，我永远也不会同意。"根据小说家弗兰克·布伦的说法，"没有哪个年轻人敢在学校中说帝国的坏话，"如果他这样做，"他会被立即打趴。"冒险小说、短篇小说和插图杂志不断加强帝国和英雄主义或冒险之间的联系。虽然对贸易和市场的无尽追求才是帝国主义真正的原动力，但大量的溢美之词在歌颂骄傲和威望，对贸易却所言不多。

1878年，格莱斯顿在日记中倾诉，他认为自己正在进行"正义、人性和自由"的斗争，并补充说："如果我真的相信这一点，那么我应该把必须从事这项工作视为上帝伟大而崇高的选择。"即便是在19世纪下半叶，这也是一个很崇高的理由，如今肯定会被认为是一种狂热行为，除了那些小众宗教的激进分子以外。格莱斯顿身后有大批不信奉国教的新教徒，力量

比激进自由主义更强大、更重要。当然，这种情绪会疏远和激怒像迪斯雷利这样喜欢采用权宜之计的人。

格莱斯顿正是本着这种精神参加了1879年11月在中洛锡安的活动。他一方面谴责土耳其的暴行，又批评了整个国家的大政方针，以此作为1880年大选的序曲。他在罗斯贝利勋爵所在的乡村开始了他的竞选活动，这对罗斯贝利的政治生涯有很大的帮助。之后格莱斯顿往返于利物浦和爱丁堡之间，发起一系列布道式的演讲。他在卡莱尔演讲，在哈维克演讲，在加拉希尔演讲。这可能是第一次正式的政治竞选活动。正如迪斯雷利所 295
说："我们用语言来主宰人。"

罗斯贝利坐着一辆驷马车在爱丁堡站等待着，迎接格莱斯顿的还有篝火和烟花。格莱斯顿说："我从未经历过如此不平凡的一天。"他总是被兴奋的人群所感动。两个星期以来，他痛斥政府财政管理不善，对埃及进行了掠夺，并对波斯尼亚的土耳其人做出了不可能实现的承诺。"从那时起，"他写道，"直到1879年至1880年最后的成功，我把东方问题作为生活的主要内容。我在强烈的个人责任感下行事，没有想要去领导谁；不管我愿不愿意，那使我再次成为领袖。"他的"牧师之王"形象的海报贴在墙壁和窗户上，商店的橱窗陈列着他的作品。

格莱斯顿开始了进攻。他已经71岁了，目睹了帝国一点一点扩张，遵循自身的生长规律延伸着贸易路线，跨越海洋，在这里挑战，在那里行贿，在其他地方威吓。这一切对迪斯雷利来说都是每日要向"仙子女王"报告的工作，但格莱斯顿也不会心安理得地闲着。在与街上的女人进行了著名的夜间谈话后，他独自拿起了鞭子，我们完全有理由认为他的政治兴奋引起了这类反应。"让我们每个人下定决心，"他说，"要尽最大努力解脱自己；要从每一次认为是恶作剧和毁灭性的罪行中解脱自己。"根据他自己的信件，他所到之处有热烈的欢呼和暴风雨般的掌声，经过的城镇搭建了拱门，配上了装饰，被火把和仙女灯笼照亮。"请记住，在阿富汗的小山村里，在冬雪之中，生命的神圣在万能的上帝眼里是不可侵犯的，就像你自己的生命一样。"对他来说，迪斯雷利是世界和平的侵犯者，他违反了道德

正义的每一条准则。每一句话都被传播到这个像热衷黑啤酒一样热衷政治
296 的国度。迪斯雷利说，他已经厌倦了对手的花言巧语，因为自己总是会成为对手的话题。而女王甚至不认为格莱斯顿是一个严肃的政治人物。

1879 年，这种攻击对迪斯雷利已经造成伤害，对他来说最近的事态远不能令人满意。阿富汗和祖鲁的考验上文已经提及，国内还有更严重的困难。《雷诺新闻》宣称，1879 年只有灾难的记录，“在贸易方面，这是我们所记录的最无聊的一年，也是农业方面受灾最严重的一年”。失业率上升和歉收同时发生，最终导致贸易和工业的大萧条。从伦敦砖石工人到兰开夏棉花工人的罢工浪潮是 1878 年和 1879 年冬天的象征。

自 1870 年以来，经济明显下滑，失业率在三年内上升了 6% 以上。所得税提高到六便士，以支付阿富汗和南非日益增长的开销。1879 年，爱尔兰全国土地联盟成立，帕内尔任主席，四名“芬尼亚”组织成员任秘书。这是威斯敏斯特政治迷宫中又一个曲折的组合。在下议院，帕内尔领导下的自治联盟党爱尔兰议员是一支重要的力量，他们可以有效地阻碍所有立法的通过，当然主要是针对有关爱尔兰的法案。

迪斯雷利被一些偶然的好消息所迷惑，在 1880 年 3 月解散了议会，并走向他自己的死亡之谷。格莱斯顿开始了另一场巡回演讲，他相信和选民之间鲜活的关系是最强大的纽带。女王形容他们是“疯狂的不爱国的胡言乱语者”。然而在 1880 年的选举中，似乎没有什么能拯救保守党，结果无事发生。格莱斯顿的自由党以超过 100 个席位的优势获胜。他的胜利使得他再次当上首相，而不是象征性地领导哈丁顿和格兰维尔。“比肯斯菲尔德主义的衰落，”他说，“就像意大利浪漫史中某座宏伟城堡的消失。”过去的仙子传说仍然是维多利亚时代想象的一部分。

297 格莱斯顿像某些哈里发一样，凭借人民的共同意志掌权。保守党大贵族索尔兹伯里评论道：“我对这一前景并不感到遗憾。但像这样的失败完全是另一回事。这是一场彻头彻尾的灾难——我恐怕要彻底解散这个党了。”这里有一个小插曲，查尔斯·布拉德劳是新议会议员，他曾和安妮·贝赞特一起为节育而斗争。他现在因拒绝在就任议员时正式宣誓效忠而引起了

进一步的争议，并要求确认自己是无神论者。他的态度引起的全场义愤可以向吉尔伯特与沙利文致敬。他的请求未被批准，在随后的补选中他成功选上，带着一大群人进入威斯敏斯特宫，强行进入下议院，然后又被赶到威斯敏斯特宫广场上。他后来又尝试了四次，均被驱逐，随后再次当选。布拉德劳善于自我宣传，他的恶名和短暂的监禁对于他是好事，因为这样可以扩大影响。在给格莱斯顿和自由党造成相当大的尴尬后，他终于在1886年就职。两年后的1888年，他设法通过了一项新的、更加宽松的《宣誓法案》。

迪斯雷利似乎没有把自己的垮台看得太重，他一定有所预料。唯一的负担是在最终离开舞台之前，他收到的关于乞求职位、办公室、闲差和委任的信件数量。他也知道女王会像他想念她一样想念自己，他们建立了温暖的友谊，他知道她是多么依赖她的盟友。

因此，迪斯雷利的政治对手很难受到白金汉宫的热烈欢迎。关于格莱斯顿，维多利亚私下写道："我宁愿退位，也不愿去找那个半疯狂的煽动家，他很快就会毁掉一切，成为一个独裁者。"她冷静下来后，迪斯雷利劝她，说格莱斯顿是唯一可行的候选人，无论如何，自己太老了，坚持不了多久。事实上，那时人寿保险的精确性预言并不流行，他在政界又活了14年。

1881年秋天，德比勋爵接待了格莱斯顿： 298

> 留在我脑海中的总体印象似乎是，他在聊天中的表现比在公共场合中的举止更令人惬意、轻快和放松。他可以无话不谈，不管话题是大是小，都像他的演讲一样有着丰富的细节。他没有幽默感，很少开玩笑，说的笑话很糟糕。他对每个话题都极其认真，这让人觉得有点奇怪。我昨天听他做了一个关于各种不同的修路方法的讲座，来源大致是关于几个利物浦街道的评论。他详细描述了几个不同的过程，好像他谈起这个话题是为了考试……在布鲁厄姆勋爵之后，我再也没有听到过有谁像他那样急切而滔滔不绝地说话了；他说话停不下来，而

> 且说得很好。没人会想到他会想要休息一下或有工作要做。他的脸很憔悴，眼神狂野……

这是你能找到的对那个时代最好的描述。

迪斯雷利不再那么活泼或健谈了，他可能经历了超过自己承认的选举失败的痛苦。1881 年 2 月，在寇松街家中的一次聚会上，他看上去成了一个“瘦瘦的、黑黑的、虚弱的人”。他最后一次到访上议院是在次月，但他拒绝了女王的会面要求，说道：“不，最好不要。她只是会让我带个口信给阿尔伯特。”比较有可能的是他不想让君主看到他已经处于风雨飘摇之中。他并没有停止工作，私人信件里写满了政治谣言和建议。他像以前一样参加晚宴，并常常表现出以前的活力。但是根据他的第一个传记作者 G. E. 巴克尔的说法，有几次“他像木乃伊一样沉默地坐在宴会上”。他曾无数次在下议院战胜对手，但这一切又是为了什么呢？他感冒了，后来发展成支气管炎，他与死神搏斗了三个星期，但是他的直觉知道这是最后的战斗了。“我想活下去，”他说，“但我不怕死。”1881 年春天，他在寇松街的
299 房子里完成了这件事。

# 24

# 萧 条

1880年，格莱斯顿获胜后，女王在第一次议会会议上的讲话中指出："从税收上可以看到萧条仍在继续，没有好转。"三年之后，还是在同一个场合，伦道夫·丘吉尔，一个桀骜不驯、吵吵嚷嚷的保守党人，抨击了会议没有提到"这个国家明显的、持续的、无望的贸易萧条"。每个人都在说"萧条"这个词，尽管没有人知道它是什么。上议院要求成立一个贸易萧条委员会，以"确定什么是萧条"。虽然没有找到简明的答案，但这个词成了政治词汇，之后再也没有消失过。

1880年秋，格莱斯顿写信给女王：

> 爱尔兰无疑可悲而且险恶，与其说它到处不安定，不如说有一种普遍的针对财产的阴谋。这两种邪恶是容易辨别的，它们都非常严峻。在此局面之下，有一个最为令人痛苦的特点，即那些纷乱民众的领导者还在煽动他们违反法律。相反，在奥康奈尔那个时候，即便在巨大 300
> 的政治动荡中，他们还是坚决谴责在土地方面的犯罪，要求遵守法律。

"爱尔兰问题"迁延不断，对于格莱斯顿来说，就像东方问题之于迪斯雷利一样，是噩梦和焦虑的永恒根源。议会里面有帕内尔，外面有“芬尼亚”组织，该把哪匹狼挡在哪个门外？自治联盟和土地联盟的积极分子构成了一个可怕的威胁，格莱斯顿几乎无法控制。1879 年至 1880 年间，有关土地的暴力和驱赶行为增加了三倍之多。第一个因驱逐租户而被定罪的人是包伊克特上尉，他的姓氏（Boycott，意为“抵制”）变成了成为惩罚他的罪名。索尔兹伯里写道：“我非常想知道格莱斯顿打算如何摆脱爱尔兰的困境，这看起来很像一场革命。如果我们想保住爱尔兰，就必须重新征服它。那么就目前英国各选区而言，是否具备这样的条件？我对此表示怀疑。”

爱尔兰的问题从未消失——或者更确切地说，是英国的问题从未消失。那里有英国的地产经纪人，有英国的地主，还有英国缺席投票的地主，都柏林的行政机构也是英国的。事实是，英国人从未离开过爱尔兰。这么多年来，通过了这么多法案，但所有这些法案都是偏向英国人的。

土地联盟对驱赶租户这样的暴行做出了回击，这不仅于事无补，反而使局势更加动荡，也许这正是他们的目的。无论如何，格莱斯顿反对“地主至上主义”，因为他清楚地认识到土地改革是解决爱尔兰大部分问题的灵丹妙药。他提出的 1881 年《土地法》包括“三个 F”：合理的租金（Fair rents）、自由转让的使用权（Free sale）和固定化的使用权（Fixity of tenure），租金的合理标准由司法机构来认定。这样稍稍驱散了一些阴云，但政治大气候并未得到改善。时任英国贸易委员会主席的约瑟夫·张伯伦曾明确表示：“我们一致认为，不可能对爱尔兰党派目前的要求做出让步。这是为了重建宪政而施行的专政和为了颠覆与实现无政府状态并以此作为革命发端的暴力之间的殊死斗争。”当议会在 1881 年初开会时，首先通过了《高压统治法》，然后才是《土地法》，威胁要将任何涉嫌暴力或恐吓的人送进监狱。

301 帕内尔试图扼杀《土地法》，同时丑化格莱斯顿，这使他在基尔梅纳姆监狱得到了一间牢房，因为《爱尔兰高压统治法》，他立刻承担了殉难者的角色。这个问题似乎完全无法解决，除非采用阴谋的手段。格莱斯顿前往自治联盟过程曲折，堪比阿里阿德涅，但似乎是帕内尔在狱中提出，如果满足某些秘密条件，可以给爱尔兰带来和平。5月4日，帕内尔和另外两人被释放出狱，条件是他们要支持《土地法》，并赞同格莱斯顿保护拖欠租金的爱尔兰租户。爱尔兰事务首席秘书威廉·福斯特很快便沮丧地辞职了，格莱斯顿请弗雷德里克·卡文迪什勋爵接替他的位置。卡文迪什勋爵到达都柏林几个小时后，就在凤凰公园被暗杀了，刺客用长刀砍伤了他和他的同僚。凤凰在火中涅槃，而那些信奉神话的人可能认为爱尔兰应当被火焰包围。

1880年最后几个月，德兰士瓦布尔人的起义加剧了内阁的混乱。该地区是英国三年前吞并的，经常由于税收是否合理而产生矛盾。1881年1月底，一支英国军队在朗峡遭到伏击，并在随后一个月中被彻底击败。科利将军率领的这支小部队要么被俘，要么阵亡。格莱斯顿的头部受了伤，卧床不起，实际上他已经投降了。在比勒陀利亚会议上，德兰士瓦宣布独立，但仍承认英国的“宗主权”。不过诸如此类的词可能没有什么意义，他们照样能带来损害、误会并引起最终的冲突，这在南非得到了证明。

1月中旬，一群“芬尼亚”组织成员用炸弹对索尔福德军营进行了袭击，这让政府更显软弱。他们之所以选择这里，是因为这里曾是1867年处决“曼彻斯特烈士”的地方，这些“芬尼亚”组织成员因谋杀一名警察而被绞死。这次袭击可以被视为英国最早的“恐怖炸弹”之一。1867年底的“克莱肯威尔爆炸”（如果这个名称是正确的话）必须是第一名。格莱斯顿 302
现在开始意识到衰老的迹象。他认为“像一个精疲力竭的歌手一样待在舞台上是不对的，唱出来的音调是了无生气的，除了他自己，每个人都能感觉到”，他“不会给任何人带来好处”。

1881年元旦，女王说出了自己的忧虑：

> 一个可怜的政府，爱尔兰处于完全无法无天的状态，好望角正在战斗，情况非常严峻。我感到很焦虑，没有人可以依靠。我觉得自己有非常可悲的缺陷，太容易过度敏感和发怒。当我生气和受伤的时候，脾气非常难以控制。但我为国家操劳得太多了，太忧伤痛苦了——这

> 一定是我的借口。我会每天祈祷上帝能帮助我，让情况好转。

上帝不一定会回应她的祈祷。就在凤凰公园案件几天后，格莱斯顿命令一支海军远征亚历山大。这也许是他政治生涯中最不可思议的事件，与他所有的政策和他不干涉的宗旨自相矛盾。埃及的财政状况是根本原因，他们的财权处于法国和英国的双重控制之下，这对于埃及民族主义者来说是一个耻辱，他们已经煽动了一系列小规模的动乱。1882 年 2 月，英国下令撤换民族主义者首相，引起了反西方民众的愤怒。5 月，舰队出发，司令官不满于亚历山大港的混乱，7 月开始炮击。随后英国派出了陆军，9 月 13 日于泰尔–埃尔–凯比尔彻底击败了埃及民族主义者的军队。这场胜利让欧洲其他国家感到惊讶，并给人一种第二次布尔战争最终成功结束的假象。名义上在格莱斯顿领导下的激进分子对埃及的行动感到震惊。“这次炮击是迪奇做过的最糟糕的事。”约翰·布莱特对罗斯贝利说。罗斯贝利试图为首相辩护，但布莱特打断了他的话：“别再说了，该死的！”人们普遍认为格莱斯顿的良心是一顿可以搬动的大餐，无论他自己的利益把他带到哪里，他的良心都会得到满足。

格莱斯顿明白赢得这场显然是邪恶的战争的好处和坏处。这是一件肮
303 脏的事情，完全是为了钱，虽然他仍有足够的勇气借此进行一番传教。但是占领了埃及之后该怎么办呢？“我们做完了埃及的生意，”——说得好像是去了趟厕所一样——“我们成了埃及的政府。”很快，所有的一切都被苏丹的起义所质疑，这场起义给格莱斯顿造成了比他一生中任何其他事件都更大的伤害。

迪斯雷利作为保守党在上议院的领袖，其继任者一直被认为是索尔兹伯里勋爵。但他并不喜欢这一位置。他告诉《泰晤士报》的编辑：

> 最近几天，你是第一个来看我而没有对我有所求的人——职务、荣誉、爵位……那些我称之为朋友的人，那些我觉得应该远远超脱了自私自利的人，都来这里乞求一些东西，有的要这个，有的要那个，

直到我觉得恶心厌烦。这一经历让我认识到了人性的阴暗面。

在1880年的选举中，自由党获得了337个席位，遥遥领先于保守党的214个席位，自治联盟获得了63个席位。自由党获得如此之多的席位，让所有没有料想到工农业衰退的后果的人感到惊讶。因为对未来没有什么思路，所以自由党人都转向格莱斯顿，把他当成好运的预示者，而格莱斯顿却把所有的赞美都献给了上帝。也许是虔诚，也许是决心，让他在后面的四年里迎着困难担任首相，这一次，用“迎难而上”（soldier on）这个词是恰当的。在中洛锡安的竞选集会上，他攻击了自由党其他显要人物，但由于缺乏更好的人选，他不得不把他们吸纳进内阁。而他所召唤的激进分子，却只有少数被选中。8名内阁成员都是老牌的自由党人，只有约瑟夫·张伯伦和其他一两个人可以被称为激进分子。张伯伦是个怪人，他一边嘲笑“绅士”，一边又戴着单片眼镜。作为贸易委员会的主席，他主导制定了一项针对工业事故的《雇主责任法》，同时他激进的热情继续在南非、爱尔兰和埃及传播，这些是需要解决的重大问题。

变革已经近在咫尺，1881年H. M. 海德门成立了民主联盟，后改称 304
社会民主联合会，夸张一点说就是掺了苏打水的马克思主义。但至少从形式上说，海德门将社会主义引入英国之时，正是美国改革家亨利·乔治在《进步与贫困》（1879）中宣布土地改革的时候，他宣称：“我们必须让土地成为共同财产。”改革精神传播开来。1884年，威廉·莫里斯的社会主义联盟和社会民主联合会分道扬镳，同年，费边社成立。乔治·吉辛谈到费边社时说，他们是“我们这个时代一个与众不同的年轻阶层——受过良好教育，相当有教养，但没有钱”。他们大多数人的名字现在都不为公众所知，但是如果没有他们的不断调和，20世纪的英国可能会走上不同的道路。从旧激进主义到新社会主义的转变与从辉格党到自由党的转变一样重要。例如，在前所未有的程度上推进了国家干预并证明了它的正当性。

无论如何，国家慢慢获得了新的权力。它开始管理工厂、矿山和居住场所。食品和饮料受到更密切的监测，教育和公共住房的最低标准也已颁布。大量的官员和行政人员开始为一个正在走向现代的国家服务，它的管理人员现在是专业而不是业余的了。这当然意味着在本世纪的大部分时间里，占优势的自由放任原则逐渐消失。1880年的科布登奖论文，A. N. 卡明斯的《论政治经济学对人类的价值》说："我们已经有了太多的自由放任主义……自由贸易的真谛被自由放任主义的谬论所笼罩……我们需要一个更为家长式的政府——这是旧经济学家的噩梦。"当时一项激进的计划指出，日益增长的国家干预"站在弱者一边对抗强者，站在劳工一边对抗资本，站在贫困和痛苦者一边对抗奢侈和安逸"。

集体运动、国家级的板球和足球联赛，以及公共游泳池，成了公众的
305 消遣。合唱团、铜管乐队和铁路旅行是那个时代集体准则至高无上的气氛。

集体主义可以有多种形式。1884年，伦道夫·丘吉尔在一次演讲中宣称：

> 先生们，我们生活在广告的时代，生活在霍洛韦药丸、科尔曼芥末和霍尼曼纯茶的时代。铺张广告的策略在商业上如此成功，而自由党以其一贯的进取精神，将其适配到政治生活中。首相［格莱斯顿］是当今最伟大的个人政治广告艺术大师，霍洛韦、科尔曼、霍尼曼和他比起来根本不算什么。他的每一项行为，无论是为了健康、娱乐，还是宗教信仰，都写在巨大而醒目的标语牌上，在每一个英国男人、女人和孩子的眼前晃悠。

这是19世纪后半叶出现的"媒体政治"的首批事例之一，它可能起源于1867年给予城市工匠投票权的时候。

然而，格莱斯顿没有得到伦道夫·丘吉尔领导下的保守党的帮助。丘吉尔和他的同党将年轻人的轻蔑和不礼貌与未实现的雄心壮志结合在一起。他们宣传"保守党民主"具有优点，但当别人问丘吉尔什么是"保守党民主"时，他回答道："说实话，我自己也不知道保守党民主是什么，但我认为这主要是靠临机应变。只要说你是保守民主党人，那就行了。"换句话说，他们极为天真，甚至连丘吉尔这个名字都不能使他们免受非难。

他们被称为“第四党”，并渴望赶走由斯塔福德·诺斯考特等保守派要人组成的“老帮派”，诺斯考特最喜欢的就是挑起事端。尽管如此，法典上还是勉强增加了一些新法案，其中包括 1883 年的《破产法》、《专利法》和旨在消除欺诈与恐吓的《防止腐败和非法行为法》。

选举权还有未竟之事，这是一个缓慢的过程。迪斯雷利在 1867 年的《第二次选举改革法》中表现出的魔力在五年后再次施展，《无记名投票法》 306
得到通过，它的名字即内容。《1883 年防止腐败法》颁布后，1884 年又颁布了《人民代表法》，郡和区适用同样的选举权办法。后来它被称为《第三次选举改革法案》，将投票权扩大到农业劳动者，从而使选民人数增加了三倍。当然，这并不意味着普选，所有妇女和 40% 的男子仍然被排除在选举进程之外。

然而，第二年新的《再分配法案》引起了一场巨大的政治风暴。扩大选举权范围是“好事”，但对保守党来说，必须通过席位的大规模重新划分来保障其利益。保守党控制的上议院和自由党控制的下议院像发情的雄鹿一样战斗起来，不过在女王慎重的施压之下，双方在阿灵顿街的一所房子里会面并思考席位的重新划分问题，索尔兹伯里是其中的主导人物。人口在 15000 以下的 79 个城镇的选举权被取消；较大的城镇重新划分为单一代表选区，如此取消了 162 个席位，增加了 182 个席位。又有 200 万人获得了选取权。大城市被分为大致平等的选区，大片乡村选区围绕着它们。这被认为是一种傲慢。难道扩大了选举权还不够吗？事实上，很少有人能算清楚这个结果。如果普遍的呼声要弄清楚，那就应该赶快去做。

索尔兹伯里坚持自己的立场。格莱斯顿同意了他的条件，索尔兹伯里的女儿记录道：“我父亲认为这完全是一个奇迹……我们得到的比要求的还要多。”索尔兹伯里证明了自己是一名出色的谈判者。他的处世哲学从本质上说是简单的：“无论发生什么事，情况都会变得更糟，因此多一事不如少一事。”这可以与他的另一条格言媲美：“议会是一个强大的发动机，它总是要去制定法律，但这些法律很少实现了制定者的初衷。”重点在于索尔兹 307
伯里从不标榜保守主义，这是一种沉默的保守主义，也许可以归为“沉默的大多数”。事实上，1885 年的《席位再分配法案》创造了大量的单一代表选区，这些席位此刻主导了议会进程。乡村选区从此和城镇选区一样具有潜在的力量；矿工和农业劳工从此获得了投票权。土地所有者失去了大部分特权。“媒体政治”的出现伴随着选民大群体的形成。

1883 年，保守党出现了一个意想不到的受欢迎的盟友“报春花联盟”，它的主要作用是照顾新选民。这个名字取自迪斯雷利最喜欢的花（他实际上更喜欢兰花）。它很快成为英国最大的志愿者协会，到 1887 年已有 50 万成员。它是包容的和多样的，只排斥“无神论者和大英帝国的敌人”。成员（根据他们支付的年费，被冠以骑士、贵妇或合伙人之名）宣誓效忠君主，并宣布他们准备维护“宗教……王国的财富和大英帝国的优势地位”。该联盟主要由妇女组织，并因茶会、花园聚会和自行车郊游而闻名。在富丽堂皇的住宅举行的夏季宴会，由著名的保守党议员参加，是其社会活动的亮点。议员们还向该组织的周报《报春花联盟公报》投稿。该联盟非常强调等级制度、荣誉、帝国主义、古老的头衔和仪式，向其成员灌输顺从、民族主义和尊重传统的价值观。到 19 世纪 90 年代初，该组织吸引了 100 万不太富裕的准成员，可以说是将保守党嫁接到了中下层中间阶层的根基上。它也代表了帝国主义情绪的增长，1884 年帝国联盟的建立也可以说明这一
308 点。然而，帝国主义也有它自己的缺点。

# 25

# 可怕的消息

炮击亚历山大港之后，英国统治了埃及，但给它的邻国造成了麻烦。1883年底，苏丹宗教领袖马赫迪（又被称为“被引导的人”）领导的起义军在两场战役中击溃了英国驻军。英军的勇气大部分都表现在撤退上，于是英国政府决定放弃苏丹，解散招募的埃及军队。这是一个难以完成的壮举，所以格莱斯顿和他的内阁派戈登将军组织疏散。然而，戈登选择了违抗命令，留下来战斗。他是老派的战士——矮小、固执、自给自足。剑和《圣经》并不总是可靠，作为一位著名的战士，他可能不是执行撤退的最佳军官。埃弗林·巴林曾提醒道：“一个习惯在困难时向先知以赛亚请示的人，是不容易服从任何人的命令的。”

格莱斯顿承认，他们“对这个人了解不够，我们更多的是通过公众的印象和报纸的报道来信任他”。这里是一篇适时的新报道，体现了媒体的力量和从公众那里得来“印象”的重要性，这种情况在30年前是不可想象 309
的。当时国内对帝国殖民者普遍冷漠，他们被当成了乡下的亲戚。例如，韦克菲尔德在《殖民艺术观》（1849）中写道：“当一位杰出的殖民者来到伦敦，他只是在街上徘徊，看风景，直到看腻了，然后带着对故国的厌恶之情返程。没有人会关注他，因为他是个殖民者。”

戈登不服从白厅的命令，这对他去威吓苏丹人的冒险来说不是个好兆头。1884 年 2 月，他到达首都喀土穆，宣布要坚守这座城市，而不是把它交给马赫迪然后撤退。当苏丹军队向前推进并围城时，他决定挺身而出，与一切困难做斗争。他抵抗了两年，期间不断向伦敦提出要求，计划重新夺回主动权，杀死或抓获马赫迪。狂热的民众要求派出一支救援部队，把视死如归的戈登解救出来。内阁未能就任何目标达成一致，格莱斯顿在 1884 年 6 月报告说："他们没有新的理由对戈登将军进行救援。"他们要么拒绝他的要求，把他弄回家；要么接受提议，进行增援。但这两件事都没做。

格莱斯顿发现整个国家都在反对他，他犹豫了。报纸的标题很大，什么时候才能派出援军？巴林在《现代埃及》（1908）中写道："尼罗河的进军被批准得太晚了，原因是格莱斯顿先生不愿意接受一个简单的事实，比他笨得多的人都看明白了。"1885 年 1 月 26 日，包围者冲进喀土穆，戈登将军穿着白色制服在宫殿的台阶上等着。他们砍下了戈登的头，把尸体扔到了井里。两天后，援军到达。

抗议铺天盖地。女王发了一封公开电报对这场灾难表示遗憾。"来自喀土穆的这些消息是可怕的，"她写道，"一旦想到这一切原本都可以被阻
310 止，早点行动可以拯救许多宝贵的生命，就让人心碎不已。"任何一个邮件管理员都可以读到这封信，这无疑是有意为之。内阁讨论了辞职，但没有得出任何结论；他们看不到个人以外的东西，辞职意味着终结。"老爷爷"（G.O.M., the Grand Old Man）——格莱斯顿的绰号——变成了杀害戈登的"凶手"（M.O.G., the Murderer of Gordon）。50 年来没有比这更痛苦的灾难了，这使得英国公众与自由党政府疏远了。格莱斯顿本人被愤怒和歇斯底里的指责淹没了。

一股不安之风盛行。每个内阁成员似乎都认为，在苏丹、预算、爱尔兰、《高压统治法》等问题上，他被这个或那个同僚出卖了。格莱斯顿向妻子吐露说，这是"一场疯狂的政治传奇，接连不断的惊险逃脱和奇异的事情接踵而至"。当 1885 年 6 月预算被下议院否决时，格莱斯顿借机辞职，

于是索尔兹伯里勋爵接任保守党领袖，并担任了 7 个月的首相。他有个主意：保守党在上议院中占绝对多数，扮演一下激进分子的角色可能不会对他们和国家造成大的伤害。迪斯雷利曾经成功过。因此，索尔兹伯里在格莱斯顿的支持下，认为保守党也许更有可能为爱尔兰通过一些激进措施。但这只不过是一种幻想，也许他也明白。他对民族主义者呼吁的“我们要对爱尔兰人民有信心”发表了评论，他说：“信心取决于你要信任的人。比如说，你不会相信霍屯督人有自由代议制。”

张伯伦称索尔兹伯里为“看守首相”，在他短暂的任期内，索尔兹伯里通过放弃一项犯罪法案和通过一项爱尔兰租户购买土地的法案，向大海对岸的陆地送去了月桂枝。但这还不够，帕内尔向索尔兹伯里要得更多。他巧妙地利用议会策略，强调他可以有效地限制所有的进展。为了爱尔兰的利益，他扮演了两面派。在随后的 1885 年大选中，他获胜了。自由党赢得 319 个席位，保守党赢得 249 个席位，帕内尔党赢得 86 个席位，权力平衡。除了帕内尔，没有人对这个结果感到满意。自由党是最大的政党，但并不出色，没有多数席位。索尔兹伯里领导着一个少数派政府，也知道这个政 311
府不会长久。“不知怎么的，我对整件事都感到忧郁，”罗斯贝利勋爵写道，“格莱斯顿先生更老、更虚弱，即使取得了胜利，也不比 1880 年时的状态。而且不知何故，他似乎已经看到了自己漫长而辉煌的职业生涯的终结。”格莱斯顿声音嘶哑，默默地坐在新大臣们面前，大臣们也没什么可说的。对于爱尔兰，他们感到困惑和不确定，害怕麻烦缠身。索尔兹伯里为这种沉默打圆场，称他们就职就是履行对女王的光荣义务。在下次大选之前，他们什么也不需要做。所以索尔兹伯里决定在帕内尔的帮助下继续前进。

格莱斯顿嘲笑这个爱尔兰人和“意志消沉且危险的保守人”结盟，但不久以后他就开始考虑要和帕内尔联手的事宜。然而格莱斯顿陷入了困境之中，无论他对地方自治有什么想法，他都不能单独向帕内尔吐露，这是不明智和不光彩的；但是他又不能在没有危险和分裂的情况下把想法透露给他的政党。所以他不得不保持沉默。

然而，1885 年 12 月，《晚间标准》刊登了一份文件，乍一看这似乎是他自己制订的地方自治计划。有的人怀疑它是否真实，还有的人怀疑它是否可行。它被称为“哈瓦登风筝”，后来被证明是由格莱斯顿之子赫伯特·格莱斯顿发表的，目的是转移反对者的视线。计划里这样说：“没有什么能诱使我赞成分离，但如果六分之五的爱尔兰人希望在都柏林有一个议会，管理他们自己的地方事务，那么我想以正义和智慧的名义说，就让他们拥有它吧。”他支持意大利和保加利亚的自治，又怎么能否认爱尔兰的自治呢？这是应当的，但也是不可避免的。格莱斯顿将再次负责“建立一个爱尔兰议会，全面管理所有立法和行政事务，保证少数民族能有代表，公平分担帝国的费用”。

312 各方不同的反应来得迅速而猛烈。他的众多敌人认为他背叛了英国，背叛了爱尔兰，因为他背叛了两边，所以现在已经没有跨党的拥护了，他把自己逼到了墙角。他或者赫伯特应该辩称自己只想获得主动权，维护他的权威，但是他继续在政治上保持模糊和沉默。

到索尔兹伯里执政的时候，格莱斯顿提出会支持保守党在爱尔兰自治法案上的任何尝试，但索尔兹伯里等人并没有接受诱惑。相反，他们在自由党统一派的默许和支持下，通过了一项新的爱尔兰高压统治法案。帕内尔当然不干了，他再次决定支持格莱斯顿。在 1886 年 1 月的一次争论中，索尔兹伯里的保守党被自由党和爱尔兰民族主义者的强大联盟击败。三天后，格莱斯顿重新执掌政权，他第三次进入首相办公室，含蓄地宣称他将为爱尔兰地方自治起草一份法案。他宣称：“新政府的愿望和目的就是仔细审查是否可以通过一切办法［除了胁迫］来应对爱尔兰目前的状况。”每个人都知道他的意思，在他看来，地方自治已经不可避免。

他第一个行动是给所有经他提名入阁的内阁成员一份提案，建议“建立一个立法机构，设在都柏林，独立处理爱尔兰事务”。

但是许多自由党议员，尤其是那些喜欢自称辉格党的老派，憎恶缩小议会和国家，不喜欢帝国解体。他们造反了，并由此引起了自由党的大分裂。

格莱斯顿似乎很想在接下来的几个月里将自治法案起草完成。他的一位私人秘书阿尔杰农·韦斯特爵士写道：

> 他投入到当前主题和目标时的热烈情感，可能会盖过普通人生活中的小情小爱（如果还没有抹杀的话）。执行他的伟大工作是他眼中唯一的事情，他使用的工具和方法对他来说比任何东西都珍贵，此刻对 313
> 他有帮助的人总是比那些已经逝去的人更重要。

几位值得信赖的公务人员和可靠的内阁成员，在格莱斯顿的监督下，在沉默中匆忙地工作着。

3 月底，当内阁开会讨论格莱斯顿包括建立一个有征税权的爱尔兰政府的提议时，张伯伦和爱尔兰首席秘书乔治·杜维廉爵士离开了房间，再没有回来。

4 月 8 日，下议院陷入一片兴奋之中，所有座位都坐满了。格莱斯顿得到了崇拜者的欢呼，他们望着他进入威斯敏斯特宫。格莱斯顿也得到了下议院支持者的多轮掌声。他讲了 3.5 小时，随后的辩论持续了 16 天。辩论结束时，格莱斯顿站起来劝诫他的同事："爱尔兰就站在你们的酒吧里，满怀期待，满怀希望，近乎哀求……" 他一定知道自己会输。结果，93 名自由党人投反对票给他，自治法案以 343 票对 313 票被否决。自由党分裂为自由党和自由党统一派，后者和他们的保守党同僚对于统一持有同样强硬的态度。自由党和保守党中的统一派在当时的重要原则上是一致的，不久他们就会组成一个政党。

格莱斯顿一点也不觉得沮丧，他指责是既得利益者导致了他的失败，并且又一次宣称"群众是对的，上层是错的"。然而，许多自由党人指责他将自己的政党与爱尔兰民族主义的流浪之星们捆绑在一起，正如他告诉罗斯贝利的那样，那些人"将掌控和撇开英格兰的所有其他问题，直到他们的问题得到解决"。他认为自己脑海中的想象是压倒一切的问题。

爱尔兰地方自治被否决后，女王按要求解散议会，让人民来做决定。
接下来的竞选战非常激烈，伦道夫·丘吉尔嘲笑地方自治提案是"愚蠢、 314

夸张和政治性歇斯底里的可怕混合体……疯人院里聚集的天才们将会徒劳地制造更为荒诞的组织”。许多人都是这样理解当下局势的。英国将以“满足一个老人匆匆忙忙的野心”被撕裂开来，更不用说自由党本身。尽管格莱斯顿看起来老了，弯着腰，疲惫不堪，但他又一次参加了全国巡回演讲，仿佛只有大众的欢呼才能治愈他受伤的灵魂。他在日记中写道，6月底在利物浦的一次演讲中，他“在游行喧嚣中花了七八个小时时间，给五六千人演讲了一小时四十分钟……我处于痛苦之中，灵魂在发烫，但上帝的手覆在我身上”。他那《圣经》般的语言节奏表明他开始扮演《旧约》先知的角色。女王很沮丧，她说，看到一个77岁的人“如此行事，把自己降格为一个寻常的煽动家……要是能阻止他就好了”，这是“令人崩溃的”。

选民阻止了他。“好吧，赫伯特，亲爱的老伙计，”他对儿子说，“毫无疑问，我们被痛打了一顿。”保守党统一派和自由党统一派总共比格拉斯顿派和爱尔兰民族主义者多118票。年底，他在日记中写道：

> 这是令人震惊和紧张的一年。我觉得这一年获得了一些进步；但更多的关注偏离了一个老人应该为渡过冥河所做的准备，尽管我关注的利益和人类密切相关。我没有机会从这个旋涡中爬出来，因为我不能放弃这项明显属于我的同胞的事业，这其中有一个部分似乎是特别交给我的。

换句话说，他不会放弃。

他似乎准备干下去，这令所有人惊讶。他说，他仍然听从他的政党和朋友的安排，同时“特别注意呼吁爱尔兰问题”。这已经成为他的伟大事业，他的道德天性的果实。他也许会成为坚持正义的罪人，认为自己继续
315 下去是为了更大的利益。他对敌人的愤怒变得更加明显。他说：“爱尔兰也许是世界上最引人注目的国家，法律在这一边，正义在另一边。”没有任何通过“有史以来最肮脏、最邪恶的手段”建立起来的统治可以“永远依靠压迫”而存在。

在此期间，索尔兹伯里成立了他的保守党内阁，伦道夫·丘吉尔称之为“马歇尔和斯内尔洛夫斯”，得名于伦敦坚固但毫无创意的百货公司。丘吉尔被授予财政大臣和下议院领袖的职位，人们认为他将从这一职位上跃居首相宝座。在他看来，索尔兹伯里的任务是坐稳这个位子，确保格莱斯顿和爱尔兰自治不再被提上议事日程。作为首相，保持党的完整和团结也是他的职责。这不是一项容易的任务，伦道夫·丘吉尔提出了宏伟的计划，诋毁他的同僚，并在每一次受到挫折时就威胁要辞职。最终，索尔兹伯里在某次突然决定接受他的辞职信来让他闭嘴，丘吉尔对于首相批准辞呈感到惊讶。威胁瞬间消失，索尔兹伯里现在要靠自己了，但还好他拥有牢靠的统一派的多数，这令他感到安慰。

格莱斯顿依然精神饱满，对爱尔兰自治事业的奉献令他坚定地生活下去。他和帕内尔现在因为爱尔兰的事业而“心有灵犀”，但事情总会出乎意料。帕内尔因一起离婚案被传讯，受到致命的伤害，而且证据确凿。自由党政治家约翰·莫利曾说过：“如果不是所有人都难以驾驭，所有问题都无法解决，爱尔兰将不会是一个难以治理的国家。”格莱斯顿私下谴责“帕内尔的可怕事件”，但他保持了一段时间的沉默，直到公众的反应迫使他出手。通奸和离婚在爱尔兰甚至比在英国更令人发指，即使是最受欢迎的政治家也难逃此劫。然而此时，格莱斯顿扔掉了这个烫手的山芋，他写信给帕内尔，敦促他辞职。帕内尔拒绝了，格莱斯顿几乎是立刻把信件发表在《蓓尔美街报》上。就帕内尔而言，这个案子本已经完结了，是格莱斯顿把他扔进了外面的黑暗中。那些仍然投票给他的人“要么是流氓，要么是傻瓜”。 316

对索尔兹伯里政府来说，爱尔兰是最重要的问题。索尔兹伯里告诉上议院：“目前，联合王国的守护人接管了所有其他政治利益主体。”他曾说过：“首先必须严厉对待。在他们尝到和解的甜头之前，必须先让他们‘吃点苦头’。”为此，他任命他的侄子亚瑟·贝尔福为爱尔兰首席秘书。贝尔福有一种 19 世纪 80 年代风格的慵懒和含混的态度；凭着他稀疏的小胡子和少年般英俊的外表，本可以从吉尔伯特和沙利文歌剧演员中脱颖而出。但是外表可能具有欺骗性。在爱尔兰，他很快得到了“血腥贝尔福”的绰号。他对保守党的强制政策深信不疑，执行起来毫不手软。他说：“人们说，好像爱尔兰人不遵守法律是应该的，因为法律穿着外国的衣裳。我看不出为什么《十诫》要因地而异。”贝尔福在1887年春提出了《爱尔兰犯罪法》，将抵制、恐吓、抗拒和驱逐定为刑事犯罪，最低刑期为6个月苦役。这不被认为是一项临时措施；它是板上钉钉的，直到被未来的政府废止。

另一种相反形式的政治运动开始在英国出现。1886年起，伦敦发生了多次罢工，约翰·伯恩斯和汤姆·曼恩都是社会民主联合会的成员，他们致力于组织机械工人，声援他们对固定基本工资的要求。1886年2月初，联合会又在特拉法加广场举行集会，要求为失业者提供公共工程。广场上的人越聚越多，根据警察的建议，他们移步海德公园，但是路线经过蓓尔美街，那里的商场和俱乐部诱惑太大了。窗户被打碎，商店被洗劫一空。伯恩斯对海德公园的人群说：“我们目前还不够强大，无法对付军队，但当我们给你们信号时，你们会起来反抗吗？”人群大声喊着：“会！会！”声震伦敦城。商店用木板封住了，银行也关门了。萧伯纳在《蓓尔美街报》上
317 写道：“他们不想要革命，他们想要一份工作。”“失业”和“失业现象”在这一时期成为公众词汇。

在这一年的秋天，示威游行被禁止在特拉法尔加广场举行——那里已经取代了克莱肯威尔格林成为激进活动的中心。11月13日，广场上举行了一场争取言论自由的示威，史称“血腥星期天”，警察和群众发生了对峙，在霍尔伯恩和斯特兰德发生了小规模的冲突与混战，直到近卫骑兵团清场；100人受伤，2人死亡。这是这一时期最大规模的动荡，尽管以欧洲大陆的标准来看，这种混乱还算温和。1888年，一群激进的煽动者在布拉德福德举办了一年一度的工会大会，提出成立一个独立的工党。同年，基尔·哈迪在苏格兰工党的成立中发挥了重要作用。当时没有提到社会主义，这被认为过于大陆化，带有革命的味道。

没有什么比1887年维多利亚加冕50周年纪念日的活动更具有荒谬意味了，当时公众的不满情绪还相当普遍。这位小老太太坐着敞篷马车，穿

过伦敦的街道来到威斯敏斯特教堂，坚持要戴上她的帽子（尽管用珠宝装饰着）。她被皇家卫队、17 位亲王、从巴腾堡到维特尔斯巴赫家族的近亲以及无数的当权者簇拥着。据《伦敦画报》报道，这是“当代最盛大的国家仪式，事实上在现代英国的编年史上也几乎是独一无二的”。她要做的事情越少，她的生活离臣民越遥远，她就越受到赞美。

帝国现在从白金汉宫扩张到巴尔莫勒尔堡。在那里，两个新的印度仆人取代了约翰·布朗，穆罕默德·布克什和阿不都哈林被授予“秘书”（munshi）[①] 头衔，也就是文员兼教师。维多利亚决定学习印度斯坦语。

乔治·吉辛的《五十周年》（1894）反映了这个节骨眼上国家的温度，记录了君主制国家普遍的冷漠，虽然纪念活动引起了一阵对壮观排场的兴奋。吉辛的角色是生活在伦敦南部坎伯韦尔和丹麦山周围的中下层中间阶 318
层，年轻女性渴望更高的地位和更多的收入。这不是安东尼·特罗洛普所描绘的世界，而是正相反。它早已令人习以为常，笼罩在大城市边缘的浅灰色之中。吉辛是这些郊区邋遢房间的鉴赏家：“这些画构成了一个奇怪的组合——一些艺术画的碳印品和镶在笨重镀金框里的丑陋的石印油画摆在一起。”碳印画是 19 世纪后期流行的版画作品；石印油画是一种类似油画的版画片。在桌子和椅子上

> 散落着大量的报刊：插图周刊、社会杂志、廉价刊物、一便士小说等等。每当周末新的刊物到来时，阿达·皮奇会在沙发上待几个小时来阅读十几个故事的系列连载，其中包括时尚、体育、戏剧、记者访谈（她特别喜欢）、幽默专栏和名人八卦。

一个类似家庭中的孩子“谈论剧院、赛马场、杜莎蜡像馆里的‘新杀人犯’，谈论警察新闻、臭名昭著的败家子和浪荡女人（demirep）”。Demirep 指的是行为不检的女性。在一个稍微上等一点的家庭中，“桌子上放着一本

① 原为波斯语单词，最初是一位作家、秘书的名字，后在英属印度意为欧洲人雇用的母语教师或秘书。

流通图书馆的新书——一本关于进化论的书……她现在的目标是成为伦敦大学的毕业生……正在为入学考试做准备，她希望在即将到来的冬天实现这一目标……她开口闭口就是‘考试’，以及在这份或那份‘考卷’中的机会”。

这本书第一部分便以今年这场重大活动为背景。

> 她要去五十周年大庆上挑选一名英俊的王子……有人告诉我，这
> 些座位卖三几尼……谢天谢地，每个人都要去看游行、装饰、灯火，
> 319 以及所有其他蠢东西……我想去找乐子，跑去盯着王室看，这有点难
> 为情，但毕竟是晚上的新鲜事。那会很棒，所有的交通都停止了……
> 你知道的，这是一个历史事件，到3000年，它就会被写在一张考卷
> 上，可怜的考生就会因为不知道日期而不及格……我和女王有什么关
> 系？你想去吗？不是去看女王陛下。我和你一样不在乎她……我没想
> 到你会在乎这样的事，我还以为你已经翻篇了……你听说了吗？南希
> 明天晚上想和那个讨厌鬼混在一起……现在我这么看：这是为了庆祝
> 维多利亚女王统治五十周年——是的，但同时也是为了庆祝五十年的
> 进步，人类历史上前所未有的民族进步。

现在大部分人都很清楚将来去向何处：“现在，在光荣的民主取得胜利之前……毕竟今天的人民已经占了上风。”这一时期在小说的书页间重复着这样的短语：“Look sharp about it. Do you twig? ... his temper was that orrible.”（小心点，你懂吗？……他的脾气不好。）男朋友被称为“masher”（混蛋）。优秀的男女被称为“a great swell”（了不起的人）。“Oh, what a silly you are. Go ahead! What’s the latest?”（哦，你真蠢，继续说吧！最新消息是什么？）

吉辛从一条街道的视角描写了50周年庆的模样：“在坎伯韦尔格林街，他们混杂在混乱欢闹的人群中，出租和公共马车的咔嗒声、电车的铃声此起彼伏，公共场所的热气中散发着酒味。你可以听到这样的声音：她身边

的一个女人大声谈论着游行，特别提到了一个她称之为‘怀尔斯亲王’[1]的人物。”人群中爆发了一场争论：“我们不会让你这种酗酒的流氓用那种方式谈论‘陛下’。”这些角色经常出现在最新的歌曲中，在音乐厅中播放，有时夹杂着悲怆而不是幽默。 320

“Ta-ta.”（再见。）

① 即威尔士亲王的误读。

# 26

# 长腿老爹

索尔兹伯里政府其实是因为格莱斯顿才凝聚起来的，而不是保守党的领袖们。只要格莱斯顿还在坚定地追求爱尔兰地方自治，政府就会守在那里，确保把格莱斯顿挡在办公室门外，这在理论上至少是可行的。索尔兹伯里本人仍然是一个不友好的角色：悲观，愤世嫉俗，神经质地反对任何变化，任何社会改革和改革家都对他感到胆寒。然而，正是他的政府推动了一些激进的立法，在红衣主教曼宁看来，这可算是 19 世纪 30 年代以来最激进的立法。

1888 年的《地方政府法》设立了民选议会来管理各郡，并将城市变成了郡区。当地的社会乡绅领袖一下子变得多余了，取而代之的是行政人员和官僚，他们控制着从警察到精神病院的一切。这切断了土地所有者和权力机构之间的联系，不过，直到 1894 年《地方政府法》的出台，英国才成为一个完全官僚化的国家，这部法案规定每个超过 300 名居民的区都要强制建立民选政府。

321 伦敦几乎从其存在之初就是一个行政混乱的地方，但是《郡议会法》，也就是众所周知的《地方政府法》，规定它应该由伦敦郡议会管制。伦敦郡议会（LCC）在首都非常强势，政府部门和国家决策也无法完全驾驭它。它在建设公共浴室、洗衣房、公园、图书馆等设施上具有那个时代的“地方社会主义”特色。它还负责在大都市各处建造了许多“议会廉租房”和“议会公寓”，从而改变了伦敦未来一百年的生活结构。

伦敦郡议会的第一任主席是自由党人。在某些方面，罗斯贝利勋爵很像张伯伦，尽管他本人并不是“地方社会主义”的倡导者，但在处理社会问题上领先于他的同僚，是具有20世纪早期情怀的新一代人。他向贫民窟的房东开战，并宣称伦敦“不是一个单位，而是一个整体”，其社会激进主义基于“把事情做好”的原则。他是众所周知的政治新星，但没有人知道他会走多远。

在这个令人困惑的变革时代，危险似乎是无处不在的。长大成人本身就是一项成就，除了极少数很受宠爱的人，没有人是完全健康的。那是一个高度紧张的时代，甚至在安东尼·特罗洛普的《公爵的孩子》(1880)中，猎人们也在讨论

> 来自外人的危险、来自新奇偏见的危险、来自现代运动的危险、来自过度耕作的危险、来自人口膨胀的危险、来自日益增多的铁路的危险、来自不懂文学的危险、来自流氓骚扰的危险、来自冷漠权贵的危险……一切都有问题。也许在其他地方也会看到同样的事情。农民普遍处于破产的边缘，贸易总是不景气，教会处于危险之中，上议院坚持不了多少年，王位摇摇欲坠。

这在一定程度上是对社会部分狭隘偏见的讽刺性描述，但它确实揭示了维多利亚时代公众的高度焦虑、恐惧和颤抖，哪怕是其中相对健壮和足 322
智多谋的人。威尔基·柯林斯描述了“这些日子里，有令人厌恶的神经衰弱和无声无息传播的神经疾病”。约翰·莫利说：“一切都在疑问、犹豫和颤抖的期望之中。”1888年，另一位作家伊丽莎白·查普曼写道：“在生活的各个方面对权威的反抗是一个动荡的、具有过渡性的、尤其是民主的时代的标志。”一位名叫T. H. 埃斯科特的记者认为“旧的分界线被抹去了，

受人尊敬的偶像被摧毁了”。人们在理解社会的动荡和巨变之前就感受到了这一切，它会引起许多人的神经衰弱、颤抖和恐惧。

这就是铁路事故成为这个时代的标志性形象之一的原因。新世界的缩影，时间和速度，不断增长的冲劲，也是死亡和灾难的形象。在透纳的《雨、蒸汽和速度》中，一只野兔在驶过迈登黑德高架桥的西部铁路列车前奔跑。同时代的人应该知道那句古老的谚语：看到一只兔子跑在你前面预示着灾难。“我们看到一只兔子，我们不会有好运了”。蒸汽机本身也成了一个比喻。有某个新闻访谈是关于一项新改进的专利的，（被描述为）“像蒸汽机车一样在上议院通过了法案”。根据约翰·斯图尔特·密尔的说法，“新企业家具有增加蒸汽机的数量和使人类变得像机器一样好用的倾向，他们以此来衡量所有事物的价值”。在生活的游戏中，似乎有必要训练头脑和身体，“就像蒸汽机可以用来做任何工作一样”。人们对机器的力量和维护机器的人非常钦佩。一位早期的棉花贸易历史学家阿尔弗雷德·沃兹沃斯写道：“新机器在英国迅速传播，因为整个社会都对它感兴趣。”卡莱尔谴责了对“蒸汽智力”的新崇拜。类似的记载俯拾皆是。

但是维多利亚时代还有另一种看待世界的方式。就在乔治·史蒂芬逊审视 1850 年的铁路世界时，他告诉纽卡斯尔的朋友们：“当我回顾这些伟
323 大的事业时，会觉得我们似乎已经意识到了魔术师魔杖的神奇力量。”对许多人来说，这是一个神奇的世界，一个突然变幻的世界，一个充满咒语和魔法的世界；平淡的世俗变得不可思议。1834 年 10 月议会起火在当时被描述为“一个完美的童话场景”，而当范妮·肯布尔参观新挖掘的边山隧道时，她觉得“好像没有哪个童话故事有它一半精彩”。

要认识到无穷无尽的新奇和变化，需要借助一些魔法和魅力的图像，好像只有通过这种方式才能理解它。照亮街道的瓦斯，泰晤士河底隧道的修建，可以代替一千只手的工厂机械，所有这些都被视为奇迹。电也成为天然气的竞争对手，尽管亚瑟·杨格在他的《19 世纪 80 年代游记》中说，新的电报创造了“一个信息大循环，在英国，再轻微的警报都可以从王国的一端传到另一端”。一切似乎都离混乱不远了。

比阿特丽斯·韦伯在1882年的日记中宣称当代是仁爱精神的典范时期，“社会问题是当今最重要的问题，它们取代了宗教”。那些闲情逸致的小说之外也出现了社会报道和调查，尽管大部分人都不会留意，但也有一些人会停下来为衣衫褴褛的孩子和贫弱醉酒的母亲着想。与40年前出版的亨利·梅休的《伦敦劳工和穷人》相比，查尔斯·布斯的《伦敦人民的生活和劳动》（1889—1903）提供了一个较为全面的叙述，之前那本书研究的对象是个人，而不是阶级；而现在这些逸事已经让位于统计数据，代表了社会历史表现形式的巨大变化。例如，布斯猜测，伦敦30%的人口处于贫困（poverty）之中，其中约三分之一的人“非常贫困”（very poor）。19世纪80年代的“非常贫困”比赤贫（destitution）好一点点。但他认为，既然贫困可以被定义，便也是可以治愈的；他还暗示说，政府本身必须承担责任，从伦敦地面清除集中了“临时劳工、街头小贩、游手好闲者、罪犯和准罪犯”的区域。

但是，他不会把那些人的状况归咎于“贫穷”本身，而前几代人的标 324
准想法却是如此。他们在“努力工作”或“拼搏”，但当时的经济形势对他们非常不利。这与懒惰和酗酒无关，仅仅是工厂的大门对他们关闭了。人们越来越认识到，穷人不是社会天生或永恒的组成部分，他们中有很多人可能会富起来。人们普遍认为，19世纪从供水到卫生设施建设已经解决了最恶劣的问题。城镇最穷的地方之前以“闪光和瓦斯”著称，现在也有了杂货铺、杜松子酒店、小餐馆和滑稽剧表演，还有民谣歌手、风琴演奏者、巡回乐队和沿街叫卖小贩的洪亮音调。

但只要看一眼查尔斯·布斯的“贫困地图”，就能很快消除一切虚无的乐观情绪。黑色表示“赤贫、邪恶、半犯罪”，深蓝色表示“非常贫困、散漫、长期匮乏”。甚至用浅蓝色表示的上一等次的人，也只能过着每周18先令到1几尼的生活。伦敦东区是黑暗的中心，超过三分之一的人口生活在“贫困线以下”。自19世纪40和50年代以来，情况可能确实有所改善，但与其他人相比，被归于“非常贫困”的人越来越穷了。1891年，经济学家J. A. 霍布森写道：“穷人改善条件的速度不够快，无法遏制当前的普遍不满。”

如果问题不在于个人无能，也不在于运气不好，那么责任就落在了日益流行的术语“系统”身上，人们对“失业现象”有了新的认识或关注。特拉法加广场成了国家由于这个新问题而引发集会示威的中心。一个“市长官邸基金会”被建立起来，以救济失业者，但解决不了根本问题。“失业者”成了人们惶恐不安的影子，没人知道该拿他们怎么办。还有一个更低等的类别叫“社会渣滓”，他们到处传播传染病。不过，失业者仍然处于公众意识的前沿。

“正在劳动的穷人”和“需要帮助的穷人”尚未通过整体的手段改善
325 境遇，大约有 700 个慈善组织以各自为战的方式开展工作。如果没有一张“安全网”来涵盖那些游离于系统之外的人，某个街道、某些地区甚至某个人就会成为社会关注的焦点。不过，自 1869 年以来，慈善组织协会就一直存在，亨利·詹姆斯认为它是“英国文明的一个特征”。它和英国其他的协会一样务实，但它试图把各种各样的慈善机构聚集在一起，同在街上的它们可能会相互冲突。

迪斯雷利 1870 年出版的小说中有名无实的英雄洛瑟尔评论说：“在我看来，与其说贫穷是工资问题，不如说是住房问题。如果工人阶级得到妥善安置，以他们目前的工资水平，他们会过上更富有的生活。以同样的成本，他们会更健康、更快乐。”其他“模范屋”的推崇者也有同样的想法，其中一些人是富有的慈善家，他们开始了一个清理贫民窟和在英国城市不断建造新房屋的过程。

女王于 1887 年春天前往伦敦东区参加“人民宫”的开放典礼，这里集音乐厅、图书馆和歌厅于一体。她听到了“可怕的噪声，她认为那是嘘声”。索尔兹伯里抱歉地告诉她：“伦敦比这个岛国任何别的大城市都有更多最恶劣的野蛮人……他们可能是社会主义者和最坏的爱尔兰人。”

伦敦东区在大众心目中也成了一个神秘和黑暗的地方。那是“深渊”，是“最黑暗的伦敦”和“地狱”。这是一个有着恐怖夜晚的城区。它代表了维多利亚时代伦敦的精髓，在一千部电视剧中都是如此。然而，在 1888 年的夏天和秋天，它更加成为特别关注的对象。两起劳资纠纷给人留下强烈的印象，仿佛它们非常沉重，承载着未来的重量，就像乌云预示着降雨。1888 年 7 月初，在堡区的布莱恩特和梅火柴厂，两个女工因不服从命令而被解雇，女工们实行了罢工。她们坚持不懈，并得到了一些非常重要的援助。这件事使人们注意到工人的工作环境非常不健康。例如，用于制造路 326
西法火柴的白磷会引发一种被称为“磷毒性颌骨坏死”的病症，他们是苍白瘦弱的工业奴隶。又有 700 人在费尔菲尔德工厂罢工，工厂倒闭。他们对自己的事业保持警惕，第一次抗议游行是在舰队街，而不是在威斯敏斯特。他们获得了记者、议员和在首都活动的各社会主义党团的支持。

著名的工会主义者汤姆·曼恩后来写道：

> 这些女工很快加入了工会。她们做事情很有技巧，成立了一个俱乐部，作为教育和社会活动的中心，整个过程都充满了希望。女工们获得了胜利，她们对其他工种的工人也产生了影响，其中一些人也很有智慧地表达了不满。

大多数女工都有爱尔兰血统，她们共同的文化在伦敦东区产生了巨大的影响。这是英国工会运动的决定性时刻，并为次年伦敦东区的码头工人大罢工创造了条件。恩格斯将火柴女工的活动描述为“引起整个雪崩的轻轻一推”，他的话很快就会得到证明。

与此同时，一个阴影笼罩着伦敦东区，引起了全国的关注。那一年的 8 月至 11 月，“开膛手杰克”短暂地引发了公众前所未有的恐慌。好像该地区所有假定的黑暗都集中在这个难以捉摸的匿名人身上，而他没有被抓获，导致人们怀疑这些妇女的死因就是这个街区本身。这成了那个时期特有的神经衰弱式激动的催化剂。

在社会主义流行和要求实现某种形式的“民主”的背景下，罢工接踵而来。到 1887 年，棉花行业的各个工会团结到了一起。机械工人实行了一天 9 小时的罢工，即便没有工会的影响，这次罢工也是成功的。同年，码

327 头工人本·蒂莱特在蒂尔伯里码头成立了茶叶工人和普通工人工会。这些工人成为所谓“新工会运动”的核心。“新工会运动”旨在按照法定最低工资和强制八小时工作制的原则，把那些被“旧工会运动”忽视或遗忘的行业组织起来。被称为“劳工贵族”的旧工会忽视了较贫穷的工人、苦力和没有技能的工人。社会民主联合会的约翰·伯恩斯和汤姆·曼恩谴责了那些人自己的工会，即“机械工联合协会”对贫困工人“自私和势利的遗弃”。也是在那一年，劳工选举协会呼吁道：“劳工们必须组织起来……成为人民的中心。”

1888 年，矿工联合会成立。1889 年初夏，威尔·索恩在贝克顿煤气厂成立全国煤气工人工会和普通工人工会，他回忆说：“这个消息像野火一样在坎宁镇、巴克丁、东哈姆和西哈姆的公租房、工厂和作坊中传播，每个人都在谈论工会。”令他们惊讶的是，一天工作八小时的要求很快就被接受了。同年夏天，伦敦码头的码头工人举行了大罢工，诉求是“码头工人应和皮匠同酬”，他们也是前一年从火柴女工开始的罢工浪潮的一部分。本·蒂莱特组织了码头上收入较低的工人罢工，当他发出号召后，泰晤士河两岸的工人很快加入了他们的行列。他们的要求是每小时 6 便士的工资，卸货时间不少于 4 个小时。

码头工人是最受剥削的工人群体之一，他们都是临时雇工，拥挤在码头的大门周围，等待自己被雇用，这是一种不人道的制度。本·蒂莱特说：“我们被赶进了一个小屋，从这头到那头都是铁栏。在小屋外面，工头或承包商神气活现地走来走去，从一群渴望工作的男人中挑选着，就好像来到了牲畜市场。工人们互相踩踏，在那里像野兽一样争夺一天的工作机会。”

这是早期留在泰晤士河畔的最后一个缩影，但很快就消失了。自 1797
328 年以来，伦敦港首次关闭。红衣主教曼宁和救世军参加了谈判。曼宁经常在社会纠纷时出现，当肯辛顿高街的人们在他面前跪下时，G. K. 切斯特顿对曼宁的描述令人难忘：他就像“一个裹在火焰中的幽灵”。我们可以推测，下跪的人群中有一些是爱尔兰贫民，他们希望通过一定程度的工资改革来改善极度贫困。这场危机在 9 月份得到解决，码头工人工会出人意料地成为新世纪的一股力量。中间阶层的良知再次被唤醒，他们捐了18 000英镑给工会基金。最后，澳大利亚工会向这些亟须帮助的同志寄来了30 000英镑，罢工终于取得了胜利。

1889年12月，恩格斯写道：“人们正以完全不同的方式投身于这项事业，领导着更多的群众进行斗争，更加强烈地震撼着社会，提出了更加高远的目标……”《年鉴》有着不同的说法：“熟练工人的代表们愿意和非熟练工人站在一起支持他们，这是第一次。”这基本上就是新工会运动的面貌，它旨在帮助那些迄今为止没有得到任何帮助的人，它将经济与政治结合在了一起。老工会领导人穿得像雇主，他们穿着昂贵的大衣，戴着金表链和高帽子，而新工会成员看起来和工人无二。有这样的说法：折断一根树枝很容易，但要折断一捆50根树枝就难了。从利物浦到伦敦，人们的呼声越来越高：“全体人民联合起来！”这场运动甚至影响了威斯敏斯特，一个由70名激进自由党人组成的团体就社会问题一同投票，甚至选举了他们自己的党鞭。1890年春天，第一次“五一”游行在英国举行，人们“川流不息，手举横幅，奏乐游行，人数超过10万……”至少恩格斯所见如此。与此同时，约瑟夫·张伯伦建议成立一个联合的统一派来对抗社会主义和爱尔兰自治的威胁。到下一次大选时，他已经建立了这个在索尔兹伯里勋爵的保守党领导下的联盟。

格莱斯顿领导下的自由党抛出了一系列被称为“纽卡斯尔计划”的激 329
进措施，从而加剧了混乱。其中包括《雇主责任法案》、《爱尔兰地方自治法案》、三年一届议会、地方禁酒令、解散爱尔兰和苏格兰教会以及各种为自由党在1892年选举中增加选票的办法。虽然格莱斯顿在爱尔兰自治问题上充满了正义的使命感，但重要的是，这个问题只是其他所有问题中的一个。事实是，除了直接关心它的主角以外，所有人都已经把它忘了。索尔兹伯里在官邸的一次演讲中，宣称他从未见过爱尔兰如此平静。爱尔兰事务大臣贝尔福的精力和能力有目共睹，至少喜欢他的人都看到了他的成绩，这是帝国主义的一个伟大象征。大多数英国人一如继往地对整个问题漠不关心。

在19世纪80和90年代，社会主义传单和小册子的出现也标志着政治基调的改变。恩格斯把这种新的阶级体系的形成与大英帝国的逐渐瓦解联系在一起。他坚持认为，英国工业和贸易垄断的丧失是19世纪50和60年代的一个显著特征，是“这里迅速出现社会主义运动的奥秘所在”。这并非唯一或权威的解释，但这是第一次世界大战前所有价值观转向的一部分。低收入者或失业者的确不再被视为威胁，他们正在融入社会，那些加入工会的人也正在成为社区的一部分。这可能是中间阶层为新工会提供资金的原因之一，也许是出于同情和善意，但也可能是为自己考虑。这种隐蔽的自我保护就是怀疑论者所说的“虚情假意的道德”之一。

在格莱斯顿的一次演讲中，一位观察者注意到“他的头看起来像一只栖息在黑色树桩上的白鹰”。他否认了所有关于退休的说法，但决定到法国南部去度假。1892年2月，当格莱斯顿从比亚里茨回来的时候，他的部下
330 都渴望知道他的意图，但他“几乎一直在谈论树木”。现在，大家迫不及待地想让他尽快退休，但他仍然视若无睹。罗斯贝利说，他仍然怀着“正义的愤怒”，决心带领他的政党参加那个夏天的选举。包括女王在内的许多人都对一个80多岁的人将要管理帝国的景象感到惊讶——这已经是第四次了。1892年6月初，格莱斯顿不打算推进八小时工作制的立法，因为他忙于爱尔兰事务，然而并不顺利。几天后，当他被驱赶着穿过切斯特的街道时，一个老妇人向他扔了一块硬姜饼，击中了他的左眼。从那一击开始，他的视力开始下降。而竞选活动就快开始了。

在1892年7月的选举中，格莱斯顿没有赢也没有输。他获得了最多的席位数，只是没有得到爱尔兰民族主义者的支持，这样就不算赢得多数票。索尔兹伯里拒绝辞职，并躲在下议院，等待议会不信任投票把他赶走。8月中旬，索尔兹伯里终于如愿以偿。格莱斯顿带着一个他所谓“过小”的少数派政府回来了。无论如何，维多利亚对这个结果感到震惊。她称即将上任的政府将充斥着“内心拥护共和政体的贪婪的地方官员”。她还不能让自己“立刻去找那个可怕的老人……她既不尊重也不信任那个人”。当然，她不得不屈从于现状和宪法规定的礼仪，但她确实不喜欢他。她认为他们之

间的关系是假的，而他也在作假。

尽管如此，格莱斯顿内心的意志，再加上外在的胜利，似乎让他稍稍苏醒了一些。当时的记者亨利·露西说：“随着时间的推移，他的外表看起来更年轻，而不是更老。他的声调越来越抑扬顿挫，越来越有活力，而他的思维似乎越来越活跃，办法越来越多。”事实上，格莱斯顿领导的政府需要爱尔兰民族主义者的支持，这种局面是最难维持的。迟来的花不会开太久，他变得愤怒起来，不止一次威胁要辞职，阿克顿勋爵形容他“野蛮、暴力、失准、诡辩，明显受到怨恨的支配”。 331

1892 年选举的一个更重要的结果是凯尔·哈迪当选为西汉姆南选区的议员。他是以独立人士的身份参选，但很快就参与了独立于保守党和自由党的工党的建党。他戴着布帽，穿着粗花呢夹克进入威斯敏斯特，引起了一阵惊叹，他的穿着大概象征了他的使命感。独立工党的首次会议于 1893 年 1 月 14 日召开。它的目的是实行劳动改革，在政党政治上争取多数。这意味着他们更倾向于和工会结盟，而不是和那些已经完全沦为空谈的社会主义政党结盟。

格莱斯顿仍然被爱尔兰地方自治所束缚，他同意“纽卡斯尔计划”，但对此其实并不感兴趣。张伯伦追问他即将出台的爱尔兰自治法案的细节：“你打算允许爱尔兰党人对你所有关于英国的立法再拖延多长时间？”1893 年 2 月，格莱斯顿提出了他的第二个《爱尔兰自治法案》。他和张伯伦现在就像在年轻时的某些场景中一样相互对立着。张伯伦慷慨陈词道：“我敢说，在世界历史上，从来没有遇到过存在如此巨大的风险却对其可能的后果这样漠不关心的情况。”在爱尔兰民族主义者的帮助下，格莱斯顿以 43 票的优势在第二次宣读中获得通过。证券交易所的成员上街游行，在市政厅前焚烧法案。法案艰难地推进，伴随着巨大的苦涩和相互指责。下议院爆发了一场“拳击赛”，让坐在旁听席上的人非常害怕。该法案的审议快要结束时，上议院以 10 比 1 的多数将其否决。没有公众对此表达强烈抗议。英国人的漠不关心使该法案真正摆脱了困境。人们听到格莱斯顿小声抱怨道：“我再也不能为爱尔兰做什么了。”他似乎不能再为任何人做什么了，而且不断有人在私下说，他真的该走了。

332 对他来说，最后的时刻到来了。1894年3月初，他向女王递交了辞职信。她心情愉快地接受了，似乎一点也不为他的辞职感到不安。“格莱斯顿先生出去了，”她笑着对坎特伯雷大主教说，“瞬间就消失了。”格莱斯顿对女王没有任何关心或是想表达同情或祝贺而深感沮丧。他跌跌撞撞，疲惫不堪，成了女王眼中的傻子。在一次令人悲伤和流泪的内阁会议上，格莱斯顿没有感激他们的眼泪，而是把他的决定通知了同僚。失去多年以来的船长，这艘船看来将要随波漂荡，似乎没有人有能力驾驭它。

3月5日，罗斯贝利勋爵来到温莎宫，他亲吻了女王的双手。女王很喜欢他，虽然对他代表的党没有兴趣。罗斯贝利的优势在于，女王觉得他是最不讨厌的自由党人。女王只是说“我不反对自由党没有革命性质的措施，认为罗斯贝利勋爵不可能去毁坏那些久经考验的、有价值和必要的制度……”罗斯贝利身上有着最为深厚的辉格传统，认为保守党人是庸俗的，对其他不那么贵族气的自由党人只有若即若离的感情。他因处理了一场漫长而复杂的煤矿罢工而赢得了全国的关注和钦佩，于是他成了被选中的人。他在内阁中有很高的声望，但现在，在他职业生涯的巅峰，口吻却不那么坚定了，他不知道该怎么办。他的前任是一言堂，以至于从来没有讨论过什么严肃的政治问题。然而他机智、能言善辩，言辞表达让人羡慕。在举止穿着上，他符合19世纪90年代的风尚。他不像格莱斯顿或迪斯雷利，甚至也不像索尔兹伯里。他并不十分可靠，甚至有点轻浮，有奇怪的谣言说他和私人秘书，即昆斯伯里侯爵的大儿子有关系。

当他发脾气时就很暴躁和不耐烦。《观察家报》称他为一个“蝴蝶首相，天生短命”。事实上，罗斯贝利政府只维持了15个月。他的职位对他来说负担太重了，他犯了一个不可原谅的错误，说“从英国本土选出的大
333 多数议员都反对地方自治”。因此，过去18个月的疯狂谈判和政治规划实际上都是徒劳的。新首相没有热情，他心里没有战斗。他从来不知道自己想要什么，他对别人的愤怒实际上是对自己的愤怒。内阁总是处于犹豫不决和混乱的状态，首相现在被认为过于冷漠和轻率。他以第三人称的正式

方式告诉女王："罗斯贝利勋爵现在正被关在一个几乎一致反对他的房子里，出于各种政治目的，最好把他关进伦敦塔。"他不可能获得成功，因为他过于敏感，听不进反对意见，并且过于偏执。罗斯贝利对女王说："他是最不幸的首相，比任何一位身居这个高位的人都要不幸。"他睡不着，连续几个晚上都醒着，沉思着，忧虑着。"我不适合人类社会。"他告诉一位同事。这对首相来说不是一个好兆头，然而他的责任感还在迫使他前进。

2 月 19 日，他召集内阁，宣读了一份事先准备好的声明："我想不出党内或内阁中有谁在议会中为我辩护过，哪怕是随口说的也没有……我说的困难是难以忍受的，事实上我无法承诺可以再面对一次这样的情形。"就一位首相而言，这是一份异常伤感的报告，证实了他不适合执政。他满口胡言，自怨自艾。他被说服暂时不辞职，但是一个星期后，他的身体倒下了，虽然他的思想还没屈服。他因患流行性感冒而病倒，疾病和虚弱一直伴随着他。他说他理解为什么身处公众生活中的人会自杀。6 月 21 日，战争大臣亨利・坎贝尔-班纳曼因火药短缺而受到下议院的指责，第二天，罗斯贝利说服他的内阁因他们不受信任而全体辞职。几个小时后，女王发来消息，邀请索尔兹伯里组建下一个政府。

在随后的 1895 年 7 月的选举中，从一开始自由党获得 43 票占多数转变为统一派获得 152 票占多数，这是英国政治史上最大的逆转之一。罗斯
贝利和他的同僚们感到如释重负。当张伯伦加入新政府时，保守党和自由 334
党统一派之间签署了协议，一个强大的联盟出现了。罗斯贝利认为，自由党已经变成了"长全了腿足和翅膀，在千团火焰中舞动的'长腿老爹'"。他总是很有措辞的天赋。他还发明了一个短语"a clean slate（一段历史清白）"，这个短语可能是为索尔兹伯里准备的，他在接下来的 7 年里一直担
任首相。 335

# 27

# 失去的幻想

在 1895 年对奥斯卡·王尔德的审判中，维多利亚时代后期的内心世界被赤裸裸地展现出来。王尔德是爱尔兰人，这使他在英国与众不同，并让他能够远观他所生活的国家的习俗和惯例。在芸芸众生之中，他认识到了维多利亚时代社会的愚蠢和它所掩盖的罪恶。《名叫埃纳斯特的重要性》（1895）如此有趣，以至于英国观众忘记了——至少在看戏时——自己正在嘲笑他们觉得神圣的每一个习惯和价值。不过，对同时代的人来说，他们的理念都是错的，他们看到的都是虚幻的，那显然是在犯错。

像同时代的许多人一样，年轻时他披上了唯美主义的外衣，当时通常被称为“为了艺术而艺术”。艺术脱离道德，因此也没有社会和政治内容需要传达。由于英国正在经历其漫长工业革命的另一个阶段（一些历史学家称之为第二次工业革命），在这个阶段，物品是由机器而不是工匠或艺术家制造的，人们预测将来也许可以脱离或解脱于社会环境。

19 世纪 80 年代，王尔德作为美学运动的代表人物而成名。随着 1890
336 年 6 月第一份杂志连载《道林·格雷的画像》的出版，他又成为 19 世纪 90 年代颓废派文人的无冕之王。因此，他被认为是一位“世纪末”（fin de siècle）的作家，喜欢技巧和嘲讽，以格调和模仿为乐，嘲笑过去几十年的价值观。在王尔德的时代，维多利亚主义的终结（以及它所代表的一切）近在眼前，但没有什么能取代它。这是一个精神、道德、社会和艺术混乱的时代，即使是最强大的信念也开始崩溃、滑坡并最终瓦解。可以说，他生活在一个破碎的社会中，在艺术上是夸张的，在生活上是滑稽的，甚至连信仰都是戏剧化的。19 世纪的意义已经被掏空了，一切似乎都在崭露头角，就像斯旺和埃德加百货商店。王尔德深知巴尔扎克笔下邪恶英雄沃特林的话："不再有任何法律，只有惯例——除了形式什么也没有。"他把谈话变成一种艺术，把个性变成一种象征，把生活变成一部神秘的戏剧，以此来回应他周围世界的戏剧性。

《黄皮书》在一定程度上代表了 19 世纪末的潮流，它在 19 世纪 90 年代繁荣一时，成为唯美主义、颓废主义和象征主义的主要期刊——对于那些还坚定地怀有维多利亚时代中期情感的人来说，这是一种三位一体的恐怖。1894 年 3 月，该杂志的第一篇社论公布，其宗旨是"尽可能远离期刊文学的旧传统……它将是迷人的，它将是大胆的，它将是杰出的"。人们对此并没有表现出多大的热情，有些人认为这是一堆"歇斯底里和荒谬的事情"。它的第一位艺术编辑是奥布里·比尔兹利，人们认为是他选用了夺目的黄色作为封面，其实当时更为风靡的法国小说已经开始采用这种黄色封面了。在这本期刊短暂的生命中，马克斯·比尔博姆、亨利·詹姆斯、赫伯特·乔治·威尔斯和威廉·巴特勒·叶芝都为它做过贡献。它代表了 19 世纪悄然地逝去。

人们可能会认为奥斯卡·王尔德也在《黄皮书》的贡献者名单上，但事实上他从未参与过，并说过对此不屑一顾。然而，王尔德仍然并且始终是这个世纪最后几年的关键性人物，就因为他完全反转了人们的价值观。
他是维多利亚晚期文化的"另类"，被沙文主义、英国精神、普特尔风格和 337
是非分明的清教徒道德所支配。他迷恋于"美"和"艺术"，而不是"真实"和"现实"，他认为后者带来了二流的有害小说。

我们可以轻松地进一步扩展这个二元对立的列表——王尔德是同性恋，不是异性恋，他通过公开的同性恋生活方式，大胆挑战中间阶层的家庭生活。他关心的是表象而不是深度，关心的是身体而不是灵魂，关心的是审美而不是伦理。他对维多利亚时代视为“琐碎”的一切都很“认真”，反之亦然。他对模糊、不确定和不一致的偏好同样具有颠覆性。在他的生活和作品中，他没有挖掘和表达一个单一的、铁板一块的自我，而是毫不费力地创作和抛弃各种身份，将虚伪称为“一种我们可以借以增加个性的方法”。他善变的天赋自然地表现在戏剧和台词中，表现在悖论和寓言中，在这些体裁和形式中，他可以表现出多种自我，并在各种学说之间展开辩论，而不是只有单一的观点。因此，许多评论家毫不奇怪地将王尔德描绘成一个坚定的尼采式的人，投身于一场反对维多利亚时代道德的激烈战争中，并对 19 世纪晚期的中间阶层基督教价值观进行反思。

王尔德是他那个时代的大师，他可以毫不费力地采用所有的手段来表达出所有的效果。他喜欢尝试和测试每种文学形式的极限。他把已经消失多年的滑稽和带有挑衅的喜剧带回英国。他发明了英文散文诗，也是象征主义戏剧的先驱。他也是第一批写“法式”小说的作者之一，《道林·格雷的画像》在主题和风格上都是法式的，只不过不是用法语写的。这部小说强烈讽刺了英国中间阶层的习俗。1890 年的连载版本引起了人们愤怒的评论，很大程度上是因为它的同性恋论调，如果不是出版商对王尔德激进和详细的打字稿事先进行了审核和删减，这种论调会更加明显。然而，抗议并没有阻止王尔德在接下来的一年里为这个故事增加新的章节，最后这个故事以一本书的形式出版。他在书中将英国描述为“伪君子的故土”，并将
338 英国描述为一个“用财富平衡愚蠢，用虚伪平衡邪恶”的民族。

1891 年，王尔德还为《双周评论》撰写了他的政治论文《社会主义下的人的灵魂》，他在文中抨击了弥漫在英国文化中的“愚蠢、虚伪和市侩”。王尔德还指责英国公众舆论，他说，英国的公众舆论通过媒体对艺术、政治和“人们的私生活”实施“暴政”。

《人的灵魂》表达了王尔德对无政府主义形式的社会主义的向往。然而，它对虚伪的攻击与帕内尔直接相关，帕内尔与已婚的凯蒂·奥谢的关系于 1890 年底公开后，记者和议员们把他赶出了政坛，王尔德对他们的

做法进行了抨击。王尔德的批评象征着他对爱尔兰自治的坚决支持和他的爱尔兰人性格——从英格兰的阿尔弗莱德·道格拉斯到他的同胞萧伯纳和叶芝，每个了解他的人都知道这一点。王尔德的爱尔兰人性格使他能够理解并讽刺维多利亚时代晚期的英国人，因为他既是局内人，也是局外人，一个使用英国人的语言，但不接受通过这种语言传播的价值观和愿景的人。

在这个语言问题上，王尔德发表了一些有趣的声明。“出于共鸣，我是法国人；”他在 1891 年冬天这样描述自己，“出于种族，我是爱尔兰人。而英国人谴责我说莎士比亚的语言。”他在 1882 年美国巡回演讲中还宣称：“我看没有什么比我们快速适应英语语言艺术精神的能力更美妙，或者说更具凯尔特天才特征的事了。撒克逊人夺走了我们的土地，让它们荒芜。我们吸收了他们的语言，并为其增添了新的美感。”因此，英国和爱尔兰的关系为王尔德的悖论和他华丽的散文诗提供了一个政治背景。他是一个殖民地臣民，颠倒和渲染统治者的语言，暴露其隐藏的偏见和假话。王尔德（像塞缪尔·贝克特一样）既用英语也用法语写作，这绝非巧合。90 年代初，当他的法语剧本《莎乐美》被英国审查机构禁止在伦敦上演时，他曾考虑成为法国公民。当时，他对一名记者说：“我不是英国人，我是爱尔兰人——这完全是另一回事。”这是一个尖锐的评论，毕竟当时爱尔兰名义上是“联合王国”的一部分。 339

就在爱尔兰人王尔德开始颠覆维多利亚时代晚期的刻板印象时，在英国舞台和媒体上，爱尔兰人经常被描绘成无能、酗酒、多愁善感和肮脏的“乡巴佬”。王尔德和帕内尔一样，总是表现得很平静，彬彬有礼，穿着无可挑剔；他也在进入牛津大学后不久改掉了他的土生土长的方言。王尔德的哲学和历史观是严谨的、理智的和科学的，而不是感性的和直觉的，这在时下背景中可以明显看出。“英格兰是一片理性的迷雾之地。”他告诉萧伯纳，他觉得像他们这样的凯尔特人最适合驱散那些迷雾，因为他们没有那种普遍的偏见，对此不感兴趣。

1895 年，他在伦敦中央法庭出庭，王尔德似乎陶醉于将自己表现为颠覆维多利亚时代晚期中间阶层的“另类”，从证人席上挑战他们内心极为珍视的“七大美德”。他非但表示自己不勤奋，还在法庭上吹嘘自己在餐馆浪费时间。在中间阶层表现节俭的地方，他自豪地宣布他每周在萨瓦酒店消费 50 英镑。他不与自己阶级中受人尊敬的成员交往，而是与来自贫民区的年轻人交往和睡觉。他倾向于以责任和义务为导向的高尚生活，宣称快乐是人生唯一的追求，自我实现是人生的首要目标。王尔德通过同性恋而不是异性恋关系来认知自我，这一事实自然使事情变得更糟。在对他的第一次审判中，组成陪审团的普特尔式的中间阶层——一名股票经纪人、一名银行经理和几名来自克莱普顿地区的“绅士”——肯定认为他们看到了这“七宗罪”。

王尔德最终被判“严重猥亵罪”，这在维多利亚时代晚期的英国引起了道德恐慌。他的罪行令正派的人感到憎恶。而且审判表明，王尔德是一个巨大的绅士网的领导者，他们不仅互相爱慕，还喜欢来自社会最底层的男人。就在王尔德受审的六年前，在后来被称为“克利夫兰街丑闻”的事件中，一家为邮政总局服务的男妓院被揭露是贵族成员甚至皇室成员的幽
340 会场所。似乎权力和社会的等级体系已经被颠覆，或者说腐烂到贵族本身给予的信任感其实是一个巨大的骗局。这是第一次在虚构的小说之外，被认为是社会中坚的绅士阶层的私生活受到调查，结果发现是虚假而空洞的。

这些丑闻和审判也代表了“新女性”对性别角色的颠覆以及婚姻法的松弛，尽管这是无意识的。王尔德本人是“新女性”的支持者，以至于在他被定罪后不久，《潘趣》就宣布：“新女性的终结——崩溃终于来了。”这大概不是巧合。“新女性”代表了先进的、富有冒险精神的思想，这些思想在公众心目中与颓废的性行为不无关系。众所周知，被解放的女性挑战了传统的婚姻观念、尊严以及法律和教育的不平等。讽刺报刊上的漫画充斥着女性骑自行车、穿灯笼裤或戴着金丝边眼镜的画面；她们被视为男性化或女权运动组织“尖叫姐妹会”（shrieking sisterhood）的成员。有许多人追求事业而不是一直生孩子。有趣的是，从《莎乐美》、《埃林夫人》到《布

莱克内尔夫人》和《名妓》，女性才是王尔德戏剧的真正主角。她们机智而无畏，控制着王尔德描绘的世界，操纵和支配着男人。关于维多利亚时代的父权制和对女性的征服已被提的足够多，所以探究一下维多利亚时代的母权制和对男性的征服可能会很有意思。女性是社会的立法者——从王尔德笔下伦敦西区的豪宅到伦敦东区的后巷——她们的权力在很大程度上因为得不到承认而变得更加强大。 341

## 28

# 可怕的产床

索尔兹伯里的内阁引发了世纪末的一场大战。好望角，也称开普殖民地，是一个主要居住着南非白人的英国殖民地。奥兰治自由邦和德兰士瓦是布尔人建立的相邻的共和国，布尔人是南非第一批说荷兰语的定居者，他们一直在寻求独立和建立国防。这直接导致了第一次布尔战争，在这场战争中，英国人被彻底击败，被迫接受布尔人在英国宗主权之下对德兰士瓦的控制。

钻石的发现使开普殖民地在总督塞西尔·罗兹的领导下变得富有。15年后，黄金同样改变了德兰士瓦人的命运。英国殖民者带着对黄金的巨大渴望涌入，他们很快就成为保罗·克鲁格统治下的布尔共和国成年白人的大多数。英国人被称为“外国佬”，被迫承担 90% 的税收。他们很容易受到草率征税的影响，但他们在政府中没有任何角色，与荷兰人也不平等。因此，两个敌对的白人群体生活在人数更多的黑人之中。随着金矿开采越来越兴旺，紧张局势也迅速加剧。

342 英国人制订了入侵德兰士瓦的计划，利恩德·斯塔尔·詹姆逊带领一队雇佣军进入该地区，目的是在“外国佬”和其他英国定居者中煽动叛乱。500 人带着 6 挺马克沁机枪入侵了克鲁格的共和国，用枪和《圣经》来征服他的人民。他们的行踪在一天之内就被比勒陀利亚的布尔政府所掌握，而他们离目的地约翰内斯堡还有大约 34 英里远。1895 年底的这次袭击彻头彻尾地失败了。詹姆逊及其同伙被布尔人包围并抓获，布尔人将他们送往伦敦接受适当的惩罚。德国皇帝听到英国战败的消息，给克鲁格发了一封电报，祝贺他的胜利。英国媒体对德国的冒犯反应激烈，头条新闻都是“准备完毕”“英国还在”“不许插手”，当时音乐厅的歌词是“我们无法容忍”。然而，这正中德国的下怀，并煽动自己的公众舆论作为回应，为其增加海军力量做出解释。

詹姆逊的袭击是由钻石大王阿尔弗雷德·贝特和塞西尔·罗兹本人资助与授权的。然而，人们普遍认为这是由英国政府的政治家们鼓动的，尤其是殖民大臣约瑟夫·张伯伦。作为首相，人们怀疑索尔兹伯里即便不是策划者也可能对此有所知晓，但似乎他只是大概地知道这一计划。

英国的这次袭击完全就是一场入侵，不但没有得到支持，还引起了广泛的批评，更加凸显了亚瑟·贝尔福所说的“我们国家的孤立”。克鲁格和德兰士瓦成了当世英雄，英国人则被说成捣蛋鬼、无能者、软蛋，或者更不客气地被称为阴谋家。毕竟，张伯伦和白厅很可能与罗兹和贝特有过密切接触，他们到处受到谴责。

这些都是引起 1899 年至 1902 年第二次布尔战争的因素。有些人渴望
战斗并做好了准备。布尔人扬·史末资宣称：“我们全体南非人民必须接受 343
血与火的洗礼，才能被承认是世界上最伟大的民族之一。”克鲁格从詹姆逊突袭战的后勤工作中意识到，他的军队主要依靠志愿者是不够的。因此，他着手在德兰士瓦建立可靠的国防，从德国和别的地方购买武器；张伯伦告诉索尔兹伯里，德兰士瓦“拥有足以装备一支欧洲国家军队的各种火炮、步枪和弹药”。英国人更倾向于和解，并任命阿尔弗雷德·米尔纳为南非事务高级长官兼开普殖民地总督。他比他的前任更有同情心，但他也是一个帝国主义者，他认为自己是理应统治南非的“优越种族”的一分子。

21000 名英国“外国佬”发起请愿，要求他们的祖国干涉南非的曲折纷争，这加强了米尔纳的信心。米尔纳和克鲁格在布隆方丹会面，试图用

谈判解决分歧。米尔纳的军事秘书写道："会议开得令人相当疲惫……与此同时，我们的那些'外国佬'即将失去耐心，打断谈判。"像非洲河马一样粗犷的克鲁格依然执拗。米尔纳认为，他将不得不付出更多的努力来"压榨"克鲁格，这是张伯伦用的词。他可能从一些别的事件中得到鼓励，英国军队最近取得了一些胜利。1898 年 9 月初，基钦纳在乌姆杜尔曼摧毁了马赫迪起义军；两天后，英国和埃及的国旗在喀土穆的宫殿上空飘扬，对基钦纳来说，这至少是对戈登之死的报复。之后，英国在法绍达和法国进行了对峙，法国人扬帆远航以避战。所有这些都给军事领导人打了强心针，他们对克鲁格和米尔纳之间的谈判越来越不耐烦。克鲁格"吹牛吹到炮口上"，这是塞西尔·罗兹说过的话。与此同时，英国新闻界的打字机上传出越来越强烈的对采取行动的呼吁。

1898 年，格莱斯顿去世。之前，他回到哈瓦登城堡招待前来英国参加
344 女王加冕六十周年庆的殖民地总督。在他年老的时候，他的主要关注点从爱尔兰自治转到了盛行的沙文主义，沙文主义已经席卷了媒体和音乐厅，渗透到街上的耄耋老人和婴孩中。但格莱斯顿从未真正对帝国的态度感兴趣过。他患有面部神经痛，很快就发展成了癌症。他于 1898 年 5 月 19 日去世，享年 88 岁。顺应新时代的精神，他被送上了伦敦地铁，然后到威斯敏斯特大教堂举行葬礼。对一些人来说，他是国家稳定发展的最后障碍；对另一些人来说，他是曾经辉煌的国家的最后纪念。

揭穿克鲁格吹牛的时刻到了，他组织了一支包括爱尔兰人、非洲人、德国人和普鲁士人的外籍军团。为了反击，英国人带来了帝国的军队，有澳大利亚人、加拿大人、新西兰人和印度人。米尔纳在一份备忘录中写道"干预的理由非常充分"，在这里，英国人（"外国佬"）成了没有任何权利的白种奴隶。史末资在一份秘密备忘录中写道："南非正处于一场可怕的血洗的前夕。"他们要么成为一个被打败、被厌恶的种族，成为非洲的贱民，要么成为一个团结的南非的坚定缔造者。索尔兹伯里在一份备忘录中写道："我相信德兰士瓦、奥兰治邦和开普殖民地的荷兰领导人已经达成共识，要进行长期和切实的努力，以恢复荷兰在南非的霸权。如果这是他们的观点，

那么战争必将到来。我们最好在没有和别人爆发冲突的时候迎接它。”两个月前，他曾写道：“我认为我们要进行较大的军事努力的必要性——全都是为了我们所鄙视的人，以及不会给英国带来什么好处的土地。”对索尔兹伯里来说，这主要是一个声望问题，而不是利益问题，是为了确定英国在南非的“老大”身份。

布尔人发出了最后通牒，就在同一天，英国军舰在德班登陆，继而向非洲内陆开动。10 月 11 日，战争爆发。没有统一制服，也很少集中指挥的布尔人占据了最初的优势。他们了解这个国家；他们知道伏击和撤退的地点，这是 20000 英国人和跟随他们的 10000 印度人所不知道的。布尔人也 345
非常擅长射击，因为他们平时习惯于猎杀跳羚和牛羚。英国人在准备和熟练的程度上没有明显优势，志愿参军者的身体状况令人吃惊：有 12000 人来到曼彻斯特报名，8000 人因身体不合格而被拒绝。英国人在南非最大的失败在于军队的素质较差，而当时参军的标准被故意降低了。这被认为是可耻的，“英国的境况”问题又被以更直接的方式重新提出。伦敦的一名记者写信给米尔纳：“人们边走边低声说话，嘴里喃喃自语，同时不时回响起‘英国军队遭遇可怕逆转’的尖锐而可怕的喊声。”

作为卫戍司令的罗伯特·巴登–鲍威尔，意识到布尔人的军队数量庞大，在马弗京设立了司令部，以方便英国的到来，并阻止民众援助布尔人。1899 年 10 月初，马弗京遭到包围和炮击，当时没有人想到围困会持续 217 天。其他地方传来了坏消息。“悲哀的星期一”之后是 12 月初的“黑暗的一星期”，有 3000 人丧生。与此同时，伤寒使得布隆方丹每天有 50 名士兵死亡。哪儿都不安全。“那座开满鲜花的山上是什么人？”英国人的帐篷搭在纳塔尔殖民地因帕蒂山的斜坡上，布尔人从掩体里爬出来进攻。英国人击退了他们，但代价是 51 人死亡，200 多人受伤。一场伴随着鼓声、山炮声、布尔人的“长汤姆”炮声、隆隆的马车声、94 磅炮声还有马和驮骡的鼻息与嘶鸣声的战争拉开了序幕。

当英国人从山上撤退到莱迪史密斯时，有报道说“他们回来得很慢，又累又沮丧，厌倦无谓的牺牲”。对莱迪史密斯的围攻随即开始。这不是一场小战争。那时，马弗京、莱迪史密斯和金伯利是处在敌人环伺之下的帝国的军事重地。这是一场在难以想象的遥远地方进行的大战。它吸引了全
346 世界的注意力，其中许多人都乐于见到大英帝国的消亡。在随后的莱迪史密斯战役中，英国人被挤压在城里，伤亡惨重，他们在那里忍受了 118 天的围困。

莱迪史密斯的坏消息以及随后的失败震惊了全英国，这是前所未有的。维多利亚曾说过：“我们对失败的可能性不感兴趣。”但她的信心都被摧毁了。她在日记中写道：“今天没有什么消息，只有伤亡名单。”公众的反应更加激烈，问题严重起来。首相索尔兹伯里显得无精打采，但还抱有希望，他感到一开始就被“米尔纳和他的沙文主义支持者”冲昏了头脑。然而他明白，任何失败都会给帝国的霸权投下阴影，在近来所有的首相中，他最看重这一点。

对于公众来说，这是一个可怕的觉醒。《泰晤士报》的编辑后来评论说：“我们国民的生活和思想完全不同了。”英国统治的面纱被撕破了，暴露出一个又一个错误。对世界其他地方的人来说，这件事揭示了英国人如他们所认为的一样糟糕——虚张声势、虚伪无能。一位评论员卡尔·皮尔逊指出：“所有人的精神，无论他们属于哪个政党或持什么观点，都感到了压抑，这种情绪可能是我们这些人从未体验过的。”一位名叫塞西尔·斯普林-赖斯的外交官在 1899 年 12 月说道：“一个人孤独地躺着，一种活生生的、越来越强烈的恐惧盯着他的脸。”

一个广为接受的短语“辉煌的孤立”正越来越不受欢迎。这表明国家缺乏政策，没有做出任何积极的贡献。1898 年春，张伯伦在对伯明翰选民的演讲中称：

> 现在，我想让你们注意的第一点是——这也是局势的症结所在——自 50 年前的克里米亚战争以来，这个国家一直奉行严格孤立的政策。我们没有盟友，恐怕连朋友也没有……所有强大的欧洲国家都结成了联盟，只要我们置身于这些联盟之外，只要我们受到所有其他

> 人的嫉妒或怀疑，只要我们的利益在某个时候与任何其他人的利益相冲突——我们随时都可能会面对列强的联合……我们孤身一人。 347

这是一位英国政治家关于外交政策的最重要的演讲之一。他说出了他所知道的真相，并不需要很高明的观察家就能看到，相对于世界其他地方来说，英国面临着灭顶之灾的风险。众所周知，它与世隔绝，较小的军队无足轻重。政治家之间有分歧，街头的群众可能引发动乱，它的海军在全球捍卫大英帝国，其风险显而易见。德国是一个充满活力的欧洲国家，俄国正在向印度进军，美国和英国之间互有敌意。比勒陀利亚的一名公务员评论说："英国的衰落将会成为 19 世纪末最重要的事件。"

维多利亚女王在位的第 66 年，即 1900 年 1 月底，议会两院举行了闭幕会议。在这次会议上，作为殖民大臣的张伯伦因布尔战争的失败而受到大众的唾骂。他仰着头，闭着眼睛，据说看起来像一个遭到炮火袭击的士兵。

然而战争的气氛很快就扭转了。就像最近几次英国参与的其他战争一样，最初的失利被国家的复兴所改变。就在张伯伦发表外交政策演讲的几天后，罗伯茨元帅扫清了通向布隆方丹的路，之后继续向比勒陀利亚和约翰内斯堡挺进。四十八小时之内，金伯利和莱迪史密斯相继解围。1900 年 5 月 17 日，马弗京解围。巴登-鲍威尔坚持了 217 天，这也许是这场战争最伟大的胜利，巴登-鲍威尔成为民族英雄。教堂的钟声响起，学校下午停课，人们围着篝火跳舞。对战争最不利的反应是焦虑，而这种焦虑已经解除。那是一个"在无拘无束的欢乐中舞动、跳跃、尖叫"的时代。其影响是巨大的，超过了 1918 年或 1945 年的庆祝活动。伦敦变成了"马弗京"。 348

当时没有人知道或关心基钦纳为敌人的妇女和儿童建造的营地，但这些营地很快被称为"集中营"，并被斥责为新的战争恐怖。就连自由党的新领导人亨利·坎贝尔-班纳曼也公开反对"野蛮的方法"，这句话给自由党人和那些认为帝国主义是通往荣耀之路的人带来了巨大的冲击。

1902 年 5 月，《弗里尼欣和约》签署，布尔人擅长的游击战也宣告结束。奥兰治自由邦和德兰士瓦的主权归于英国，但英国承诺它们拥有自治权，以及在不久的将来给予大笔资金用于布尔农场主恢复生产以及两个共和国的全面重建。英国蒙受了耻辱，其军队装备不良，训练不足，关押平民的政策遭到了列强的谴责。对迎接 20 世纪来说，这是一个可怕的“产床”。

索尔兹伯里说过：“你可以把世界上的国家粗略地分为生存者和垂死者。”生存者利用了科学和工业、铁路和武器，这增大了他们的活动范围和力量。垂死者——他们是显而易见的，西班牙、葡萄牙、土耳其显然都处在衰老的剧痛中。英国肯定不会这样吗？

1896 年，诺思克利夫勋爵创办了《每日邮报》，它吹嘘从布莱顿到纽卡斯尔都有它的读者群，但同时它对地方或外省事务的关注也减少了。在这一年，马可尼航行到英国，劝说邮政总局接受他的无线电报。第一部电影在西区上映，汽车前面不再要求悬挂红旗。尽管政治家们尽了最大努力，但世界还是取得了胜利。

然而，在旧体制的大厅里，随着帝国统治的车轮慢慢转动，阴暗和单
349 调占据了上风。内阁中最有活力的成员约瑟夫·张伯伦抱怨说：“政治上没有什么主心骨，绝大多数人都在人云亦云、墨守成规。”女王本人明显迟缓了许多，一名访客说，宫廷里“非常单调”，在那里，“年复一年在同一天做同样的事情对于我们敬爱的君主来说是一种奇怪的魅力”。首相索尔兹伯里勋爵与他的同僚和国家事务越来越疏远。他通常很冷漠，不愿意与内阁接触，也不愿意提出新的政策。他一直认为新政策是糟糕的政策，他对战争的普遍厌倦和消极的看法使世界更加暗淡。一位后座议员说：“令我吃惊的是，在所有没意义的事中，政党会议总是最没意义的。”教会的声音在这片土地上变得很微弱。罗斯贝利勋爵饱受空虚和失败感的折磨，终于在 1896 年秋天放弃了自由党的领导权。接下来两年的议会会议被认为是一系列乏味会议中最乏味的。它在 1900 年的大选中达到终点，因为当时正在进行布尔战争，于是大选被称为“卡其色选举”（khaki election）。索尔兹伯里勋爵和他的同盟自由党再统一派再次归政府。

政治并不代表一切。在国家生活的其他领域，出现了各种各样的活动。在即将到来的新世纪，“新”的时尚也开始兴起，包含着对新世纪的敬意。

其中有“新女性”、“新幽默”、“新享乐主义”和“新艺术运动”。“新”被包含在生活的各个方面，在百货商店、自行车和灯笼裤中。柯达相机出现于1888年。家庭变小了；更多的空间、时间和金钱被用于流行的奢侈品和工作之余的娱乐，如剧院、赛马场、游乐场、集市和音乐厅。1896年11月14日是汽车节，伦敦和布莱顿举行了第一次汽车比赛，30辆车中有17辆跑完了全程。定义这一时期的短语是“我们现代人”，也许有点讽刺，但这是对这个世纪即将逝去的真实反应。

1897年6月，在第2周年纪念日，即60周年纪念日的前3个月，女王去里维埃拉会见了她的各个家族成员。但是出现了一个问题，王室的近亲 350
拒绝让女王的秘书，即印度仆人和他们一起吃饭。按照女王个人所能表达的愤怒的方式，她把桌上的东西全都扔到了地上——墨水瓶、纸张、钢笔和吸墨纸。这说明她永远也无法摆脱暴躁。秘书陪她一起去了法国南方。 351

# 跋

1900 年春天，女王从爱尔兰访问归来，回到温莎城堡时，受到了伊顿公学男生们的欢迎，他们唱起了爱国歌曲。她将身子探出窗外，重复说了很多次“谢谢、谢谢”。男孩们惊讶地看到她的一个印度仆人递给她一杯威士忌和水。她分两天在马车里检阅了从南非归国的两个兵团。战争的压力让她不堪重负，那些最了解她的人注意到了这一变化。她的女侍者丘吉尔夫人对女仆说，女王看起来像是一个“垂死的女人”。但是丘吉尔夫人却先死于心脏病，女王哀叹道：“这件事发生在这里太令人伤心了”，“我的损失无以言表”。元旦那天，她还有力气去疗养院看望士兵，他们是她接见的最后几个臣民。1901 年 1 月中旬，她似乎有点糊涂，次日就上床睡觉了。大约在下午 4 点，女王的医生詹姆斯 · 里德爵士向王室宣布，她正在慢慢走向死亡。过了一会儿，她睁开眼睛，低声说道：“詹姆斯爵士，我病得很重。”据她的女儿路易丝公主说，后来还听到她低声说：“哦，我还不想死。有几件事我想安排一下。”但已经来不及了，没法再安排。那天傍晚 6 点 30
352 分，她去世了，她的时代也随之而去。

# 英格兰君主世系

## 威塞克斯王朝

| 名称 | 在位 | 继承权 | 大事记 |
|---|---|---|---|
| 阿尔弗雷德大帝 | 871 年 4 月 23 日—899 年 10 月 26 日 | 埃塞尔伍尔夫与奥斯博嘉之子 | 英格兰历史上第一个以“盎格鲁－撒克逊人的国王”自称且名副其实之人，奠定英格兰王国的基础 |
| “长者”爱德华（爱德华一世） | 899 年 10 月 26 日—924 年 7 月 17 日 | 阿尔弗雷德大帝与艾尔赫斯威斯之子 | 征服丹麦法地区，摧毁英格兰南部维京人的力量 |
| 埃塞尔斯坦 | 924 年 8 月 4 日—939 年 10 月 27 日 | “长者”爱德华与艾克温之子 | 征服诺森伯兰王国，正式成立英格兰王国，人称“英格兰之王” |
| 埃德蒙一世 | 939 年 10 月 27 日—946 年 5 月 26 日 | “长者”爱德华与艾德吉夫之子 | 面临军事威胁后重新稳固英格兰王国，并与苏格兰保持和平共处关系 |
| 埃德雷德 | 946 年 5 月 26 日—955 年 11 月 23 日 | “长者”爱德华与艾德吉夫之子 | 平息诺森伯兰叛乱，令该地区彻底归属英格兰王国 |
| 埃德威格 | 955 年 11 月 23 日—959 年 10 月 1 日 | 埃德蒙一世与沙夫茨波里的艾尔弗吉夫之子 | 在位期间王国持续不断地发生冲突，最终以泰晤士河为界，同埃德加分治英格兰 |
| “和平者”埃德加（埃德加一世） | 959 年 10 月 1 日—975 年 7 月 8 日 | 埃德蒙一世与沙夫茨波里的艾尔弗吉夫之子 | 在统治晚期的 973 年加冕，象征着其统治的顶点，也为此后的英王加冕仪式奠定了基础 |
| “殉教者”爱德华（爱德华二世） | 约 975 年 7 月 8 日—978 年 3 月 18 日 | “和平者”埃德加与爱塞弗里德之子 | 在位三年即遇害，许多圣徒传记认为他是殉教者，其遗骸在英格兰宗教改革时期被藏起，20 世纪初重新被发现 |
| “决策无方者”埃塞尔雷德（埃塞尔雷德二世） | 978 年 3 月 19 日—1013 年 12 月 15 日<br>1014 年 2 月 3 日—1016 年 4 月 23 日 | “和平者”埃德加与爱弗里芙之子 | 在位期间，国家不断遭受丹麦人入侵，曾被丹麦国王“八字胡”斯韦恩击败夺走王位，并于其死后重获王位 |

| | | | |
|---|---|---|---|
| “刚勇者”埃德蒙（埃德蒙二世） | 1016年4月23日—1016年11月30日 | “决策无方者”埃塞尔雷德与约克的艾尔弗吉夫之子 | 反抗丹麦王朝克努特大帝的统治 |
| “忏悔者”爱德华（爱德华三世） | 1042年6月8日—1066年1月5日 | “决策无方者”埃塞尔雷德与诺曼底的艾玛之子 | 结束丹麦王朝的统治，没有留下子嗣，王位由戈德温之子哈罗德继承 |

## 丹麦王朝

| | | | |
|---|---|---|---|
| “八字胡”斯韦恩 | 1013年12月15日—1014年2月3日 | 蓝牙哈拉尔与加若德·奥拉弗斯多特之子 | 击败埃塞尔雷德，开创丹麦王朝 |
| 克努特大帝（克努特一世） | 1016年10月18日—1035年11月12日 | “八字胡”斯韦恩与傲慢者西格丽德之子 | 统辖英格兰、丹麦、挪威及部分瑞典，其辖境享有北海帝国之称 |
| “飞毛腿”哈罗德（哈罗德一世） | 1035年11月13日—1040年3月17日 | 克努特大帝与北安普敦的艾尔弗吉夫之子 | 趁哈德克努特在丹麦解决挪威叛乱无法抽身，谋得英格兰王位 |
| 哈德克努特（克努特二世） | 1040年3月17日—1042年6月8日 | 克努特大帝与诺曼底的爱玛之子 | 丹麦王朝末代国王，也是英格兰最后一位斯堪的纳维亚人君主 |

## 戈德温王朝

| | | | |
|---|---|---|---|
| 戈德温之子哈罗德（哈罗德二世） | 1066年1月6日—1066年10月14日 | 威塞克斯伯爵戈德温与吉莎·索尔科尔斯多特提尔之子 | 在黑斯廷斯之战中被诺曼底的威廉击败并阵亡 |

## 诺曼底王朝

| | | | |
|---|---|---|---|
| 威廉一世（“征服者”威廉） | 1066年12月25日—1087年9月9日 | 诺曼底公爵罗贝尔一世与法莱斯的莱乌之子 | 自称“忏悔者”爱德华的指定继承人，征服英格兰，造成“北方之劫” |
| 威廉二世（“红毛”威廉） | 1087年9月9日—1100年8月2日 | 威廉一世与佛兰德的玛蒂尔达之子 | 击败马尔科姆三世，在很大程度上影响了苏格兰的王位继承 |
| 亨利一世（“儒雅者”亨利） | 1100年8月2日—1135年12月1日 | 威廉一世与佛兰德的玛蒂尔达之子 | 其治理得到普遍认可，并在坦什布莱战役中俘获兄长诺曼底公爵罗伯特，由此征服诺曼底 |

| | | | |
|---|---|---|---|
| 玛蒂尔达<br>(玛蒂尔达王后) | 1141 年 4 月 7 日—<br>1141 年 11 月 1 日 | 亨利一世与苏格兰的玛蒂尔达之女 | 与斯蒂芬的征战令英格兰陷入“无政府时期” |

## 布卢瓦王朝

| | | | |
|---|---|---|---|
| 斯蒂芬<br>(布卢瓦的艾蒂安) | 1135 年 12 月 22 日—<br>1154 年 10 月 25 日 | 布卢瓦伯爵艾蒂安二世与诺曼底的阿德拉之子 | 与玛蒂尔达的征战令英格兰陷入“无政府时期” |

## 金雀花王朝

### 安茹王朝

| | | | |
|---|---|---|---|
| 亨利二世<br>(“短斗篷”亨利) | 1154 年 10 月 25 日—<br>1189 年 7 月 6 日 | 安茹的若弗鲁瓦五世与玛蒂尔达王后之子 | 得到苏格兰国王的效忠，命人杀害大主教贝克特，遭到教宗绝罚 |
| 幼王亨利 | 1170 年 6 月 14 日—<br>1183 年 6 月 11 日<br>(与父共治) | 亨利二世与阿基坦的埃莉诺之子 | 从 1170 年起成为名义上的英格兰国王，但并未实际行使统治权 |
| 理查一世<br>(“狮心王”理查) | 1189 年 7 月 6 日—<br>1199 年 4 月 6 日 | 亨利二世与阿基坦的埃莉诺之子 | 唯一参加过十字军东征的英格兰国王，并在阿尔苏夫战役中击败萨拉丁的穆斯林军队 |
| 约翰<br>(无地王) | 1199 年 4 月 6 日—<br>1216 年 10 月 19 日 | 亨利二世与阿基坦的埃莉诺之子 | 失去安茹帝国，专注英格兰本土；在叛乱贵族的逼迫下签订《大宪章》 |

### 金雀花王朝

| | | | |
|---|---|---|---|
| 亨利三世<br>(温切斯特的亨利) | 1216 年 10 月 19 日—<br>1272 年 11 月 16 日 | 约翰与昂古莱姆的伊莎贝拉之子 | 自“决策无方者”埃塞尔雷德以来的第一个幼王，被迫组建摄政委员会，其治下议会初见雏形 |
| 爱德华一世<br>(“长腿”爱德华) | 1272 年 11 月 16 日—<br>1307 年 7 月 7 日 | 亨利三世与普罗旺斯的埃莉诺之子 | 创立羊毛出口税，几近征服苏格兰，并处死威廉·华莱士，人称“苏格兰之锤” |
| 爱德华二世<br>(卡那封的爱德华) | 1307 年 7 月 7 日—<br>1327 年 1 月 25 日 | 爱德华一世与卡斯蒂利亚的莱昂诺尔之子 | 因崇信臣子而致使贵族叛乱；讨伐苏格兰失败；首位被废黜的合法国王 |
| 爱德华三世 | 1327 年 1 月 25 日—<br>1377 年 6 月 21 日 | 爱德华二世与法兰西的伊莎贝拉之子 | 开启英法百年战争，对法国造成重大打击；其治下的英格兰遭遇大疫 |

| | | | |
|---|---|---|---|
| 理查二世 | 1377年6月21日—1399年9月30日 | 黑太子爱德华与肯特的琼安之子 | 其治下发生英格兰历史上最大规模的农民起义，由其成功平息 |

兰开斯特王朝

| | | | |
|---|---|---|---|
| 亨利四世(博林布鲁克的亨利) | 1399年9月30日—1413年3月20日 | 冈特的约翰与兰开斯特的布兰奇之子 | 杀害理查二世与大主教，并数次平息以理查二世名义扯旗的叛党 |
| 亨利五世(英格兰之星) | 1413年3月20日—1422年8月31日 | 亨利四世与博恩的玛丽之子 | 重启英法百年战争，以少胜多取得阿金库尔战役胜利，迫使法王签订《特鲁瓦条约》，成为法国王位的继承人 |
| 亨利六世 | 1422年8月31日—1461年3月4日<br>1470年10月3日—1471年4月11日 | 亨利五世与瓦卢瓦的凯瑟琳之子 | 继承英法百年战争，但在圣女贞德解除奥尔良之围后陷入不利境地，国内爆发玫瑰战争 |

约克王朝

| | | | |
|---|---|---|---|
| 爱德华四世 | 1461年3月4日—1470年10月3日<br>1471年4月11日—1483年4月9日 | 约克公爵理查·金雀花与塞西莉·内维尔之子 | 在陶顿战役中击败安茹的玛格丽特和亨利，第一次执政<br>杀害亨利六世，第二次执政 |
| 爱德华五世 | 1483年4月9日—1483年6月25日 | 爱德华四世与伊丽莎白·伍德维之子 | 加冕不到一年，与弟弟约克公爵理查一同失踪，最终死因成谜 |
| 理查三世 | 1483年6月26日—1485年8月22日 | 约克公爵理查·金雀花与塞西莉·内维尔之子 | 在博斯沃思原野战役中战败，为玫瑰战争和金雀花王朝画上了句号 |

## 都铎王朝

| | | | |
|---|---|---|---|
| 亨利七世(亨利·都铎) | 1485年8月22日—1509年4月21日 | 埃德蒙·都铎与玛格丽特·博福特女勋爵之子 | 杀死理查三世，继承英格兰王位。擅长联姻政策，与约克的伊丽莎白结婚，合并约克和兰开斯特家族，正式结束玫瑰战争 |

| | | | |
|---|---|---|---|
| 亨利八世 | 1509年4月22日—1547年1月28日 | 亨利七世与约克的伊丽莎白之子 | 有过六次婚姻。推行宗教改革，使英格兰脱离罗马教廷的控制，并为创立国教会打下了关键基础 |
| 爱德华六世 | 1547年1月28日—1553年7月6日 | 亨利八世与简·西摩之子 | 加强国教会改革，首度将新教确立为英格兰国教会 |
| 简·格雷 | 1553年7月10日—1553年7月19日 | 萨福克公爵亨利·格雷与弗朗西丝·布兰登之女 | 著名的“九日女王”，但因在位仅九天，一般不被正式算作英格兰女王 |
| 玛丽一世(血腥玛丽) | 1553年7月19日—1558年11月17日 | 亨利八世与阿拉贡的凯瑟琳之女 | 为了巩固自身权力以及复辟罗马天主教，常以铁腕手段镇压人民，并靠宫廷斗争铲除异己 |
| 腓力二世(共治国王) | 1554年7月25日—1558年11月17日 | 查理五世与葡萄牙的伊莎贝拉之子 | 西班牙国王。与玛丽一世结婚后成为英格兰的共治国王。于1588年建立了赫赫有名的西班牙无敌舰队 |
| 伊丽莎白一世(童贞女王) | 1558年11月17日—1603年3月24日 | 亨利八世与安妮·博林之女 | 于宗教分裂时期继位，不仅成功维护了国家统一，还将英格兰打造成了欧洲最强大的国家之一。终身未婚嫁 |

## 斯图亚特王朝

| | | | |
|---|---|---|---|
| 詹姆士一世 | 1603年3月24日—1625年3月27日 | 达恩利勋爵与玛丽一世之子 | 首位英格兰、苏格兰及爱尔兰国王。在位期间鼓吹君权神授，自认上帝的使者，与议会时有矛盾，国民对此不满 |
| 查理一世 | 1625年3月27日—1649年1月30日 | 詹姆士一世与丹麦的安妮之子 | 英格兰历史上唯一被公开处死的国王，欧洲史上第一个被公开处死的君主。在位时国内宗教冲突严重，与议会之间爆发两次内战 |

| | | | |
|---|---|---|---|
| 查理二世 | 1660 年 5 月 29 日—1685 年 2 月 6 日 | 查理一世与亨利埃塔·玛丽亚之子 | 个性风趣、活力四射，人称“快活王”。签署议会制定的“人权保护法” |
| 詹姆士二世 | 1685 年 2 月 6 日—1688 年 12 月 23 日 | 查理一世与亨利埃塔·玛丽亚之子 | 查理二世的同母弟。臣民反对其专权，在光荣革命中被剥夺王位 |
| 玛丽二世 | 1689 年 2 月 13 日—1694 年 12 月 28 日 | 詹姆士二世与安妮·海德之女 | 作为国教表率一直以身作则，成功改善了 17 世纪 60 年代以来的不良风俗。与妹妹安妮冲突不断 |
| 安妮女王 | 1702 年 3 月 8 日—1714 年 8 月 1 日<br>1707 年 5 月 1 日—1714 年 8 月 1 日为大不列颠及爱尔兰女王 | 詹姆士二世与安妮·海德之女 | 在位期间英格兰王国与苏格兰王国合并成为大不列颠。签署《乌得勒支和约》，使英格兰大获其利并成为超越法国、荷兰的海上强国 |

## 英格兰共和国

| | | | |
|---|---|---|---|
| 奥利弗·克伦威尔<br>(老铁骑军) | 1653 年 12 月 16 日—1658 年 9 月 3 日 | 罗伯特·克伦威尔与伊丽莎白·斯图尔德之子 | 英格兰共和国首位护国公。资产阶级新贵族集团的代表人物。逼迫英格兰君主退位，解散议会，并转英格兰为资产阶级共和国，建立英格兰共和国 |
| 理查·克伦威尔<br>(摇摇欲坠的迪克) | 1658 年 9 月 3 日—1659 年 5 月 7 日 | 奥利弗·克伦威尔与伊莉莎白·鲍彻之子 | 英格兰共和国最后一位护国公。1659 年，议会恢复君主制，英格兰共和国覆亡，理查·克伦威尔流亡法国 |

## 奥兰治－拿骚王朝

| | | | |
|---|---|---|---|
| 威廉三世<br>(奥兰治的威廉) | 1689 年 2 月 13 日—1702 年 3 月 8 日 | 奥兰治亲王威廉二世与长公主玛丽·亨利埃塔·斯图亚特之子 | 击退法国后与妻子玛丽二世一同成为英格兰国王。领导了反抗法国的大同盟战争 |

## 汉诺威王朝

| | | | |
|---|---|---|---|
| 乔治一世<br>(乔治·路易) | 1714 年 8 月 1 日—<br>1727 年 6 月 11 日 | 汉诺威选帝侯恩斯特·奥古斯特与普法尔茨的索菲娅之子 | 第一位以德语为母语的英格兰君主，因为无法流利使用英语，他任命沃尔波尔为内阁首相，这也成为英国首相制度的开端 |
| 乔治二世<br>(乔治·奥古斯都) | 1727 年 6 月 11 日—<br>1760 年 10 月 25 日 | 乔治一世与索菲娅·多罗西娅之子 | 在奥地利王位继承战争中指挥联军同法国作战，并取得德廷根大捷。在位期间，英格兰商业高速发展，但也因此引发了金融泡沫 |
| 乔治三世<br>(乔治·威廉·弗雷德里克) | 1760 年 10 月 25 日—<br>1820 年 1 月 29 日 | 威尔士亲王弗雷德里克与萨克森-哥达的奥古丝塔之子 | 鼓励农业发展，令城乡人口大幅上升，为工业革命提供了充足劳动力。在位期间，英国先后参与了美国独立战争和拿破仑战争。晚年因精神失常而饱受折磨 |
| 乔治四世<br>(乔治·奥古斯都·弗雷德里克) | 1820 年 1 月 29 日—<br>1830 年 6 月 26 日 | 乔治三世与梅克伦堡-斯特雷利茨的夏洛特之子 | 在位期间大部分时间由利物浦勋爵担任首相，掌控政府。晚年被迫接受与他不和的乔治·坎宁先后出任外相和首相 |
| 威廉四世<br>(威廉·亨利) | 1830 年 6 月 26 日—<br>1837 年 6 月 20 日 | 乔治三世与梅克伦堡-斯特雷利茨的夏洛特之子 | 能力平庸但生性善良，被亲切地称为“水手国王”。1832 年的议会改革标志着英国资产阶级掌权 |
| 维多利亚女王<br>(亚历山德丽娜·维多利亚) | 1837 年 6 月 20 日—<br>1901 年 1 月 22 日 | 爱德华王子（肯特和斯特拉森公爵）与玛丽·路易丝·维多利亚之女 | 英国鼎盛的“日不落帝国”时期，史称“维多利亚时代”。英国在此期间加大殖民扩张，经济、文化空前繁荣，君主立宪制得到充分发展。维多利亚女王成为英国和平与繁荣的象征 |

## 萨克森－科堡－哥达王朝

| | | | |
|---|---|---|---|
| 爱德华七世（阿尔伯特·爱德华） | 1901年1月22日—1910年5月6日 | 维多利亚女王与阿尔伯特亲王之子 | 继位时曾是英格兰历史上担任王位继承人最久的王子，在位期间经历了第二次布尔战争，在英国陆军的重组和本土舰队的现代化等方面起到了推动作用，其统治时期被史称“爱德华时代” |

## 温莎王朝

| | | | |
|---|---|---|---|
| 乔治五世（乔治·弗雷德里克·恩斯特·阿尔伯特） | 1910年5月6日—1936年1月20日 | 爱德华七世与丹麦的亚历山德拉之子 | 在位期间见证了第一次世界大战，大英帝国版图在1922年达到巅峰，领土占全球土地面积的22.5%，人口达到全球五分之一，但印度独立运动、法西斯崛起等迹象也表明帝国行将走向衰亡 |
| 爱德华八世（爱德华·阿尔伯特·克里斯蒂安·乔治·安德鲁·帕特里克·大卫） | 1936年1月20日—1936年12月11日 | 乔治五世与特克的玛丽之子 | 刚继位便向即将二度离婚的美籍名流沃利斯·辛普森求婚，与大众和国教会道德规范产生冲突，引发宪政危机，他最终选择在继位当年退位 |
| 乔治六世（阿尔伯特·弗雷德里克·亚瑟·乔治） | 1936年12月11日—1952年2月6日 | 乔治五世与特克的玛丽之子 | 在位期间见证了第二次世界大战，大英帝国解体过程加速，逐渐演变为英联邦，自乔治六世始，英国君主放弃皇帝头衔，改用英联邦元首的新头衔 |
| 伊丽莎白二世（伊丽莎白·亚历山德拉·玛丽） | 1952年2月6日至今 | 乔治六世与伊丽莎白·鲍斯-莱昂之女 | 英国历史上最长寿的君主，也是目前全世界最长寿的君主，在位期间的重大宪政变革包括权力下放、非洲去殖民化、英国加入欧共体与退出欧盟 |

# 参考书目


Adelman, P., *Victorian Radicalism: the Middle-class Experience*, 1830–1914（London, 1984）
——, *Peel and the Conservative Party*, 1830–1850（London, 1989）
——, *Gladstone, Disraeli and Later Victorian Politics*（London, 1997）
Altick, R. D., *The English Common Reader: a Social History of the Mass Reading Public*, 1800–1900（Chicago, 1957）
Anderson, O., *A Liberal State at War: English Politics and Economics during the Crimean War*（London, 1967）
Annear, R., *The Man Who Lost Himself: the Unbelievable Story of the Tichborne Claimant*（London, 2003）
Anthony, Barry, *The King's Jester*（London, 2010）
Aspinall, A., *Lord Brougham and the Whig Party*（Manchester, 1939）
Barbary, J., *The Crimean War*（London, 1972）
Baron, X.（ed.）, *London* 1066–1914*: Literary Sources & Documents*（vols 2 & 3）（Robertsbridge, 1997）
Batho, E. C., Dobrée, B., & Chapman, G.（ed.）, *The Victorians and After*, 1830–1914（London, 1938）
Battiscombe, G., *Shaftesbury: a Biography of the Seventh Earl* 1801–1885（London, 1974）
Beales, D. E. D., *From Castlereagh to Gladstone*（London, 1971）
Bédarida, F., *A Social History of England*, 1851–1975（London, 1979）
Bell, H. C. F., *Lord Palmerston*（London, 1936）
Bentley, M., *Politics without Democracy: Great Britain*, 1815–1914*: Perception and Preoccupation in British Government*（Oxford, 1985）
Best, G., *Mid-Victorian Britain*, 1851–1875（London, 1971）
Bew, J., *Castlereagh: Enlightenment, War and Tyranny*（London, 2011）

Biagini, E. F., *Liberty, Retrenchment and Reform: Popular Liberalism in the Age of Gladstone,* 1860–1880（Cambridge, 1992）
Black, J., *The English Press* 1621–1861（Stroud, 2001）
Blake, R., *Disraeli*（Oxford, 1969）
Bloom, C., *Victoria's Madmen: Revolution and Alienation*（Basingstoke, 2013）
Boase, T. S. R., *English Art*, 1800–1870（Oxford, 1959）
Bodelsen, C. A., *Studies in Mid-Victorian Imperialism*（London, 1960）
Bradford, S., *Disraeli*（London, 1982）
Brady, A., *William Huskisson and Liberal Reform: an Essay on the Changes in Economic Policy in the Twenties of the Nineteenth Century*（London, 1928）
Briggs, A., *Victorian People: a Reassessment of Persons and Themes*, 1851–67（Chicago, 1955）
——, *The Age of Improvement* 1783–1867（London, 1959）
——, *Victorian Cities*（London, 1963）
——, *Iron Bridge to Crystal Palace: Impact and Images of the Industrial Revolution*（London, 1979）
——, *Victorian Things*（London, 1988）
Brock, W. R., *Lord Liverpool and Liberal Toryism*, 1820 *to* 1827（Cambridge, 1941）
Brown, D., *Palmerston: a Biography*（New Haven, 2010）
Buckley, J. H., *The Victorian Temper: a Study in Literary Culture*（London, 1952）
Burn, W. L., *The Age of Equipoise: a Study of the Mid-Victorian Generation*（London, 1964）
Bury, J. P. T.（ed.）, *The New Cambridge Modern History.* Volume X, *The Zenith of European Power:* 1830–70（Cambridge, 1974）
Buxton, S., *Finance and Politics: an Historical Study*, 1783–1885（London, 1888）
Cecil, H. P., & Blake, R., *Salisbury: the Man and His Policies*（Basingstoke, 1987）
Chamberlain, M. E., *Lord Aberdeen: a Political Biography*（London, 1983）
Chambers, J. D., & Mingay, G. E., *The Agricultural Revolution*, 1750–1880（London, 1966）
Checkland, S. G., *The Rise of Industrial Society in England*, 1815–1885（London, 1964）
Clapham, J. H., *An Economic History of Modern Britain*（3 vols）（Cambridge, 1926–1938）
Clark, J. C. D., *From Restoration to Reform: the British Isles* 1660–1832（London, 2014）
Coleman, B. I., *Conservatism and the Conservative Party in Nineteenth-Century Britain*（London, 1988）
Colley, L., *Britons: Forging the Nation*, 1707–1837（London, 1994）
——, *Captives: Britain, Empire and the World*, 1600–1850（London, 2002）
Collins, M., *The Likes of Us: a Biography of the White Working Class*（London, 2004）
Colloms, B., *Victorian Visionaries*（London, 1982）
Conacher, J. B., *The Aberdeen Coalition*, 1852–1855*: a Study in Mid-Nineteenth-Century Party Politics*（London, 1968）
——, *The Peelites and the Party System*, 1846–52（Newton Abbot, 1972）
Conrad, P., *The Victorian Treasure-House*（London, 1973）

Cookson, J. E., *Lord Liverpool's Administration: the Crucial Years* 1815–1822 (Edinburgh, 1975)
Cowling, M., 1867*: Disraeli, Gladstone and Revolution: the Passing of the Second Reform Bill* (Cambridge, 1967)
Crawley, C. W. (ed.), *The New Cambridge Modern History*: Volume 9, *War and Peace in an Age of Upheaval*, 1793–1830 (Cambridge, 1965)
Crosby, T. L., *The Two Mr Gladstones: a Study in Psychology and History* (New Haven, 1997)
David, S., *Prince of Pleasure: the Prince of Wales and the Making of the Regency* (London, 1998)
Davidoff, L., & Hall, C., *Family Fortunes: Men and Women of the English Middle Class* 1780–1850 (London, 1987)
Davis, H. W. C., *The Age of Grey and Peel* (Oxford, 1964)
De-la-Noy, M., *George IV* (Stroud, 1998)
Deane, P., *The First Industrial Revolution* (Cambridge, 1965)
Deary, T., *Dangerous Days on the Victorian Railways: a History of the Terrors and the Torments, the Dirt, Diseases and Deaths Suffered by Our Ancestors* (London, 2014)
Dodds, J. W., *The Age of Paradox: a Biography of England*, 1841–1851 (London, 1953)
Egremont, M., *Balfour: a Life of Arthur James Balfour* (London, 1980)
Emerson, R. W., *English Traits* (London, 1906)
Englander, D., *Poverty and Poor Law Reform in Britain: from Chadwick to Booth*, 1834–1914 (London, 1998)
Ensor, R. C. K., *England*, 1870–1914 (Oxford, 1936)
Evans, E. J., *The Forging of the Modern State: Early Industrial Britain* 1783–1870 (London, 1983)
——, *Britain before the Reform Act: Politics and Society*, 1815–1832 (London, 1989)
Eyck, F., *The Prince Consort: a Political Biography* (London, 1959)
Feiling, K., *The Second Tory Party*, 1714–1832 (London, 1938)
Feuchtwanger, E. J., *Disraeli, Democracy and the Tory Party: Conservative Leadership and Organization after the Second Reform Bill* (Oxford, 1968)
——, *Democracy and Empire: Britain*, 1865–1914 (London, 1985)
Flanders, J., *Consuming Passions: Leisure and Pleasure in Victorian Britain* (London, 2006)
Fontane, T., *Journeys to England in Victoria's Early Days* (London, 1939)
Ford, B., *Victorian Britain* (Cambridge, 1992)
Francis, M., & Morrow, J., *A History of English Political Thought in the Nineteenth Century* (London, 1994)
Freeman, M. J., *Railways and the Victorian Imagination* (New Haven, 1999)
——, *Victorians and the Prehistoric: Tracks to a Lost World* (New Haven, 2004)
Garfield, S., *The Last Journey of William Huskisson* (London, 2002)
Garvin, J. L., & Amery, J., *The Life of Joseph Chamberlain* (6 vols) (London, 1932–1969)

Gash, N., *Politics in the Age of Peel: a Study in the Technique of Parliamentary Representation*, 1830–1850（London, 1953）
——, *Mr. Secretary Peel: the Life of Sir Robert Peel to* 1830（London, 1961）
——, *Reaction and Reconstruction in English Politics*, 1832–1852（Oxford, 1964）
——, *Sir Robert Peel: the Life of Sir Robert Peel after* 1830（London, 1972）
——, *Aristocracy and People: Britain*, 1815–1865（London, 1979）
——, *Lord Liverpool: the Life and Political Career of Robert Banks Jenkinson, Second Earl of Liverpool, 1770–1828*（London, 1984）
Gilbert, A. D., *Religion and Society in Industrial England: Church, Chapel and Social Change*, 1740–1914（London, 1976）
Gillespie, F. E., *Labour and Politics in England*, 1850–1867（London, 1966）
Gleadle, K., *British Women in the Nineteenth Century*（Basingstoke, 2001）
Goodway, D., *London Chartism*, 1838–1848（Cambridge, 1982）
Guedalla, P., *The Queen and Mr. Gladstone*（London, 1933）
Guedalla, P.（ed.）, *Gladstone and Palmerston: Being the Correspondence of Lord Palmerston with Mr. Gladstone*, 1851–1865（London, 1928）
Gunn, S., *The Public Culture of the Victorian Middle Class: Ritual and Authority and the English Industrial City*, 1840–1914（Manchester, 2000）
Halévy, E., *A History of the English People in the Nineteenth Century*（6 vols）（London, 1949–52）
Hall, C., McClelland, K., & Rendall, J., *Defining the Victorian Nation: Class, Race, Gender and the British Reform Act of* 1867（Cambridge, 2000）
Hamer, D. A., *Liberal Politics in the Age of Gladstone and Rosebery: a Study in Leadership and Policy*（Oxford, 1972）
Hamilton, J., *London Lights: the Minds that Moved the City that Shook the World*, 1805–51（London, 2007）
Hammond, J. L., & Hammond, B. B., *The Age of the Chartists*, 1832–1854*: a Study of Discontent*（London, 1930）
Hanham, H. J., *Elections and Party Management: Politics in the Time of Disraeli and Gladstone*（London, 1959）
——, *The Nineteenth-Century Constitution* 1815–1914*: Documents and Commentary*（London, 1969）
Harris, J., *Private Lives, Public Spirit: a Social History of Britain* 1870–1914（Oxford, 1993）
Harrison, J. F. C., *The Early Victorians*, 1832–1851（London, 1971）
——, *Late Victorian Britain*, 1870–1901（London, 1990）
Hay, W. A., *The Whig Revival*, 1808–1830（Basingstoke, 2005）
Hayes, P. M., *The Nineteenth Century*, 1814–80（London, 1975）
Heffer, S., *High Minds: the Victorians and the Birth of Modern Britain*（London, 2013）
Hewitt, M., *An Age of Equipoise?: Reassessing Mid-Victorian Britain*（Aldershot, 2000）
Heyck, T. W., *The Transformation of Intellectual Life in Victorian England*（London, 1982）

Hibbert, C., *George IV* ( London, 1976 )
——, *The Great Indian Mutiny* 1857 ( London, 1978 )
——, *Victoria* ( London, 1979 )
Hill, R., *Toryism and the People*, 1832–1846 ( London, 1929 )
Hilton, B., *Corn, Cash, Commerce: the Economic Policies of the Tory Governments* 1815–1830 ( Oxford, 1977 )
——, *The Age of Atonement: the Influence of Evangelicalism on Social and Economic Thought*, 1795–1865 ( Oxford, 1988 )
Himmelfarb, G., *Poverty and Compassion: the Moral Imagination of the Late Victorians* ( New York, 1991 )
——, *The Spirit of the Age: Victorian Essays* ( New Haven, 2007 )
Hinde, W., *George Canning* ( London, 1973 )
——, *Castlereagh* ( London, 1981 )
Hobsbawm, E. J., *The Age of Revolution*, 1789–1848 ( New York, 1962 )
——, *Industry and Empire: an Economic History of Britain since* 1750 ( London, 1968 )
——, *The Age of Capital*, 1848–1875 ( London, 1975 )
Hollis, P., *Pressure from Without in Early Victorian England* ( London, 1974 )
Hone, J. A., *For the Cause of Truth: Radicalism in London* 1796–1821 ( Oxford, 1982 )
Hoppen, K. T., *The Mid-Victorian Generation*, 1846–1886 ( Oxford, 1998 )
Houghton, W. E., *The Victorian Frame of Mind*, 1830–1870 ( New Haven, 1957 )
Hurd, D., & Young, E., *Disraeli, or the Two Lives* ( London, 2013 )
Iremonger, L., *Lord Aberdeen: a Biography of the Fourth Earl of Aberdeen, K.G., K.T., Prime Minister* 1852–1855 ( London, 1978 )
James, R. R., *Rosebery: a Biography of Archibald Philip, Fifth Earl of Rosebery* ( London, 1963 )
Jay, R., *Joseph Chamberlain: a Political Study* ( Oxford, 1981 )
Jenkins, R., *Gladstone* ( London, 1995 )
Jenkins, T. A., *The Liberal Ascendancy*, 1830–1886 ( Basingstoke, 1994 )
——, *Parliament, Party and Politics in Victorian Britain* ( Manchester, 1996 )
Jenkins, T. A., *Disraeli and Victorian Conservatism* ( Basingstoke, 1996 )
Jones, W. D., *Lord Derby and Victorian Conservatism* ( Oxford, 1956 )
Jupp, P., *Lord Grenville*, 1759–1834 ( Oxford, 1985 )
Kitson Clark, G. S. R., *Peel and the Conservative Party: a Study in Party Politics* 1832–1841 ( London, 1964 )
——, *The Making of Victorian England* ( London, 1965 )
——, *An Expanding Society: Britain* 1830–1900 ( Cambridge, 1967 )
Klingender, F. D., *Art and the Industrial Revolution* ( London, 1947 )
Landes, D. S., *The Unbound Prometheus: Technological Change and Industrial Development in Western Europe from* 1750 *to the Present* ( Cambridge, 1969 )
Leonard, R. L., *The Great Rivalry: Disraeli and Gladstone* ( London, 2013 )

Longford, E., *Victoria R.I.* ( London, 1964 )
——, *Wellington* ( London, 1992 )
Lynd, H. M., *England in the Eighteen-Eighties: Toward a Social Basis for Freedom* ( London, 1945 )
MacDonagh, O., *Early Victorian Government*, 1830–1870 ( London, 1977 )
Mackay, R. F., *Balfour, Intellectual Statesman* ( Oxford, 1985 )
MacLeod, C., *Heroes of Invention: Technology, Liberalism and British Identity*, 1750–1914 ( Cambridge, 2007 )
Magnus, P., *Gladstone: a Biography* ( London, 1954 )
Mandler, P., *Aristocratic Government in the Age of Reform: Whigs and Liberals* 1830–1852 ( Oxford, 1990 )
Marriott, J. A. R., *England since Waterloo* ( London, 1913 )
Marsden, G., *Victorian Values: Personalities and Perspectives in Nineteenth-Century Society* ( London, 1990 )
Martin, K., *The Triumph of Lord Palmerston: a Study of Public Opinion in England before the Crimean War* ( London, 1963 )
McWilliam, R., *The Tichborne Claimant* ( London, 2006 )
Mitchell, L. G., *Lord Melbourne*, 1779–1848 ( Oxford, 1997 )
Moneypenny, W. F., & Buckle, G. E., *The Life of Benjamin Disraeli, Earl of Beaconsfield* ( 6 vols ) ( London, 1910–1920 )
Murphy, P. T., *Shooting Victoria: Madness, Mayhem, and the Rebirth of the British Monarchy* ( London, 2012 )
Newsome, D., *The Victorian World Picture: Perceptions and Introspections in an Age of Change* ( London, 1997 )
O'Brien, C. C., *Parnell and His Party*, 1880–90 ( Oxford, 1957 )
O'Gorman, F., *The Emergence of the British Two-Party System* 1760–1832 ( London, 1982 )
O'Kell, R., *Disraeli: the Romance of Politics* ( Toronto, 2013 )
Pakenham, T., *The Boer War* ( London, 1979 )
Palliser, D. M., Clark, P., & Daunton, M. J., *The Cambridge Urban History of Britain* ( 3 vols ) ( Cambridge, 2000 )
Parry, J. P., *Democracy and Religion: Gladstone and the Liberal Party*, 1867–1875 ( Cambridge, 1986 )
——, *The Rise and Fall of Liberal Government in Victorian Britain* ( New Haven, 1993 )
Parsons, G., Moore, J. R., & Wolffe, J. ( eds ), *Religion in Victorian Britain* ( 5 vols ) ( Manchester, 1988–1997 )
Paterson, M., *A Brief History of Life in Victorian Britain: a Social History of Queen Victoria's Reign* ( London, 2008 )
Pearce, E., *Reform! The Fight for the* 1832 *Reform Act* ( London, 2003 )
Pelling, H., *The Origins of the Labour Party*, 1880–1900 ( Oxford, 1966 )
——, *Popular Politics and Society in Late Victorian Britain: Essays* ( London, 1968 )

Perkin, H. J., *Origins of Modern English Society* ( London, 1985 )
Plumb, J. H., *The First Four Georges* ( London, 1966 )
Pollard, A., *The Victorians* ( London, 1970 )
Porter, A. N., & Louis, W. R., *The Oxford History of the British Empire.* Volume 3: *The Nineteenth Century* ( Oxford, 1999 )
Prest, J. M., *Lord John Russell* ( London, 1972 )
Ramsay, A. A. W., *Sir Robert Peel* ( London, 1928 )
Read, D., *Cobden and Bright: a Victorian Political Partnership* ( London, 1967 )
——, *Peel and the Victorians* ( Oxford, 1987 )
Reay, B., *The Last Rising of the Agricultural Labourers: Rural Life and Protest in Nineteenth-Century England* ( Oxford, 1990 )
Robbins, K., *John Bright* ( London, 1979 )
Roberts, A., *Salisbury: Victorian Titan* ( London, 1999 )
Robson, R. ( ed. ), *Ideas and Institutions of Victorian Britain: Essays in Honour of George Kitson Clark* ( London, 1967 )
Royle, E., *Chartism* ( London, 1980 )
Royle, T., *The Kitchener Enigma* ( London, 1985 )
——, *Crimea: the Great Crimean War* 1854–1856 ( London, 1999 )
Russell, C. A., *Science and Social Change:* 1700–1900 ( Basingstoke, 1983 )
Saintsbury, G. E. B., *The Earl of Derby* ( London, 1892 )
Schivelbusch, W., *The Railway Journey: Trains and Travel in the* 19*th Century* ( Oxford, 1980 )
Searle, G. R., *Entrepreneurial Politics in Mid-Victorian Britain* ( Oxford, 1993 )
Shannon, R., *Gladstone* ( 2 vols ) ( London, 1982–99 )
——, *The Age of Disraeli*, 1868–1881*: the Rise of Tory Democracy* ( London, 1992 )
——, *The Age of Salisbury*, 1881–1902*: Unionism and Empire* ( London, 1996 )
Shenton, C., *The Day Parliament Burned Down* ( Oxford, 2012 )
Slater, G., *The Growth of Modern England* ( London, 1932 )
Smelser, N. J., *Social Change in the Industrial Revolution: an Application of Theory to the Lancashire Cotton Industry*, 1770–1840 ( London, 1959 )
Smith, E. A., *Lord Grey*, 1764–1845 ( Oxford, 1990 )
——, *George IV* ( New Haven, 1999 )
Smith, F. B., *The Making of the Second Reform Bill* ( Cambridge, 1966 )
Somerset, A., *The Life and Times of William IV* ( London, 1980 )
Southgate, D., *The Passing of the Whigs*, 1832–1886 ( London, 1962 )
Stansky, P., *Ambitions and Strategies: the Struggle for the Leadership of the Liberal Party in the* 1890*s* ( Oxford, 1964 )
——, *Gladstone: a Progress in Politics* ( New York, 1979 )
Stewart, R., *The Foundation of the Conservative Party*, 1830–1867 ( London, 1978 )
Swartz, M., *The Politics of British Foreign Policy in the Era of Disraeli and Gladstone*

(London, 1985)
Sweet, M., *Inventing the Victorians* (London, 2001)
Taylor, A. J. P., *The Struggle for Mastery in Europe*, 1848–1918 (Oxford, 1954)
Temperley, H. W. V., *The Foreign Policy of Canning*, 1822–1827 (London, 1966)
Temperley, H. W. V., & Penson, L. M., *Foundations of British Foreign Policy from Pitt* (1792) *to Salisbury* (1902)*; or, Documents, Old and New* (Cambridge, 1938)
Tholfsen, T. R., *Working Class Radicalism in Mid-Victorian England* (London, 1976)
Thompson, D., *The Chartists* (London, 1984)
Thompson, E. P., *The Making of the English Working Class* (London, 1980)
Thompson, F. M. L., *English Landed Society in the Nineteenth Century* (London, 1963)
——, *The Rise of Respectable Society: a Social History of Victorian Britain*, 1830–1900 (London, 1988)
Thornton, A. P., *The Imperial Idea and Its Enemies: a Study in British Power* (London, 1959)
Trevelyan, G. M., *British History in the Nineteenth Century* (1782–1901) (London, 1922)
——, *History of England* (London, 1926)
——, *Lord Grey of the Reform Bill: the Life of Charles, Second Earl Grey* (London, 1952)
Turner, M. J., *The Age of Unease: Government and Reform in Britain*, 1782–1832 (Stroud, 2000)
Vernon, J., *Politics and the People: a Study in English Political Culture, c.* 1815–1867 (Cambridge, 1993)
——, *Re-reading the Constitution: New Narratives in the Political History of England's Long Nineteenth Century* (Cambridge, 1996)
Vincent, J., *The Formation of the Liberal Party*, 1857–1868 (London, 1966)
——, *Disraeli* (Oxford, 1990)
Walpole, S., *A History of England: from the Conclusion of the Great War in* 1815 (6 vols) (London, 1900–1912)
——, & Lyall, A. C., *The History of Twenty-Five Years: 1876–1800* (London, 1904–1908)
Webb, R. K., *Modern England: from the Eighteenth Century to the Present* (London, 1969)
Webster, C. K., *The Foreign Policy of Castlereagh*, 1812–1815*: Britain and the Reconstruction of Europe* (London, 1931)
——, *The Foreign Policy of Palmerston*, 1830–1841*: Britain, the Liberal Movement and the Eastern Question* (London, 1951)
Weintraub, S., *Victoria* (London, 1996)
Williams, W. E., *The Rise of Gladstone to the Leadership of the Liberal Party*, 1859 *to* 1868 (Cambridge, 1934)
Williamson, J. A., *The Evolution of England: a Commentary on the Facts* (Oxford, 1931)
Wilson, A. N., *Victoria: a Life* (London, 2014)
Wilson, B., *Decency and Disorder: the Age of Cant* 1789–1837 (London, 2007)
——, *The Making of Victorian Values: Decency and Dissent in Britain*, 1789–1837 (New York, 2007)

Winstanley, M. J., *Gladstone and the Liberal Party* ( London, 1990 )

Wise, S., *Inconvenient People: Lunacy, Liberty and the Mad-doctors in Victorian England* ( London, 2012 )

Woodham Smith, C., *Queen Victoria: Her Life and Times* 1819–1861 ( London, 1995 )

Young, G. M., *Early Victorian England*, 1830–1865 ( London, 1934 )

——, *Victorian England: Portrait of an Age* ( London, 1936 )

Young, G. M., & Handcock, W. D., *Victorian Essays* ( London, 1962 )

Ziegler, P., *Addington: a Life of Henry Addington, First Viscount Sidmouth* ( London, 1965 )

——, *King William IV* ( London, 1971 )

——, *Melbourne: a Biography of William Lamb*, 2nd *Viscount Melbourne* ( London, 1976 )

# 索 引

（条目后的页码为原书页码，参见本书边码）